KB197843

전쟁과 역사 2

거란 · 여진과의 전쟁

전쟁과 역사 2

거란·여진과의 전쟁

임용한 지음

혜안

지은이의 말

　살다보면 우연하고 사소한 계기가 커다란 변화를 초래하는 경우가 있다. 지금까지의 내 삶에서 그런 사건을 꼽으라면 이 『전쟁과 역사』가 아닐까 한다. 2000년인가 겨울방학 때 문화재 조사 의뢰가 왕창 들어왔다. 때는 겨울에다 조사 장소도 경기도 전역에 흩어져 있어 많이 힘들었다. 정확히 어디였는지는 모르겠는데, 파주 아니면 아차산성이 있는 구리시에 갔을 때가 아니었나 싶다. 예나 지금이나 이곳은 전략적으로 중요해서 산성과 기지가 많다. 함께 다니던 경기도 문화예술과의 송성근 선생과 그런 유적들을 돌아보며 이야기를 나누다가 전쟁사 얘기가 나왔다. 역사적으로 과학적으로나 사회적으로 전쟁은 대단히 중요한 주제임에도 불구하고, 우리나라에서는 소홀히 취급된다 어쩌고 하는 얘기였다. 그랬더니 갑자기 송 선생이 그러지 말고 나보고 다루어 보라고 권했다.

　나는 생각해 보겠다는 식으로 적당히 대답했던 것 같다. 당시에 나는 『조선국왕이야기』 3권 때문에 상당한 스트레스를 받고 있었다. 더욱이 삼국시대 전쟁사라니 순간적으로 그 엄청난 논쟁들이 떠올랐다. 아무래도 고대사는 자료가 부족하다 보니 지명 하나를 놓고도 순탄하게 넘어가는 경우가 없고, 산성마다 누구는 백제성, 누구는 신라성이라고 하고, 누군 토성, 누군 석성이라고 한다. 의외로 송 선생은 끈질기게 설득하더니 나를 도청으로 데리고 가서 삼국시대의 주요한 전적지와 산성에 관한 조사보고

서를 한아름 챙겨주었다. 마침 송 선생은 고고학 전공자인데다가 오랫동안 경기도 일을 맡아서 이쪽 관계 유적들을 잘 알았다. 여기서 끝나지 않고 송 선생은 파주의 적성과 마침 새로 발견된 한탄강가의 군사유적지도 안내해 주었다. 이 두 번의 답사는 책에서는 별로 다루지 않았지만 내게 큰 영감을 주었다.

『전쟁과 역사』1권을 출간하자 많은 님들이 좋은 평을 해 주었다. 특히 군에 복무하는 분들, 사관학교의 교수·전쟁사 전공자 분들도 특별한 평가를 해 주셔서 내심 걱정하던 나는 안도의 숨을 쉬었다. 그러나 덕분에 2권을 쓰지 않을 수 없게 되었고, 결과적으로 끝까지 써야 하는 시리즈가 되어 버렸다.

이렇게 된 김에 이번 서문에서는 전쟁사를 쓰는 이유와 목적에 대해 밝혀 보고자 한다. 전쟁이란 결코 선한 것은 아니다. 그러나 인류 역사에서 전쟁은 끊임없이 일어났고, 때로는 국가와 민족의 운명을 바꾸고, 혁명 못지 않은 엄청난 사회변동을 초래하기도 했다. 우리 역사에서만 보아도, 17세기 조선후기의 사회변동을 초래하는 많은 현상의 근원을 임진왜란에서 찾는다. 가깝게는 한국 현대사의 사회, 경제, 정치는 물론 문화, 교육, 국민정서에 이르기까지 한국전쟁의 영향을 빼놓고 설명할 수 없다. 세계사적으로도 2차세계대전은 냉전체제와 제3세계의 등장, 과학과 기술분야에서 사상과 문화에 이르기까지 커다란 반전과 획기를 그어놓았다.

대규모 전쟁일수록 그 사회의 국력, 국가와 사회체제, 과학기술, 재정, 인력이 총력을 다해 투입되며, 그 전쟁의 발생 원인과 이면에는 바로 그 순간까지 농축된 역사적, 사회적 갈등과 모순이 존재하고 있다. 그렇기 때문에 전쟁은 그 시대의 역사와 사회를 이해하고 설명하는 데 있어서 핵심적인 요소라고 할 수 있다.

하지만 우리 역사에서 전쟁사란 아직도 거의 역사학의 방계에 속한다. 그러나 그런 푸대접에 비해 알게 모르게 전쟁사가 국민의 사고와 정서에 미친 영향은 엄청나게 크다. 그래서 그만큼 이데올로기의 세례도 많이 받았다. 전쟁이란 현상에 내포되어 있는 수많은 현상과 사건들은 단순화되고 왜곡된다. 어느 전쟁이 영웅이나 책사의 계략 하나로 승부가 난다고 하여 영웅이 우상시되고, 때로는 정신력, 일치단결, 유비무환 등이 전투와 전쟁의 승부를 가른 요인이며 교훈이라고 강조되기도 한다.

조금 진지하게 삶을 사는 분이나 경영 현장에서 뛰어본 분이라면 누구나 알 만한 그런 뻔한 교훈들을 전쟁사나 장군들의 일화와 버무려 역사의 교훈이라고 내어 놓는 경우는 비일비재하다.

조선국왕 이야기도 그렇고 이 책도 그렇지만 나는 역사교육이나 학생과 일반인의 교양을 위한 역사책은 인간과 사회현상에 대한 보다 풍부하고 올바른 지식과 이해를 전달하는 데 목적을 두어야 한다고 생각한다. 역사란 결국은 인류가 살며 만들어 온 이야기다. 그 현상에 대한 잘못된 이해는 결국은 인간과 인간관계, 인간과 사회가 만들어 내는 많은 현상들에 대한 잘못된 이해와 대책을 낳는다. 좀 구체적인 예를 들자면 우리의 사고를 경직시키고, 현실을 분석하고 미래를 예측하는 데 있어서도 잘못되고 비효율적이며, 엉뚱한 행동을 낳는 것도 역사에 대한 무지와 잘못된 교육에 책임이 있다.

이 책이 전쟁이라는 격동적이고 복합적인 사건을 통해서 인간과 사회, 그리고 오늘날 현재 우리 자신의 모습과 생각과 현실에 대해 올바로 분석하고 성찰할 수 있는 혜안을 키우는 데 조금이라도 일조하였으면 한다.

끝으로 이 책을 시작하게 한 송성근 선생을 비롯하여, 2권을 끝내기까지 도움을 주신 많은 분들께 감사를 드리고자 한다. 특히 혜안 출판사의 사장님이신 오일주 선배님은 수익보다도 더 많은 비용을 들이시며 도서관을 차려도 될 만큼 많은 전쟁사 자료를 모아주셨다. 직원 이전에 동학으로서 수고와 조언을 아끼지 않은 김태규, 김현숙, 편집을 맡아 수고해 준 오현아 님에게도 감사를 전한다.

"올해까지만!, 내년에는 여행도 다니면서 재미있게 지내보자"는 말이 벌써 열두 번째 거짓말이 되었다. 언제 지킬지 알 수 없는 약속이지만 불평하지 않고 반겨주고 따라주는 참 좋은 가족, 집사람과 예빈이와 예린이에게도 고마움을 전한다.

2004. 7. 25.

임용한

글 싣는 순서

1부
•
거란전쟁
숙명과 운명

1. 만부교(萬夫橋)

　신생 왕조 고려가 치른 최초의 전쟁은 대 거란전쟁이다. 우리 역사상에 있었던 굵직굵직한 전쟁 중에서 거란전쟁은 좀 소홀하게 다루어지는 감이 있다. 그러나 거란전쟁은 한때 고려의 생명을 위협했고, 고려의 역사에도 큰 영향을 미친 길고도 치열한 전쟁이었다.

　거란과 고려의 만남은 처음부터 악연이었다. 역사에서는 이 악연의 시작을 만부교 사건에서 찾는다. 942년(태조 25) 거란에서 30여 명의 사절단을 파견했다. 친선과 우호를 도모하기 위한 사절이었던 만큼 예물도 잔뜩 챙겨왔다. 『고려사』에서는 예물로 낙타 50마리를 가져왔다고 했는데, 진짜 예물은 낙타 50마리에 실려 왔을 것이고, 낙타는 덤이었을 것이다.

　고려의 태조 왕건은 이 제의를 단호히 거절했을 뿐 아니라 사절로 온 거란인 30명을 섬에다 유배하고, 낙타 50필은 만부교 아래 묶어 굶겨 죽였다. -낙타가 운반해 왔다는 예물에 대해서는 일언반구의 언급도 없는 것으로 보아 그냥 가졌던 것 같지만- 거란은 동족인 발해를 멸망시킨

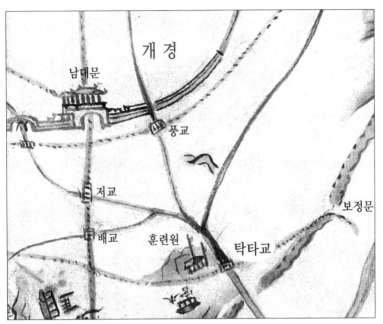

개경

남대문

풍교

저교

배교

훈련원

탁타교

보정문

만부교(탁타교), 「1872년 지방지도」

무도한 국가이므로 이웃나라로 대접할 수 없다는 것이었다.

　만부교는 개경의 남대문을 나와 보정문 쪽 길로 오다가 보정문 못 미쳐서 훈련원 앞에 있는 돌로 만든 다리다.

　보정문 밖으로 이어지는 길은 개경에서 중남부 지방으로 내려가는 도로로 오늘날로 치면 개경으로 가는 1번 국도에 해당한다. 중남부에서 오고 가는 모든 사람과 물산이 이 길을 지나 남대문으로 들어간다.[1]

　이 사건 덕분에 만부교는 탁타교(橐駝橋 : 약대다리)라는 새로운 이름을 얻었다. 조선시대에 다리 입구에 이 이야기를 적은 사적비를 세웠다. 비문은 명필 한석봉의 글씨다.[2] 이 다리와 비는 지금도 보존되어 있다고 한다.

　후세의 역사가들은 만부교 사건을 명분 때문에 실리를 포기한 대표적인 사례라고 평가하였다. 실학자 이익은 만부교 사건을 이렇게 평한다.

역사가는 논하기를 "거란이 발해를 배신한 것이 우리와 무슨 상관이 있기에 원수와 같이 관계를 끊었을까? 이때부터 변방에 틈이 생겨 점점 더 깊어지더니 그 재앙이 마치 언덕에 타는 불을 끌 수 없음과 같아서 나라의 망하지 아니함이 실낱 같았으니, 그 원인을 찾으면 모두 고려 태조가 강대한 이웃 나라와의 외교 관계를 그르친 때문이다.……옛날에 제왕이 대국을 다스리면서도 소국을 섬긴 것도 또한 그 의미가 있는 것인데, 하물며 소국으로서 대국을 섬김이겠는가? 국가를 다스리는 이는 마땅히 길이 이런 사실을 거울로 삼아야 할 것이다." (『성호사설』 제18권 경사문, 「고려의 태조와종」)

성호의 해설은 구구절절 옳은 말이지만 한 가지 사실을 간과하였다. 왕건은 그렇게 순진하고 명분에 구애받는 인물이 아니라 누구보다도 현실적인 인물이었다. 그가 발해의 원수는 우리의 원수라고 공언한 이유도 발해에 대한 민족애 때문만은 아니었다. 고려로 망명해 온 발해 유민들과의 관계를 생각하지 않을 수 없었기 때문이다.

고려가 후백제와의 대결에서 승리하고, 삼국을 통일하는 데는 발해 유민의 공이 컸다. 927년 왕건은 지금의 대구 부근인 공산성에서 견훤에게 충격적인 패배를 당했다. 고려의 장군 신숭겸과 김락이 전사하고, 왕건이 겨우 포위망을 뚫고 생환했을 정도로 무참한 패배였다.[3] 거의 재기불능의 타격이었는데, 아이러니컬하게도 바로 전해인 926년에 발해가 거란에게 멸망했다.

발해의 유민들, 그 중에서도 고구려인의 후예이며, 발해의 왕족이었던 대씨들이 고려로 망명해 왔다. 934년 7월에는 발해의 세자였던 대광현(大光顯)이 수만 명의 무리를 이끌고 입국했다.[4] 후삼국시대에는 군사 징발이 쉽지 않았다. 견훤도 평소의 전쟁 때 인솔하는 병력이 5천에서 1만 정도였다. 이런 형편에 발해 유민은 하늘이 내려보내준 원군이었다.

고려는 대광현에게는 왕씨 성을 주어 자신들의 족보에 올리고, 그를 따라온 관료와 군사들에게도 벼슬과 땅을 주었다. 이들 외에 간헐적으로 들어온 발해 유민도 상당했을 것이다. 고려는 이들을 주로 서북지방에 정착시켜 여진족을 견제하게 했다. 덕분에 황해도 이북지역을 개척하고, 이 지역의 병력과 발해 유민의 일부를 고려군으로 끌어들일 수가 있었다. 단기간에 고려는 힘을 회복했고, 후백제와 벌인 최후의 대전에서 승리하였다.

삼국을 통일한 후에도 발해 유민의 가치는 떨어지지 않았다. 태조의 치세 동안 고려는 국가로서의 모습을 제대로 갖추지는 못하였다. 중앙관부는 임시적인 형태고, 지방관도 없어서 철마다 사신들을 파견해 지방을 돌아다니며 세금을 걷었다.[5] 고려 왕실의 권력은 국가체제에 기초한 조직적인 힘이라기보다는 왕씨가가 지닌 개인적 세력과 지지세력의 협력에 의존하는 비중이 높았다. 이런 상황에서 왕건은 우선은 왕실의 독자적인 힘을 키워야 체제와 제도의 정비도 가능하다고 판단했다. 요즘 취임하는 대통령마다 개혁을 화두로 내세우지만, 제일 먼저 하는 일이 자기 당 만들기인 것과 같은 이치다. 우선 힘을 갖추어야 개혁이든 통치든 할 수가 있다.

그래서 왕건은 통일 후에 황해도 이북 지역으로 눈을 돌렸다. 고구려가 망한 이후로 이 지역은 여진족이 들어와 살았고, 고구려의 도읍이었던 서경마저 폐허가 되어 있었다. 안타깝기도 했지만 덕분에 이 지역은 주인이 없었다. 왕건은 남은 여생 동안 서경을 재건하고 이곳을 거점으로 삼아 청천강 이남 지역 즉 지금의 평안남도 지역을 확보, 경영하는 데에 주력하였다.[6] 서경 경영은 왕건의 최대의 성공작이있다. 국토도 불었고, 왕실의 땅과 군대도 늘었다.

이런 신천지를 개척하는 데 누구를 보내야 할까? 중남부의 토호를 이주시킬까? 아니다. 토호에게 새 영토를 주어 그들의 힘을 길러줄 수는 없다.

궁정 우물. 발해의 도읍 상경의 궁궐터에 남아 있는 것으로, 거의 유일한 유적이다.

왕건의 오른팔, 왼팔과 같은 무장들이나 친인척은 어떨까? 심복과 친인척들도 힘이 커지면 무슨 생각을 할지 모른다. 사료의 부족으로 정확한 사실을 알 수는 없지만, 왕건이 이 고민을 해결하는 데는 발해 유민의 힘이 대단히 컸던 것 같다. 역사적으로 볼 때 이런 유민들은 무모하게 중앙정치에 참여하러 들기 보다는 자기 영지를 확보하는 데 관심이 많고, 그러기 위해서 대개 기존의 권력층에 충성하는 경향이 있기 때문이다. 그렇기 때문에 왕건에게 발해 유민은 너무나 중요하고 고마운 존재였다.

왕건은 죽을 때 후세의 왕들에게 주는 훈요십조를 남겼다. 이때 4조에서는 거란은 우매한 나라니 풍속과 언어를 본받지 말라고 했고, 9조에서는 우리의 이웃은 강하고도 악한 나라니 평화로운 때에도 위험을 잊어서는 안 된다. 병졸들을 보호하고 돌보아 주어야 하며 부역을 면제하고 매년 가을에 무예가 특출한 자들을 검열하여 적당히 벼슬을 높여 주라고 하였다.

강하고도 악한 나라가 꼭 거란만은 아니겠지만, 이웃 국가라야 거란과

거란의 낙타. 거란에서는 낙타를 귀족의 마차를 끄는 데도 사용했다.

여진과 왜뿐이니까 거란이 지닌 잠재력과 침공의 위험을 무시했던 것은 아니었다. 왕건은 또 중국의 후진에 사신을 보내 거란을 협공하자고 제의하기도 하였다.

그런데 왕건이 이처럼 거란의 강대함과 위험을 의식했다면 오히려 겉으로는 적을 자극하지 않고 적절한 우호관계를 맺는 게 정상이다. 원래 왕건의 장기가 타협과 포용력이었다고 하지 않았는가?

그러나 왕건은 거란에 대해서는 유달리 강경일변도로 나갔다. 그 이유 역시 발해 유민 때문이다. 고려가 지금 거란과 국교를 맺는다면 발해 유민들은 당장 동요할 것이다. 그들이 동요한다면? 더 이상 고려를 믿을 수 없다면서, 혹시 자신들과 함께 발해의 국민이었고 지금도 거란의 핍박을 받고 있는 여진족과 어울리기라도 한다면? 당장 북쪽 국경이 동요하고, 서북지방과 서경이 동요하면 이 사태의 최대 피해자는 고려 왕실이 될 것이다.

낙타를 만부교 아래에서 굶겨 죽인 것도 생각해 볼 일이다. 거란의 통교 제의를 거절하더라도 낙타야 부려먹어도 그만이다. 굳이 죽이려고 한다면 사살할 수도 있는데, 만부교 아래서 굶겨 죽이는 방법을 택했다.

잘 아시다시피 낙타의 장기가 먹지 않고 오래 버티다. 사막의 배라고 불리는 이 동물은 혹 안에 든 지방 덕분에 물은 3일은 먹지 않아도 되고, 먹이 없이도 며칠을 버틴다. 이것도 짐을 싣고 사막을 걸어갈 때의 기록이다.

이런 동물을 시냇가에 묶어두고 아사시키려면 꽤나 긴 시간이 필요했을 것이다. 게다가 왜 하필 8도 사람이 지나가며, 물과 풀이 있는 만부교 옆에 묶어 두었을까? 무조건 굶겨 죽인 것이 아니라 주변의 풀과 물을 먹으며 버틸 수 있을 때까지 버티게 하다가 죽게 한 것은 아닐까?

역사가 생긴 이래로 권력과 공존하는 것이 정치적 쇼와 이벤트지만, 왜 이런 잔인한 이벤트를 개최했을까? 고려로서는 그만큼 발해 유민들이 중요했고, 이렇게 해서라도 그들의 기분을 풀어주고, 그들의 우방이자 보호자로서의 의지를 표현할 필요가 있었던 것이다.

만부교 사건의 배후에는 이런 피치 못할 사정이 있었다. 그러나 아무리 그렇다고 해도 고려가 북방에서 일고 있는 풍운을 감지하지 못했다는 비난은 피할 수 없다. 왕건이 이끄는 고려 정부는 만부교 이벤트를 창안할 만큼 정치적 술수에는 강했지만, 거시적이고 장기적인 통찰력은 확실히 결여되어 있었다. 북방으로부터의 위협은 고려라는 신생 국가의 운명의 추를 바꾸어 놓을 만큼 거대하고 위험한 것이었는데도 말이다.

2. 성장하는 거란

만부교의 낙타들이 동물원에 모셔져 융숭한 대접을 받으며 천수를 다했어도 고려와 거란의 전쟁은 피할 수 없었을 것이다. 고려와 거란의 전쟁은

4세기에 벌어진 고구려와 모용씨(전연) 간의 대결의 재판이었다.7) 거란만이 아니다. 금을 세운 여진, 청을 건국한 만주족 등 소위 동이(東夷)에 속하는 민족들이 중원을 넘볼 때마다, 먼저 해결해야 하는 과제가 동이의 더 동쪽에 있는 해동을 복속시켜 놓는 일이었다. 그들이 중국을 향해 서진하였을 때 배후를 찔릴 위험이 있기 때문이다.

거란은 요하의 상류인 시라무렌 강 상류 지역에서 성장한 유목민족이다. 넓게는 오늘날의 만주에서 오랫동안 살아 왔다. 이들의 기원은 확실치 않고 혼혈도 꽤 이루어진 것 같은데, 몽골족 계통인 선비족 일파가 중추를 이룬 것은 확실하다.

삶의 방식도 몽골족과 유사하게 유목생활을 했던 것 같다.

거란은 여러 개의 부족으로 이루어졌고, 많을 때는 27개 부족까지 있었다.

요하 상류

　그러다가 7세기경부터 8부족을 대표로 하는 연맹이 형성되었다. 이 8부족의 대표를 8부대인이라고 했다. 이들은 투표를 통해 그 중 한 명을 연맹의 장인 주인으로 선출했다. 임기는 3년이었다.

　사방의 이민족에 대해서 경계를 게을리하지 않았던 당(唐)은 이 지역에 절도사를 설치하여 거란의 정치적 결속과 남하를 저지했다. 그러나 그들에게 드디어 기회가 왔다. 600년 전 그들의 선조라면 선조인 선비족의 모용씨가 5호16국의 혼란기를 맞아 중원으로 진출했던 것과 마찬가지로 9세기 말의 중국은 다시 혼란기로 접어들고 있었다.

　당의 전성기라고 할 755년에 일어난 안록산의 난은 당왕조의 기초를 뒤흔들어 놓았다. 이후 당은 통제력을 잃어 갔고, 각 지방에서는 절도사들의 힘이 커져 갔다. 그러나 이때까지도 거란은 감히 절도사에게 도전할 엄두까지는 못 내고 있었다.

　840년에 발발한 황소의 난은 비록 실패했지만, 당제국에는 치명타를

야율아보기의 능과 비석 파편

날렸다. 마침내 907년 떠돌이 출신으로 회남절도사가 된 양왕(梁王) 주전충
(朱全忠)이 당을 멸망시키고 후량을 세웠다.

그러나 주전충은 중국을 통치할 능력이 전혀 없었다. 결국 중국은 대혼란
기로 접어들어 960년 송이 재통일할 때까지 후량, 후주 등 5개의 왕조가
연이어 세워졌다. 그나마 이들의 지배력은 화북 지방으로 국한되었고
지방에서는 더 많은 국가들이 생겨났다가 사라져 갔다. 그래서 이 시대를
5대10국이라고 부른다.

5대10국의 기회를 제일 먼저 포착한 국가가 거란이었다. 질라부(迭剌部)의
부족장이던 츄에리는 이 혼란을 틈타 봉기하여 당의 절도사를 연파하였다.

거란 귀족의 초상

나중에 그는 야율아보기(耶律阿保機)란 이름으로 불렸는데, 야율은 성이고 이름인 아보기는 원음이 아부치로서 '약탈자'라는 뜻이다. 순식간에 거란족의 영웅이 된 그는 당이 멸망하던 907년에 거란을 다스리는 8인 위원회의 한 사람으로 선출되었다. 916년 야율아보기는 8부대인을 초청하여 잔치를 벌였는데, 이 자리에서 거란족의 새로운 영웅은 8부대인 전원을 암살하고, 텡글리칸[天河汗]으로 등극했다.

10년 후인 926년 야율아보기는 전격적으로 발해를 기습하여 멸망시키고, 요녕 일대를 장악하여 중원진출의 교두보를 확보하였다. 다음 해에 그의 아들 야율덕광(태종)은 부친의 소원대로 만리장성을 뛰어넘어 후진을 멸망시키고, 연운16주를 장악했다. 이곳은 지금의 북경지방을 중심으로 하북성 북부에 이르는 지역으로, 이곳을 장악하면서부터 거란은 농경지역을 확보하고 한족 관리와 문화를 흡수하게 되었다. 나중에 거란은 국명을 요(遼)라고 고쳤지만, 정작 자신들은 거란과 요라는 명칭을 혼용하였다.

국가를 건설하기는 했지만 거란 사회 내부는 여전히 부족제에 기초하고 있었다. 거란의 최상층 귀족은 알루트 족과 사르무트 족으로 구성되었다. 한자로 알루트는 야율(耶律) 씨로 표기하고, 사르무트는 소(蘇) 씨로 표기한

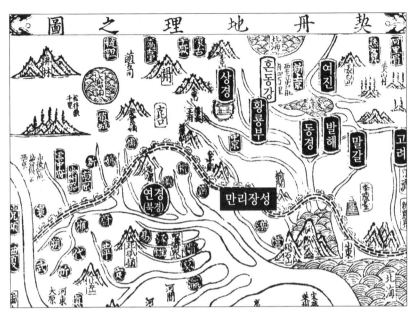

거란의 영역. 원나라 때 만든 지도로 지도 중앙부 위쪽에 있는 상경이 거란의 중심지였다. 가운데 굵은 선은 만리장성이다. 오른쪽으로 동경, 여진, 발해, 여진, 고려 등이 보인다.

다. 왕족은 알루트 즉 야율 씨족에서 나왔고, 사르무트 족은 사돈족이 되었다. 그래서 왕의 부마는 다 소씨였다. 소씨의 젊은이가 부마가 되기 위해서는 한 가지 시험을 통과해야 했다. 그 시험이란 바로 전쟁에서 공을 세우는 것이었다.[8]

부족제에 기초한 거란의 국가체제는 끝까지 그들에게 약점으로 작용했다. 부족관계란 좋게 보면 평등하고 민주적인 관계지만, 그 평등의 뒷면에는 끊임없는 갈등과 상호경쟁이 가로놓여 있다. 덕분에 거란은 한참 성장하는 시기에도 내전과 내란이 그치지 않았다. 야율덕광이 후진을 멸망시킨 직후에도 내부에서는 분열이 일어나 중원진출의 호기를 놓쳤다. 그 사이 중국에서는 송이 일어나 5대10국의 혼란을 극복하고 중원을 통일하였다.

거란의 국운이 다시 일어나기 시작한 때는 성종 때였다. 당시 중국은

송 태조

이미 송에 의해 통일되어 송과 거란은 국경을 마주대고 있었다. 중국의 역사를 볼 때 중원이 통일되면 변방의 동이족은 중원진출의 대망을 접는 게 순리였다. 그러나 이번에는 희망의 불씨가 남아 있었다. 새로이 건국한 송은 중국의 역대 왕조 중 최약체였기 때문이다.

그래도 송이 천하통일을 막 이루었을 때는 기세가 있었다. 그래서 송의 역대 황제 중에서도 제일 걸출한 인물이라는 송 태종이 옛날 당 태종의 전례를 따라 주변 민족의 정벌에 나섰다.

당의 태종은 통일 제국군을 동원하여 서쪽은 돌궐, 동쪽으로는 고구려를 쳐서 제국의 기초를 놓았다(고구려 원정은 당 태종 때는 성공하지 못하고, 아들인 고종 때에 마무리 되었다). 묘하게도 송 태종은 즉위 과정도 당 태종과 비슷했다. 당 태종은 형제를 살해하고 부친을 강제로 퇴위시키고 황제가 되었다. 송 태종은 죽어가는 형 태조의 병상에서 그를 협박하여 옥새를 빼앗았다(침상에서 태조를 살해했다는 설도 있다).

태조는 마지막으로 황제가 되는 대신 자기 아들은 살려달라고 부탁했다. 죽어 가는 형에게 빈 말이라도 그렇게 하겠노라고 할 수 있었으련만, 태종은 박정하게 거절했다. 정황으로 보아 대강 이렇게 말한 것 같다. "입장을 바꿔놓고 생각해 보시오. 형이라면 그럴 수 있겠소?" 태조는 이 잔혹한 동생에게 "여기 있다, 가져가라"며 옥새를 내던지고는 죽었다.

당 태종을 닮았고 그를 닮고자 했던 송 태종이 첫 번째로 겨눈 과녁이 거란이었다. 그들이 감히 중국의 영토인 연운16주를 꿰차고 있었기 때문이다. 986년 또 한 번 당 태종의 고사를 본받아 송 태종은 친정에 나섰다. 기세등등하게 출진한 송군은 연운16주의 일부를 되찾고 유주까지 진군했으나 기구(岐溝 : 하북성 탁현[涿縣] 서남쪽)에서 대패하였다. 대패 정도가 아니라 황제가 화살에 맞고 간신히 도망쳤을 정도로 끔찍한 패전이었다. 18년 후 송 태종은 결국 이 상처가 덧나 사망하였다.

송의 허약함을 본 거란은 자신감을 얻었고, 적극적으로 중원진출의 꿈을 키우기 시작하였다. 이렇게 되자 동북아시아의 전략의 법칙에 따라 팽창정책의 첫 불똥은 중원이 아닌 해동으로 튀었다. 거란으로서는 중원을 공격하기 전에 등을 찔릴 위험을 제거해야 했기 때문이다. 여기에 맞서 고려는 병력을 확충하고 방어선을 강화하는 등의 준비를 하였다. 그러나 현실적으로는 괜한 분쟁을 일으키지 않는다는 식의 소극적 태도로 일관하였다.

평화란 좋은 것이지만 평화적이라는 것과 안일한 것은 분명히 다르다. 거란이 팽창정책으로 돌아선 것이 확실한 시점에서도 고려의 태도는 불분명했다. 송과 적극적으로 협력하여 거란의 위협을 제거하거나, 거란과 동맹을 맺거나 어쨌든 정책을 분명히 할 필요가 있었는데, 고려는 그 어느 것도 하지 않았다.

그래도 거란이 동진정책에 착수하였을 때까지는 고려에게 기회가 있었다. 거란과 고려와의 사이에 여진족이 있었기 때문이다. 당시 고려의 북쪽 국경은 청천강이었고, 압록강을 중심으로 남북 지역에는 여진족이 넓게 퍼져 있었다. 발해가 망한 후 여진족은 국가를 구성하지 못하고 부족, 지역 단위로 흩어져 있었고, 고려와도 애증이 혼합된 다양한 형태로 교류를 맺고 있었다.

984년과 987년 거란은 거듭해서 요동의 여진족을 공략했다. 이를 요동공략 또는 여진정벌이라고 한다. 여진족은 고려에 구원 요청을 했으나 고려는 냉정하게 거절했다. 오히려 984년에는 이 틈을 노려 압록강 유역을 점령했다가 여진족에게 패해 사령관 이겸의가 사로잡히고 군의 2/3을 잃는 큰 피해를 입었다.9)

국제관계란 냉혹한 승부의 세계니 등을 칠 수도 있고, 치다가 패할 수도 있다. 그런데, 이때부터 벌어지는 고려의 행동을 보면 눈앞의 현실에만 반응할 뿐 장기적인 목표나 대국적인 성찰은 이상할 정도로 결여되어 있다.

기왕에 여진을 공격할 것이면 이를 기회로 거란과 동맹을 맺거나 관계개선을 할 수도 있었는데, 그런 조치가 전혀 없었다. 송나라만 해도 984년 거란이 여진정벌을 시작하자 당장 기회가 왔다고 판단했다. 985년 송은 고려에 사신을 보내 함께 거란을 치자고 제의했다. 당시 송은 대규모 원정을 기획하고 있었고, 기왕이면 여진과 고려가 합세하여 양쪽에서 거란을 치기를 원했다. 그러나 고려는 송의 제안도 거절했다. 송은 다음 해에 홀로 거란공격을 시작했다. 송 태종의 친정 때보다 더 대규모이고 조직적인 공격이었다. 초전에서는 승승장구했으나 승리에 도취되어 무리한 진군을 하다가 거란의 지원부대에게 대패하고, 송의 명장 양업(楊業)이 전사했다.

10세기 말 고려의 외교에는 아군도 적군도 없었다. 고려의 태도를 일종의 중립정책, 불간섭주의였다고 볼 수도 있겠으나 이런 평가에도 문제가 있다. 영세중립이나 불간섭주의란 내가 일방적으로 중립 혹은 고립을 선언한다고 해서 되는 것이 아니다. 상대가 그것을 인정하지 않을 수 없도록 만드는 것이 핵심이다. 내가 먼저 건드리지 않는 이상 적이 나를 괴롭히지 않을 것이라는 생각은 절대강자에게나 해당하는 논리다.

고려로서는 어쩔 수 없는 면도 있었다. 여진은 분열되어 있었고, 고려가 국력을 회복하려면 우선 여진을 축출해서 국토를 회복해야 하는 형편이었다. 송은 허약한데다가 송의 군사정책은 정말 신뢰할 수 없었다. 송은 무장들을 지나치게 의심해서 이길 수 있는 전쟁도 망쳐놓는 경우가 종종 있었다. 고려도 국내사정 상 정복전쟁을 감행할만한 형편은 아니었다.

그러나 어찌 되었든 거란은 당시 동북아에서 가장 위험한 국가였다. 그들은 팽창하고 있었고, 전략적 관점에서 볼 때 거란의 목표가 여진족의 복속으로 끝나지 않으리란 사실도 분명했다. 이런 저런 점을 감안해서 보면 당시 고려의 외교전략은 불간섭주의가 아니라 일종의 모르쇠 정책이었고, 타국의 입장에서 보면 가만히 앉아 싸움구경을 하면서 떨어진 열매만 주워 담는 국가였다.

이러는 동안 거란은 야금야금 요동과 한반도를 향해 자신들의 전초기지를 확충해 나갔다. 991년에는 압록강 북쪽까지 도달하여 위구, 진화, 내원 3개 성을 축조하였다. 특히 내원성의 축조는 전략적으로 커다란 의미를 지닌다. 내원성은 압록강 건너편이 아닌 안쪽에 있기 때문이다. 이곳이 곧 나중의 의주다.

거란이 의주에 내원성을 쌓았다는 것은 압록강을 넘어와 한반도 진출의 교두보를 확보하였다는 의미다. 지금은 신의주로 무게 중심이 이동했지만, 신의주를 포함한 광역의 의주는 한국과 중국이 만나는 최대의 국경도시다. 경의선은 의주를 지나 중국으로 들어간다. 지도를 놓고 서울과 평양에서 심양을 지나 중국의 중심부로 이어지는 선을 그어 보면 의주는 그 직선상, 즉 한중교역로의 최단거리상에 위치한다.

그런데 시리적 입장에서 볼 때, 의주가 한중 교역도시가 되기에는 한 가지 문제가 있었다. 중국과 한국 사이를 압록강이 가로막고 있는데, 의주는 이 압록강 하구에 위치해 있는 것이다. 그게 무슨 문제일까 싶지만, 하구란 강폭이 넓은 곳이다. 옛날에는 강 하구에 다리를 건설할 수 있을 만한

의주성과 압록강(『해동지도』의주편). 강을 지나는 흐린 선이 교통로, 좌측 하단 모서리에 걸린 길쭉한 섬이 위화도다.

기술이 없었다. 나룻배가 있기는 했지만, 군대와 같은 대규모 병력과 물자가 이동할 때는 나룻배로는 그 수를 감당할 수가 없다. 군대가 신속하게 이동하려면 도보로 도강할 수 있는 여울목이 필요하고, 그러기 위해서는 좀 돌아가더라도 중류나 상류로 올라가야 한다.

하류에는 이런 어려움이 있는데, 의주는 이 문제도 해결해 준다. 다음의 지도에서도 볼 수 있듯이 이곳에서부터 압록강의 강폭이 급속히 넓어지기 때문에 유속이 느려지고 토사가 퇴적하여 광범위한 범람원과 하중도가 형성되었다. 고려말 요동으로 출병하던 이성계가 군대를 돌린 위화도도 이곳에 있는 하중도의 하나다.

여러 개의 하중도들이 일종의 징검다리 구실을 하므로 물살은 더욱 느려지고, 수심은 얕아진다. 갈수기엔 도보로 건널 수도 있다. 군사적 입장에서 보면 도하지점의 범위가 넓어 대병력이 여러 곳에서 동시에 도강할 수 있다는 것도 큰 장점이었다. 중국과 한국을 잇는 직선상에 위치하고, 도하지점마저 제공하니 이처럼 고마운 곳이 없다.

내원성의 축조는 고려의 입장에서 보면 더욱 심각했다. 압록강 방어선이 없어졌기 때문이다. 수·당 전쟁 때 고구려의 1차 방어선은 요하를 경계로 하는 요동성, 안시성 일대였고, 2차 저지선이 바로 압록강이었다. 이곳이 돌파당하면 중국군이 바로 평양성까지 밀려들어온다. 병자호란 때 청군도 이곳을 통해 한반도로 들어섰다. 내원성은 압록강 방어선의 중심이었다. 압록강의 도하지점을 감제하는 것은 물론, 남북을 잇는 주도로의 시발점이기 때문이다. 이곳을 거란이 손쉽게 점거했다. 이미 그들의 창끝이 피부를 찢고 들어온 격이었다. 이제 거란의 침공은 시간문제였다.

이런 상황에서도 고려는 태평하였다. "아니! 그렇지 않다. 당시 고려의 국왕과 관료들은 이 사태를 근심하여 밤잠을 이루지 못했다. 역사책에 그 사실이 제대로 기록되지 않았을 뿐이다"라고 항변하여도 필자는 이렇게 쓸 수밖에 없다. 결과적으로 볼 때 고려는 상황이 이 지경이 되는 것을 방지하지 못하였고, 특별한 대비책도 마련하지 못했기 때문이다.

준비가 끝난 거란은 993년 8월 지금의 요령인 동경요양부에서 대망의 원정군을 발진시켰다. 지휘관은 동경유수인 소손녕이었다. 침공 3개월 전인 5월에 여진족들이 거란이 고려를 공격한다는 첩보를 보내왔다. 그러나 고려는 여진이 거란과 고려를 이간하려는 술책이라고 여겨 이 정보를 폐기하였다.

거란의 침공을 예상도 못했다는 사실은 국제정세에 대한 고려 정부의 무지를 보여준다. 이런 무지가 방향도 지향도 없는 우물 안 개구리식 외교정책과 30년 전쟁을 초래하였던 것이다. 152년 후에 쓰여진 『삼국사기』에서는 4세기에 벌어진 전연의 고구려 침공을 서술하면서 모용씨가 고구려를 침공할 수밖에 없는 이유를 전연의 장군 모용한의 입을 통해 명확하게 기술해 놓았다.

> (고국원왕 12년) 10월에 연왕 모용황이 수도를 (자성에서) 용성(지금의 심양)으로 옮겼다. 입위장군(立威將軍) 모용한(모용황의 형)이 왕에게 권하기를 먼저 고구려를 취하고 다음에 우문씨(선비족의 부족)를 멸하고 나서야 중원을 도모할 수 있다고 하였다. (『삼국사기』 권18, 고구려본기6)

모용한은 전연이 서진하여 중원으로 진출하려면 먼저 배후(동쪽)의 고구려와 우문씨를 제압해야 한다는 전략적 견해를 제시하였고, 연왕은 모용한의 건의를 받아들여 고구려에 대승리를 거두었다. 『삼국사기』의 편자는 내심 거란전쟁을 염두에 두고 이 이야기를 기재했는지도 모르겠다.

3. 내홍에 시달리는 고려

거란의 위험이 현실화되는 동안, 답답하고 무능하게 느껴지는 고려의 대응과 사정을 이해하기 위해서는 통일 이후 고려의 역사를 되짚어볼 필요가 있다.

거란의 군대가 압록강을 건넌 때는 거란의 건국 영웅 야율아보기가 당의 절도사 유인공을 격파한 지 90년이 되는 때였다. 이 기간은 고려가 삼국을 다시 통일하고 성장해 온 시기이기도 하다. 비슷한 시기에 두 나라는 나란히 건국과 성장이라는 길을 달려왔다. 서로 수천 km는 떨어져 있었지만, 500년 전 고구려와 전연이 그랬던 것처럼 두 나라는 충돌할 수밖에 없는 운명이었다. 그러나 거란이 유목민족의 힘을 유감없이 발휘하며 제국의 기초를 닦아 가는 동안 고려는 내홍에 허덕였다.

　서기 936년(태조 19) 왕건은 후백제를 멸망시키고 완전한 승리를 얻었다. 왕건은 7년 후인 943년에 사망하였는데, 남은 여생을 승리자의 기쁨을 만끽하며 살았다.

　그러나 안타깝게도 태조는 고려사회를 제도적으로 안정시켜 놓지는 못하였다. 한 사람에게 온갖 재능을 요구하는 것은 무리지만 군주로서 왕건은 정치적 능력에 문제가 있었다. 일반적으로 왕건은 관용과 포용으로 국가를 안정시킨 정치력이 뛰어난 인물로 묘사되지만, 그것은 아주 잘못된 오해다.

　그의 인품이 뛰어나 보이는 것은 상대적으로 그의 라이벌들이 통치자로서는 너무나 형편없는 자질을 지녔던 탓도 크다.10) 이제 그 라이벌들이 없어진 상황에서 보면 왕건은 그렇게 자비롭지도 않았고, 군주의 자질을 갖추었다고 보기도 어렵다. 그의 정치술은 정치력이라기보다는 상술에 가까웠다. 그는 대인관계, 정치감각, 거래에는 탁월했고, 난세의 승자답게 욕심도 많고 충분히 이기적인 인물이었다. 그러나 최고 경영자에게 요구되는 절대적인 자질인 장기적이고 구조적인 사고와 통찰력이 부족했다.

욕심 많고 이기적인 통치자란 다음 세대의 고충을 생각하지 않는 정치를 펼친다. 왕건도 그런 짓을 했는데, 그것이 바로 유명한 혼인동맹이다. 그의 부인은 사료에 나타나는 인물만 29명이다. 물론 후삼국의 각축기였던 만큼 결혼은 좋은 동맹 수단이었을 것이다. 실제로 그의 부인은 대개 주요 지역의 호족출신이거나 그의 부하 장군의 딸이다. 왕건을 추대한 4장군 중 한 명인 홍유, 최고의 명장 유금필과 박수경도 다 자신의 딸을 왕건의 아내로 들였다.

그러나 이 결혼들이 모두 동맹을 위한 혼인이었을까? 왕건의 사돈가가 주요 지역의 호족 가문이라고 해도 그들이 결혼을 통해서라도 꼭 붙잡아 놓아야 할 그런 집안이었을까?

왕건의 큰아들 혜종을 낳은 장화(莊和)왕후 오(吳)씨는 나주 호족 오다린의 딸이다. 나주는 왕건의 운명을 바꾸었다고 할 수 있을 정도로 주요한 지역이었다. 이 지역 호족과의 유대는 반드시 필요했다. 그러나 오다린은 행정구역 상으로 나주 사람이긴 하지만 거주지는 나주군이 아닌 목포였고, 그렇게 대단한 가문이었던 것 같지도 않다.

『고려사』에서는 왕건과 오씨의 만남에 관해 다음과 같은 전설을 소개하고 있다.

> 장화왕후 오씨는 나주 사람이었다. 조부는 오부돈(富鄧)이고 부친은 다린군(多憐君)이니 대대로 나주 소관인 목포에서 살았다. 다린군은 사간(沙干) 연위(連位)의 딸 덕교에게 장가 들어 왕후를 낳았다. 일찍이 왕후가 꿈에 포구에서 용이 와서 뱃속으로 들어가므로 놀라 꿈을 깨고 이 꿈을 부모에게 이야기하니 부모도 기이하게 여겼다.
>
> 얼마 후에 태조가 수군 장군으로서 나주를 지켰는데, 배를 목포에 정박시키

나주 영산포 나루터. 삼국시대의 목포는 현재 위치가 아닌 좀 더 강 안쪽에 있었다고 보는 견해가 있다. 왕건의 함대는 목포를 통해 이곳 영산포까지 왔을 것이다. 이 노정 어딘가에서 왕건은 장화왕후를 만났다.

고 시냇물 위를 바라보니 오색구름이 떠 있었다. 가서 본즉 왕후가 빨래를 하고 있으므로 태조가 그를 불러서 이성관계를 맺었는데 그의 가문이 한미한 탓으로 임신시키지 않으려고 피임 방법을 취하여 정액을 자리에 배설하였다. 후는 즉시 그것을 흡수하였으므로 드디어 임신 되어 아들을 낳았는바, 그가 혜종(惠宗)이다.

혜종의 얼굴에 자리 무늬가 있었다 하며 세상에서는 혜종을 '주름살 임금' 이라고 불렀다. 항상 잠자리에 물을 부어 두었으며 또 큰 병에 물을 담아 두고 팔을 씻으며 놀기를 즐겼다 하니 참으로 용의 아들이었다.

나이 7세가 되자 태조는 그가 왕위를 계승할 덕성을 가졌음을 알았으나 어머니의 출신이 미천해서 왕위를 계승하지 못할까 염려하고 낡은 옷 상자에 석류 빛 황포(왕이 입는 옷)를 덮어 왕후에게 주었다. 후가 이것을 대광(大匡) 박술희(朴述熙)에게 보였더니 박술희는 태조의 의도를 알아차리고 왕위계승자로서 정할 것을 청하였다. 왕후가 죽으니 시호를 장화왕후라

고 하였다.[11]

『고려사』에서도 오씨의 집안이 한미했다는 사실을 인정하고 있다. 정말로 혼인이 동맹을 위한 수단이었다면 나주의 최고 실력자 집안과 결혼했어야 하지 않을까?

정략결혼이 분명한 경우도 있다. 후백제가 패망할 때 견훤의 사위 박영규가 투항해 오자 왕건은 박영규의 맏딸, 즉 견훤의 외손녀를 자기 부인으로 삼고, 둘째 딸은 아들(정종)과 결혼시켰다. 신라가 투항했을 때도 왕건은 혼인을 요구해서 경순왕의 백부인 김억렴의 딸과 결혼했다. 이런 결혼은 분명한 정략결혼이다. 그러나 왕건은 그녀 외에도 경주에서 두 명이나 부인을 더 얻었다. 이것도 정략결혼일까?

경기도 개풍, 충청도 홍주, 지천, 경상도 합천, 선산 이 모두 후삼국 항쟁에서 격전지가 된 요충이었다. 그는 이런 곳에 갈 때마다 부인을 얻었다. 이것이 꼭 정치적 배려에 의한 행동이었을까?

그의 장인들인 개풍의 호족 유천궁과 유덕영, 충주 호족 유긍달, 선산의 선필, 합천의 이원은 이 지역의 최고 호족이어서 왕건과 결혼한 것인가? 아니면 그들이 왕의 일가가 되었기에 역사에 기록이 남은 것일까?

실제로 그의 부인 중에는 주요한 지역 출신이기는 하지만 부친의 이름도 전하지 않는 부인들도 있다. 백번 양보해서 그들이 다 동맹이 필요한 집안의 출신이었다고 해도 정치적 동맹을 맺는 데는 여러 가지 방법이 있다. 심복장군들의 딸까지 꼭 인질로 삼는 방식을 써야 했던 것일까?

군주의 결혼방식에 대해 우리가 간과하는 사실이 하나 있다. 왕의 부인이 된다는 것은 왕후나 부인으로 책봉을 받는다는 의미다. 책봉을 받는 데는 두 가지 방법이 있다. 하나는 정식으로 결혼하는 경우로 이런 경우는, 정략결혼이다. 국왕의 혼인에 정치적 계산이 없을 수가 없기 때문이다.

다음은 왕이 관계한 여인이 아이를 낳는 경우다. 국왕의 사생활을 우리가 다 알 수는 없지만 조선시대에도 궁녀, 왕비의 몸종, 하녀로 있다가 임신을 해서 책봉을 받는 사례가 많다. 29명의 부인 중에는 이런 경우가 더 많았을 가능성이 높다. 장화왕후 오씨도 바로 이런 사례에 해당한다. 왕건은 오씨에 게서 아이를 낳지 않으려고 했고, 오씨는 필사적으로 임신을 하려 했다. 오씨의 입장에서 보면 임신은 왕후가 되느냐, 잠시의 잠자리 상대로 끝나느냐를 가늠하는 잣대였기 때문 이다.

왕건은 수십년 동안 군대를 이끌고 전국을 돌아다녔는데, 장화왕후 오씨가 시내에서 빨래를 하다가 왕건의 눈에 띄어 침실로 불려갔다는 일화에서 알 수 있듯이 곳곳에서 여색을 밝혔다.

첫 부인인 신혜왕후 유씨도 비슷하다. 왕건은 정주(지금의 경기도 개풍군 풍덕)에 갔다가 길가에 나와서 구경하던 그녀를 보고 집으로 따라 들어가서 동침했다. 그가 정주에 머무르는 동안 유씨는 임신을 하지 못했고, 왕건은 그런 그녀를 버려두고 떠났다. 버림받은 유씨는 차라리 머리를 깎고 비구니가 되겠다고 하였고, 이 이야기를 들은 왕건은 그녀를 부인으로 맞았다. 유씨가 매력이 있어서 헤어지고 나니 아쉽기도 했던 것 같고, 이때만 해도 왕건이 젊어서 순수한 면이 있었던 것 같다.

만년에 왕건이 서경에 행차할 때 황해도 서흥에서 행파라는 인물이 왕건을 자기 집으로 모시고, 자신의 두 딸을 바쳐 모두 시중을 들게 했다. 그러나 왕건은 평소 하던 대로 그녀들을 버리고 떠났다.

자매는 유씨의 고사를 들은 적이 있는지 둘 다 비구니가 되겠다고 했다. 이 소식을 들은 왕건은 그녀들을 불러서는 이렇게 말했다. "너희들이 이미 부처님을 모시기로 결정했으니 내가 어찌 그 뜻을 뺏을 수 있겠는가?" 그리고 그녀들을 위해 절을 지어 주고 땅과 노비도 붙여주었다.[12] 그녀들은 개경으로 입성하지 못하고, 평생을 서경에서 살아야 했다.

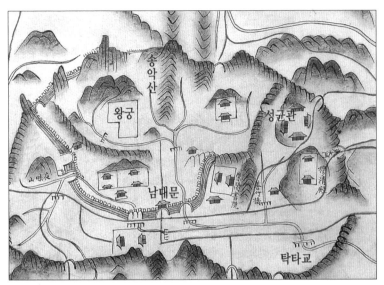

송도. 고려의 왕족과 귀족은 왕궁을 중심으로 성벽 안쪽에 모여 살았다. 그들 간의 복잡한 근친혼으로 송도는 정치적 격랑에 휩싸였다.

왕건은 장년기의 대부분을 전쟁터에서 보냈다. 그런 사정과 이런 일화를 결합해 보면 그의 부인들이 전국적인 분포를 보이는 이유를 짐작할 수 있다.

이런 바람기 때문에 왕건은 엄청난 대가족을 거느리게 되었다. 그의 사돈은 전국적 분포를 보일 뿐 아니라, 신분도 신라와 후백제의 왕족, 고려의 귀족, 부하 장군, 지방 토호에서 딸을 몸종이나 하녀로 바쳐야 하는 가문까지 사회의 모든 계층을 망라하였다. 어떤 약이든 남용하면 부작용이 더 크다. 왕건은 분명 동맹을 염두에 둔 혼인도 했지만, 이쯤 되면 결혼동맹이 동맹의 효능을 상실하기에 충분하다.

어쨌거나 일은 이미 벌어졌고, 이 대가족을 관리할 방법을 찾아야 했다. 당장 부딪히는 문제가 자녀들의 혼인이었다. 고려 후기에 왕실과 혼인할 자격을 갖춘 고급 가문은 겨우 15가문이었다. 그런데 왕건의 사돈가는 이미 전국적인 네트워크를 형성하고 있었다. 여기서 한 번 더 희석되면 동맹은 없다.

이런 곤란한 상황에 직면하자 왕건은 한 가지 묘안을 고안해 냈다. 아들은 아버지의 성인 왕씨를 따르게 하고, 딸들에겐 모두 왕비의 성을 준 뒤에 이복형제, 자매들 간에 혼인을 시키는 방법이었다. 무슨 말인고 하면 김씨 부인이 자녀를 낳았다고 하면 아들은 왕씨가 되고 딸은 김씨가 되는 것이다. 이렇게 하면 사돈가문은 전혀 늘지 않으면서, 결혼동맹은 반복하여 재생산된다. 게다가 실제 결혼은 이복형제 간에 행해지므로 왕실의 단합은 증진되고 외부인물의 유입이나 새로운 사돈가의 등장은 차단된다.

구체적인 사례를 들어 보자. 충주 호족 유긍달의 딸인 신명왕후는 아들 둘을 낳았다. 둘째 아들이 광종인데, 광종은 신정왕후 황보씨가 낳은 이복누

이와 결혼했다. 그녀의 성은 어머니의 성을 따 황보였으므로 이 결혼은 실제로는 왕실 내의 이복형제 간의 결혼이면서 왕씨와 황보씨의 두 번째 동맹의식이 된다. 이런 결혼을 반복하면 주요 세력가와의 결혼동맹은 지속되고, 왕건이 무모하게 늘려놓은 왕실과 외척가도 실질적으로는 점차 축소될 것이다.

그런데 이 방법에도 문제가 있다. 왕족들은 보통 부인이 여러 명이다. 딸에게 외가쪽 성을 준다면, 첫째 부인의 딸은 오씨, 둘째 부인의 딸은 김씨, 셋째 부인의 딸은 황씨, 큰 아들의 첫째 부인의 딸은 이씨, 둘째 부인의 딸은 박씨……, 이렇게 될 것이다. 그렇다면 삼대만 지나면 한 집안에 수십 개의 성씨가 있게 될 것이고, 왕실을 단합시키기는커녕 가루로 만들어 버릴 소지가 다분하다.

그래서 왕건은 딸에게 붙이는 외가의 성을 자기 부인들의 성으로만 고정시키는 방법을 추가했다. 예를 들어 보자. 신정왕후 황보씨의 아들인 대종은 정덕왕후 류씨의 딸과 결혼하여 딸 둘을 낳았다. 이 딸들은 자신을 낳아준 어머니의 성인 류씨 성을 받는 것이 아니라 계속 황보씨가 된다.

설명이 복잡해졌는데, 사실은 간단하다. 고려왕실은 왕건의 처가를 기준으로 해서, 몇 대가 지나든 아들은 왕씨가 되고 딸은 황보씨가 되는 왕-황보씨, 같은 방식으로 왕-류씨, 왕-김씨, 왕-박씨, 왕-평씨……, 이런 식으로 편성되었다. 현대인은 절대로 생각해 낼 수 없는 기발한 방법이다. 중요한 지역과 가문을 모두 망라했으니 이 정도로도 대표성은 충분했다.

외가의 성을 따르는 이러한 방법은 고려왕실의 창안품은 아니다. 고려시대에는 자식이 외가의 성을 따르고 외손이 제사를 받드는 관행도 있었다. 아마 여기에서 힌트를 얻은 것 같은데, 그렇기는 해도 왕-황보, 왕-류, 왕-평……식으로 편성한 고려왕실의 가족제도는 확실히 독보적이었다.

이쯤에서 왕건이 구조적인 사고와 장기적인 통찰력이 부족했다는 말을 수정해야 할지도 모르겠다. 그는 엽기적인 창의력과 기발함을 지닌 21세기가 요구하는 비범한 천재가 아니었을까?

그렇지 않다. 왕건은 가문 간의 혼인이라는 인적인 연계에만 의존하여 권력의 중심부를 형성해 놓았다. 진정한 안정과 발전의 기초는 구조와 시스템에 의해 형성된다. 왕건은 이 점을 전혀 생각하지 못하고 혼인으로만 구축된 거대한 특권 가족을 유산으로 남겼다. 더욱이 이들은 너무 많고, 이질적인데다가 이상한 가족제도로 묶여 있었다. 왕건은 왕실의 단합을 원했겠지만, 별난 가족제도는 왕실의 정체성조차 모호하게 만들었다.

왕건을 위한 마지막 변호를 하자면, 당시는 창업 과정중이었다는 현장논리를 적용할 수 있다. 일단 내란 상태를 수습하고, 지배세력을 안정시켜야 국가체제의 건설과 개혁도 가능하지 않겠는가?

그러나 이런 변론은 왕건의 단견을 다시 한 번 폭로할 뿐이다. 국가라는 거대한 사회를 통치하려면 아무리 현장논리, 임시방편이라고 하여도 그 다음을 염두에 두고 정책과 방법을 선택해야 한다. 하지만 그의 안정책은 장기적으로 봐서는 정치적 안정에 기여 하기는 커녕 국가의 기초를 흔들어 놓았다. 인간관계로 연결된 특권 세력이 바로 합리적 지배체제와 시스템의 구축을 저해하는 최대의 방해요인이기 때문이다.

멀리까지 갈 것도 없이 왕건의 유산은 당장 후유증을 유발했다. 왕건의 자녀와 손자들의 혼인도를 보면 금새 몇 개의 그룹이 형성됨을 알 수 있다. 근친혼제 덕분에 그들은 끼리끼리 대를 이어 혼인할 수 있었다. 부인을 여러 명씩 두므로 혼인관계가 복잡하고 다양하긴 하지만 자세히 보면 세력가는 세력가끼리 중첩하여 인연을 맺었다. 결혼동맹 안에 다시 동맹군이 생겼다. 결국 왕실은 더 빨리 분열했다. 왕건이 사망하자마자 고려 왕실은 권력투쟁에 빠져든다.

왕건의 대를 이은 혜종은 왕건의 장남으로 나주출신인 장화왕후 오씨의 소생이었다. 오씨는 아름답고 대단히 매력적인 여인이었던 것은 분명한데, 가문은 형편없었다. 왕건의 29명의 부인 중 부친이 관직을 지니지 않았던 사람은 오씨와 이름이 전하지 않는 서전원부인(西殿院夫人)뿐이다. 왕건은 왕위에 오르자 당시 열 살이던 혜종을 바로 태자로 책봉했다.

혜종은 개인적으로는 무용이 뛰어난 장군으로 왕건을 따라 여러 전투에 종군했으며, 왕건의 신임을 받았다. 그러나 사적인 권력과 동맹으로 형성된 정치판에서 그 자신의 집안이 너무 약한 것이 흠이었다.

왕건이 혜종의 약점을 몰랐을 리가 없는데, 이 이상한 아버지는 혜종에게 제대로 된 도움은 하나도 주지 못했다. 혜종의 부인인 임씨도 진천 출신으로 집안에 하자가 있지는 않았지만 당시의 실세에 속하는 가문은 아니었다.

혜종의 후원자로 박술희를 선정한 것도 그렇다. 고려왕실의 중추세력은 역시 황해도 출신들이었다. 무장으로는 명장 유금필과 박수경을 배출한 평산 출신들이 제일 큰 그룹이었다. 문신들은 범주가 조금 넓었지만 황주의 황보씨, 경주 최씨 등이 명문가였다.

이럴 때 혜종을 보호하려면 공신급에 해당하는 황해도 출신 중추세력과 연결시켜 주든가, 아니면 외곽의 강자를 끌어들여 이들을 견제하면서 자기 권력을 쌓게 하는 게 정석이다. 고려의 외곽에는 그런 역할을 충분히 할 수 있는 세력가들이 있었다. 천년의 역사를 지닌 신라왕족 경주 김씨, 견훤이 패망한 후 후백제 지역의 대표자가 된 박영규의 승주 박씨, 충주 호족 유긍달, 강릉에 이어 서경까지 석권한 왕식렴 가문 등이 대표적인 존재였다.

그러나 왕건은 그 어느 것도 하지 않았다. 아니 하기는 했는데, 정 반대의 행동을 했다.

왕건이 혜종의 후견인으로 삼아준 박술희는 왕건의 심복무장이었다. 두꺼비, 개구리, 개미까지 즐겨 먹었다고 할 정도로 소탈하였고, 이런

혜종의 능. 조촐하고 석물에 좁게 둘러싸인 모습이 경호원에 둘러싸여 살았던 그의 삶을 보여주는 듯하다.

인물이 대개 그렇듯이 개인적인 충성도는 높았지만 가문적 배경은 낮았다. 박술희는 충청도 신평 출신인데, 신평은 큰 고을이 아니었고, 이 시기에 박술희 외에 신평 출신으로 두드러진 인물이 보이지 않는다. 혜종과 마찬가지로 가문도 낮고, 집단적 힘을 갖지 못한 인물을 후원자로 삼아 준 것이다. 개인적 성향을 중시하고 비슷한 사람끼리 묶어주는 방식 역시 왕건의 사고수준과 안목을 보여준다.

혜종은 즉위하자마자 두 번이나 자객의 습격을 받았다. 한 번은 자객이 경비망을 뚫고 침실까지 들어왔다. 뛰어난 장군이기도 했던 혜종은 자객이 습격하는 순간 깨어나 맨손으로 자객과 격투를 벌여 때려잡았다. 웬만한 국왕이라면 진범이 누구든 간에 이를 구실로 대숙청을 벌였을 텐데, 혜종은 자객의 배후조차 추궁하지 않았다.

이것은 관용이 아니다. 혜종이 자객의 배후에 대해 수사조차 하지 않은 데는 어쩔 수 없는 사정이 있었다. 수사를 시작하면 일단 용의선상에 몇 명을 올려야 한다. 그러면 불안해진 그들이 당장 단합해서 반란을 일으킬 것이다. 혜종은 이들을 누를 힘이 없었다. 그러니 아예 덮어 두느니만 못하다.

혜종이 이렇게까지 무기력한 왕이 된 것은 전적으로 왕건의 책임이다. 왕위계승자의 처지와 국가의 장래에 대해 이렇게까지 무지하고 무책임할 수가 있을까? 암살과 쿠데타에 대한 공포로 혜종은 재위 2년 만에 사망했다. 혜종은 무예도 뛰어나고 도량이 넓고 지혜로운 인물이었지만, 암살 시도 후 무장경비원에 둘러싸여 지냈으며, 노여워하고 기뻐하는 데에 대중이 없었다고 할 정도로 심성이 완전히 망가졌다.[14] 결국 그는 죽음에 임해서도 자신의 아들을 후계자로 삼을 엄두는 내지도 못했다.

왕위는 왕건의 둘째 아들인 정종(이름은 堯: 유긍달의 외손)에게 넘어갔다. 그러나 정종도 막상 왕위에 오르자 자신도 혜종과 마찬가지로 모든 형제의 표적이 되었다는 사실을 깨달았다. 가장 두려운 사람은 자신의 친동생 소(昭)였다.

그러나 왕위를 노리는 자는 동생만이 아니었다. 두 딸을 왕건의 부인으로 주고, 또 한 딸은 정종의 부인으로 준 왕규가 쿠데타를 시도했다. 물론 왕규의 쿠데타는 과장된 감이 있지만, 정종은 왕식렴(왕건의 숙부 왕평달의 아들, 왕평달과 왕식렴은 왕건의 친척 중에서 가장 믿을 만한 충실한 동조자였다)이 이끄는 서경군의 지원을 받아 간신히 왕규를 진압했다. 이 사건에 연루되어 죽은 자만 300명이었다.

주변 사람들을 믿을 수 없었던 정종은 아예 서경으로 천도하려다가 개경 귀족들의 불만만 키워 놓았다. 안절부절 못하던 정종은 혜종과 마찬가지로 재위 3년 만에 병이 들었고, 다음 해 스스로 동생 소에게 왕위를 넘겨주고 사망했다. 이렇게 해서 즉위한 이가 광종이다.

마키아벨리는 『군주론』에서 새로 즉위한 군주는 정치적 기반이 약하므로 역쿠데타의 위험에 직면하지만, 이 위기만 잘 극복하면 정권이 훨씬 탄탄해진다고 하였다. 쿠데타를 진압하는 과정에서 위험세력들을 숙청할 수 있기 때문이다.

광종은 확실히 이런 덕을 보았다. 왕위의 경쟁자들이 먼저 즉위했다가 사망하고, 쿠데타에 숙청 바람이 한 번 지나간 덕분에 그는 훨씬 안정된 상태에서 즉위할 수 있었다.

가문적 배경도 광종은 선왕들과는 비교할 수 없게 좋았다. 왕건이 이복남매 간의 결혼을 본격적으로 시행한 깃은 셋째 아들인 광종부터였다. 광종의 제1부인은 태조의 4비로 황주 호족인 신정왕태후 황보씨의 딸이었다. 두 번째 부인은 혜종의 1비로 충청도 진천 출신인 의화왕후 임씨의 딸이었다. 요(정종)와 소(광종)가 왕위를 위협하자 혜종은 부친에게 배운 대로 자신의 장녀를 소(광종)와 결혼시켰던 것이다.

덕분에 광종의 정치적 기반은 정종보다도 탄탄했다. 근친혼의 효과를 단단히 본 광종은 이후 더욱 철저한 근친혼을 통해 자기 세력을 다졌다. 이때 선택된 가문이 황보씨와 신라 왕가, 모친의 집안인 충주 유씨 가문 등이었다. 이들은 촌수나 혈연관계는 완전히 무시하고 서로 간에 중첩된 혼인동맹을 맺었다. 대신 나머지 세력에겐 대대적인 숙청을 가함으로써 정치적 불안을 종식시키고자 했다.

광종의 숙청은 무자비하고 엄청난 것이었다. 그동안 계속된 근친혼 제도 덕분에 가족과 부하와 동료의 경계가 불분명한 것도 문제였는데, 광종은 피묻은 검으로 그 경계도 선명하게 그어 주었다.

강력한 지도자를 좋아하는 사람은 광종이 잔인하긴 했지만 과감하고 결단력 있는 통치로 왕권과 국가를 안정시켰다고 한다.

그러나 필자는 이 의견에 동의할 수 없다. 이런 방식의 안정은 정치적 혼란을 잠시 냉동시킨 것에 불과하다. 국가적, 사회적 안정이란 무엇인가?

그것은 정치적 침묵, 냉동 상태를 말하는 것이 아니다. 우리가 사회안정을 필요로 하는 이유는 사회안정이 사회의 발전과 번영을 위해 요구되는 것이기 때문이다. 그리고 사회의 발전은 정치적 수단이 아니라 제도에 의해서만 추진될 수 있다. 그러므로 사회적 안정이란 그것이 구조적인 안정을 이룰 때만 가치가 있다.

하지만 광종이 이룬 안정은 그런 수준과는 거리가 멀었다. 권력을 유지하는 방법에도 질적인 변화가 없었다. 단지 정치안정의 도구로 기존의 결혼반지에 철퇴를 추가했을 뿐이다.

광종은 과거를 도입하고, 노비안검법을 시행하는 등 제도적 개혁도 했다. 과거는 확실히 획기적인 제도였다. 하지만 그 운영방식을 뜯어보면 제도적 기초를 놓기보다는 정치적으로 사용하는 경향이 강하였다. 그는 일종의 용병관료로 외국인들을 끌어들였다. 국제화를 추구한 최초의 군주였다. 긍정할 부분도 많지만, 문제는 이들의 이용방식이었다. 그는 이들을 우대하면서 과도한 숙청을 감행하여 그 누구든 조금만 위험해 보이면 바로 제거했다. 제도개혁에 충분히 착수할 수 있는 시점에서도 광종은 정치적 안정에만 주력했다.

사실 고려 왕실의 근친혼 제도를 완전하게 사용한 사람은 왕건이 아니라 광종이었다. 하지만 이렇게 양생된 그룹들은 다시 제도개혁의 걸림돌이 되었다. 즉 광종은 정치적 문제에서 양적인 개선을 이루었으나 질적인 변화는 이루어 내지 못했다.

광종은 즉위 초에 늘 당 태종의 『정관정요』를 읽고 그 티를 냈다. 누구는 성군이 될 조짐이라고 했으나 프리드리히 2세가 『반군주론』을 쓰면서 실제로는 마키아벨리의 수제자로 변모하고 있었던 것처럼, 광종도 속으로는 당 태종의 사람을 가지고 노는 재주에 감탄하고 그것을 익히고 있었던 것인지도 모른다.

광종의 능

광종이 일회적 방법에만 의존하여 정국을 안정시켰기 때문에 정치적 불안은 금새 되살아났다. 대숙청을 하자 세상은 잠시 조용해졌지만 따지고 보면 원수는 더 많아졌다. 뒤늦게 이를 깨달은 광종의 불안은 더 커졌다. 불안을 해소하자니 조금만 이상하거나 의심이 들어도 제거해 버려야 했다. 참소가 횡행하고, 잠재된 불안과 분노는 커져 갔다. 그리고 위험은 더욱 커져 갔다. 광종은 혜종과 정종의 아들을 다 죽였고, 만년에는 자신의 맏아들(경종)까지 의심해서 태자는 동궁에서 불안에 떨며 살아야 했다.

광종의 뒤를 이어 즉위한 경종은 광종 시대의 후유증을 치유하는 데 자신의 임기를 바쳐야 했다. 후유증 치료를 위해 경종이 내놓은 첫 번째 처방은 광종대에 억울하게 죽은 사람은 자손에게 복수를 허용한다는 법이 었다. 당연히 이 법을 악용하는 사례가 많아 금방 철회하기는 하지만 국가가 개인적 복수를 용인한다는 이런 흉악한 방식은 이후의 역사에서는

개경 불일사 5층석탑. 광종이 모친 유씨를 위해 세운 석탑으로, 광종의 기억이 남아 있는 드문 유적의 하나다.

유래가 없다.

국가의 제일 가는 기능은 사회의 안정과 발전이다. 이를 위해서는 사회갈등을 조절하고 극한으로 치닫지 않게 해야 한다. 경종의 복수법은 국가가 스스로 자기 기능을 포기한다는 선언과도 다름이 없다.

그럴 만도 한 것이, 통일 후 40년이 지났지만 고려라는 나라에서는 이때까지 지방관도 없었다. 전국 단위의 행정망조차 건설하지 못했으니 제대로 된 토지나 조세, 군사, 사법 제도를 만들 수도 없었다. 만들어 본들 운영할 수도 없기 때문이다. 중앙의 행정기구는 그럭저럭 구성해 놓았으나 그것도 여기저기 엉성하고 빈 구석이 많았다. 무려 반세기 동안 고려에서는 영토와 백성과 통치자는 있지만 조직화된 국가는 없는 상태가 지속되고 있었다.

경종 때부터 비로소 이 문제에 눈을 돌리게 되는데, 태조와 광종의 유산이 여전히 발목을 잡았고, 부친으로부터 죽음의 위협을 받고 자란 경종도 정상적인 상태가 아니었다. 그는 재위 7년 만에 27세라는 젊은 나이로 사망했다. 임종 시에 경종은 나는 국가와 사회를 안정시키려 노력하며 매일 조심스럽게 살다가 피로가 병이 되어 죽는다는 자부심인지 원망인지 모를 말을 남겼다.

성종 2년(982)에 겨우 전국에서 12개의 대읍을 선정하여 목사를 파견했다. 통일 후 47년 만이었다. 엄밀히 말하면 이것은 네트워크도 못 되었다. 바둑에 비유하면 포석을 한 수준이다. 그래도 큰 진전이었고, 성종 때는 이런 틀을 토대로 중앙, 지방, 관료제, 학교, 사회복지제도를 정비하며 국가의 모습을 갖추기 시작했다.

고려가 겨우 여기까지 왔을 때, 거란군은 이미 동방을 향한 진군을 시작하고 있었다. 984년 그들은 여진을 쳤고, 991년에는 압록강을 건넜다. 위기가 코앞에 닥쳤는데, 고려 조정은 전에 없던 새로운 갈등에 빠져 있었다.

성종과 추종세력은 국가체제를 정비하여 국가의 틀을 세우려고 하였다. 그러다 보니 당연히 선진국이던 중국의 제도에서 그 모형을 찾았다. 법이 자리를 잡고, 국가의 공공기능이 강화되는 것이 싫었던 사람들은 그 제도들은 수입품이고, 외국의 모방이니 우리의 전통과 제도를 지켜야 한다며 성종의 개혁에 반발했다.

그래도 예전에 비하면 대단히 생산적이고 발전적인 논쟁이었지만, 수준이 문제였다. 전쟁이 눈앞에 닥쳐왔지만, 고려의 행정망은 10년 전에 배치한 12점 포석에서 더 이상 나가지 못하고 있었다. 거국적인 군사동원체제나 인재등용은 더욱 어려웠다. 마지막으로 외교적 수단을 통해 시간을 버는 방법이 남아 있었는데, 고려는 거란의 침공을 거란과 여진족의 문제로 판단하고 있었으므로 여진이 거란에게 당하는 동안 건져볼 물건만 찾고 있었다.

고려 초기의 북방 경영

이 장에서 고려 초기에 국방과 거란에 대한 대비가 부족했다는 점을 강조했다. 그런데 이러한 서술에 대해 이의를 제기하는 분이 있을 것이다. 고려는 거란과의 전쟁을 대비하여 정종 때에 광군사(光軍司)를 설치하여 30만 병력을 이곳에 소속시키고, 여진으로부터 기마 700필을 수입하기도 하였고,[15] 광종─성종대에도 청천강 유역에서 압록강 사이에 끊임없이 성을 수축하고 군사기지를 설치하였다.

그러나 국가를 경영하면서 국경지역의 방비를 점검하고 군을 관리하는 정도는 일상적이고 당연한 업무라고 할 수 있다. 비상시를 대비하는 자세와 준비, 국가의 능력을 최대한 끌어낼 수 있는 사회제도와 국가체제의 정비라는 측면에서 고려는 부족했다. 거란의 침공도 당면한 현실이라기보다는 잠재적인 위험으로 간주하고 대처했던 경향이 강했다.

2장 전쟁 전야

1. 거란군의 전술과 전투방식

거란과의 본격적인 전쟁 장면에 들어가기 전에 먼저 거란군의 전술과 전투방식에 대해 살펴보자.

거란군의 구성을 보면 거란군은 크게 금위제군과 부족군, 향병의 세 종류가 있었다. 금위제군은 거란의 최정예군으로 어장친군(御帳親軍)과 궁위기군(宮衛騎軍)으로 나뉜다.

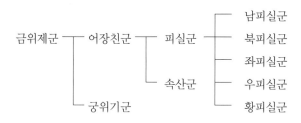

어장친군은 황실에 직속된 군대로 전국에서 뛰어난 전사를 뽑아 편성한 부대다. 어장친군은 다시 황제의 직속부대와 황후의 직속부대로 나뉜다.

황제 직속부대를 피실군(皮室軍), 황후 직속부대를 속산군(屬珊軍)이라고 했다. 피실군은 30만으로 남·북·좌·우·황의 5개 부대로 구성되고, 속산군은 20만 명에 2개 부대로 구성되었다.

금군이 황제의 친위군과 황후의 친위군이라는 희한한 편제를 한 이유는 거란의 부족체제 때문이다. 거란은 부족연맹의 티를 끝내 벗지 못해서 황제는 야율씨 황후는 술율(述律) 씨에서 나왔다. 결국 거란의 황실은 야율씨와 술율씨의 연합세력인 셈이었고, 그것이 군 편제에 그대로 반영되었던 것이다.

궁위기군은 황제의 근위부대로 평소에는 궁과 관청을 경호하고 왕이 출정하면 호종한다. 병력은 9만 2천 명이었다. 이들도 최고의 대우를 받는 정예부대로 완전히 황실에 직속되어 있었다. 따라서 유사시 소집명령을 받으면 여타부대의 징집이나 편성과 상관없이 독자적으로 수도로 집결하여 순식간에 10만 대군을 형성했다.

부족군에는 대수령부족군(大首領部族軍)과 중부족군(衆部族軍)이 있다.

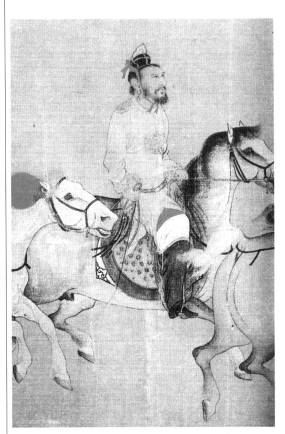

거란의 왕. 야율아보기의 맏아들로 동단국왕으로 있다가 후당으로 망명한 돌욕의 초상이라고 한다.

대수령부족군은 왕족인 친왕과 대신이 거느리는 부대로 사병적인 성격이 강했다. 규모도 1천 명에서 수백 명으로 제각각이고 명칭도 태자군, 무슨무슨 왕군 하는 식으로 불렀다. 그러나 국가에서 요청하면 자기 부족에서 선발하여 5천 명까지도 징발하였다.

중부족군은 여러 부족군이라는 뜻으로 대수령부족보다 한 단계 낮은 부족의 군대다. 전성기에 거란의 총 부족은 32부였다. 이들은 사방국경의 방어를 맡았다.

향병은 5경(상경, 중경, 동경, 남경, 서경)의 방어를 담당한 군대다. 거란인은 어디에 거주하든 어장친군이나 부족군 등에 속했다. 따라서 향병은 거란인 이외의 민족으로 5경에 거주하는 이들로 구성되었다. 대체로 한족, 해인(奚人 : 선비족의 한 지파), 발해인이 주를 이루었다. 이 중 한족의 수가 가장 많고 다음이 발해 유민이었다.

이들 병종 외에 속국군이 있었다. 이들은 엄밀히 말하면 거란의 정규군이 아니고 여진, 말갈, 서해(西奚) 등 거란에 복속한 민족, 부족에서 내놓는 군대다. 거란측 목록에는 무려 59개 국의 명칭이 나타나는데, 전혀 속국이 아닌 나라도 마구 집어넣은 흔적이 역력하다. 그 중에는 고려와 신라도 들어가 있다. 본국이 아니라 그 나라에 속한 작은 부족집단도 국가처럼 집어넣었다. 이들의 수와 수준, 병종은 천차만별로 그 중에는 철기가 없는 부대도 있었다.

부대편제를 보면 거란군의 기초단위는 대(隊)로 500~700명으로 구성되었다. 10대가 1도(道)를 이루고, 10도가 1로(路)를 이룬다. 따라서 1로군의 병력은 5만~7만 명 정도였다.

정규 거란기병(정군)은 1명당 말 3필을 끌고 참전했다. 거기에 타초곡병 1명과 잡일을 하는 병사 1명이 딸렸다. 정군은 개인 갑옷 9벌에 마갑까지 갖추었는데, 개인별로 자비하게 되어 있었고 워낙 고가품이라 수준이 일정하지는 않았다. 무장도 자비인데, 기본 무장으로 활 4개, 화살 400발, 장창과 단창, 도끼, 철퇴(철추), 화도석(火刀石) 등을 갖추고, 말을 다룰 밧줄에 말먹이까지 준비해야 했다.

거란군의 무기일람을 보면 거란 정병 1명은 중장기병의 돌격전, 사격전, 근접전을 모두 대비하고 있음을 알 수 있다.

활과 화살은 북방 유목민족의 최대 장기다. 거란 기병은 고삐를 잡지 않고 말을 달리면서 360도 사방으로 화살을 날릴 수 있었다.

그러나 이 놀라운 기술도 한 가지 약점이 있다. 말 위에서 쏘는 활은 작게 만들어야 하기 때문에 보병의 활에 비해 사거리가 짧고 약하다. 그러므로 기마 상태에서 보병진을 공격하려면 수비하는 보병의 화망 안에 들어가서 사격을 해야 한다. 기동사격으로 이 약점을 커버할 수는 있으나 말을 달리며 사격하면 적이 나를 맞추기도 힘들지만 내가 효과적인 사격을 하기도 역시 힘들다. 또한 야전에서의 전투라도 보통은 수레나 방패로 바리케이트를 쌓고 대적하기 때문에 살상률은 더욱 줄어든다.

천상 화살공격만으로 적진을 붕괴시키기란 쉽지 않다. 승부를 내려면

장창을 사용한 중기병 간의 전투

중장기병의 충격작전이 필수다. 그런데 충격작전을 시도하는 돌격기병은 활을 사용할 수 없다. 창과 방패로 무장하고 적진에 부딪혀야 한다. 달려가면서 활을 쏘다가 적진 가까이 가면 활을 걸고, 창을 빼서 부딪힌다. 글쎄? 뭐 그것도 가능하겠지만 상대가 제대로 된 군대라면 이렇게 복잡한 동작을 하면서 여유를 피울 수는 없을 것이다. 그리고 기동사격을 하려면 병사와 말은 경갑이어야 하고, 충돌하려면 중장을 해야 한다.

충돌작전의 필수품은 창이다. 장창은 곧 삭(鑠, lance)으로서 기병의 돌파용 무기다. 하지만 기병끼리의 전투에서도 장창은 유용했고, 말에서 내려 기병돌격을 저지할 때도 필수품이었다. 길고 무거울수록 위력은 증가하지

만, 근접전에서는 불리하고, 한 번 적과 충돌하면 바로 부러졌을 것이다.

그래서 단창을 몇 개 더 예비한다. 장창도 예비용을 마련하면 좋겠지만 너무 길어서 하나 이상은 소지하기가 곤란했다.

단창은 돌파 이후의 백병전을 대비한 무기이기도 하지만 투창으로 사용했을 가능성도 있다. 투창은 충격작전에서는 장창만큼 위력을 발휘하지는 못하지만 적진과 떨어진 상태에서 공격을 할 수 있다는 장점이 있다. 적진이 견고하고 강할 때는 바로 충돌하기보다는 투창공격을 하고 물러나거나 먼저 투창공격으로 적을 약화시킨 후에 충돌하는 방법도 있다.

단창도 한 번 찌르고 나면 뽑기도 쉽지 않고 잘 부러졌을 것이다. 그리고 근접전에서는 창이 불리할 수도 있다. 그래서 단병접전을 대비한 무기를 따로 장비할 필요가 있다. 목록에 있는 도끼와 철퇴는 바로 이런 경우의 백병전을 대비한 무기로, 대기병과 대보병 전투에서 모두 유용했다.

위의 그림을 보자.

이 그림은 몽골 기병의 전투 장면을 묘사한 것이지만 거란군에 적용해도 별 문제는 없을 것이다. 그림은 왼쪽에 있는 흰수염을 기른 장수가 철퇴로

적 기병-검은 수염-을 내려치려는 장면을 묘사하고 있다.

그림을 자세히 보면 흰 수염이 난 장수는 오른쪽 장수에 비해 몸이 앞으로 기울고, 목은 앞으로 쭉 빼고 머리는 숙이고 있다. 왼손의 방패가 얼굴까지 올라와 있는 것은 실제 그림보다 머리를 더욱 낮게 숙이고, 방패로 안면을 보호하면서 적장에 육박하고 있음을 말해준다.

더욱 상징적인 부분은 두 장수가 탄 말이다. 왼쪽 장수의 말은 앞발이 수평과 수직을 이루며, 무릎이 90도로 꺾여 있고, 두 발이 대칭과 균형을 이루어 주법이 확고하고 야무진 느낌을 준다. 말의 몸통도 화면과 수평을 이루고, 앞으로 내민 말의 목과 장수의 몸의 각도가 평행을 이루어 장수와 말이 하나가 되어 빠르게 앞으로 달려가는 일체감과 속도감을 느끼게 한다.

검은수염이 난 장수는 몸을 돌려 뒤에서 달려드는 왼쪽의 장수에게 창을 내지르고 있다. 그가 탄 말을 보면 다리의 움직임 자체는 말의 주법을 사실적으로 묘사하고 있지만(말은 세 다리가 땅에 닿고 한 다리가 차례로 땅에서 떨어지는 독특한 방법으로 달린다), 앞다리의 간격과 무릎 각도가 뒤의 말처럼 확고하지 못하여 주법이 흐트러지고 불안정한 느낌을 준다. 또한 말의 몸도 화면과 수평을 이루지 않고, 뒤로 기울어 뒤가 무겁거나 뒤의 말에게 눌린 인상을 준다.

이 같은 구성은 앞의 말과 뒤의 말의 속도감에 확연한 차이를 준다. 앞의 말은 어딘가 힘들고 뒤가 무겁고, 뒤의 말은 비호같이 앞쪽으로 돌진하고 있다. 이것은 무엇을 의미하는 것일까?

이 그림을 그린 화가는 전투 상황과 무술에 대해 상당히 조예가 있었음에 틀림없다. 적을 추격하던 흰수염 장수는 상대의 반격권 즉 창의 사정거리에 도달하자 조심스럽게 거리를 유지하다가 순간가속으로 한순간에 창의 사정거리 안쪽으로 파고든 것이다.

창의 약점은 안쪽 공간이다. 흰 수염 장수가 순식간에 안쪽으로 파고 들었기 때문에 검은 수염 장수는 창으로 그를 공격할 수 있는 기회를 잃어 버렸다. 그래서 기병 간의 전투에서는 말도 중요하다. 흰수염 장수의 말은 비호처럼 달려들고, 검은 수염 장수의 말은 몸이 처져 있다.

검은 수염 장수는 다급하게 뒤로 창을 내질렀지만, 상대방은 이미 창의 안쪽 공간으로 침투한 상태이므로 창대로 옆으로 후리는 자세가 되어, 흰 수염 장수의 방패에 막힌다. 혹은 창으로 찔렀으나 뒤의 장수가 왼손의 방패로 창을 밀어내면서 안쪽 공간으로 파고든 상황이라고 볼 수도 있는데, 이런 경우라면 흰수염 장수에게 훨씬 고난도의 실력이 필요했을 것이다. 그러나 말의 속도감으로 보아 화가는 전자의 경우를 상정했음이 분명하다.

흰수염 장수가 창의 안쪽으로 들어왔고, 방패로 창을 막거나 밀어냈기 때문에 이제 창은 무용지물이다. 검은 수염 장수가 적의 공격을 막으려면 창을 버리고 방패로 공격을 막으면서 자신도 철퇴나 도끼를 뽑아야 한다.

그러나 이미 늦었다. 흰 수염 장수는 막 철퇴를 내려치기 직전이다. 완벽한 찬스를 맞은 그의 눈은 찢어질 듯 타점을 응시하고 있지만—가늘게 찢어진 눈과 그 눈에서 튀어나올 듯 한쪽으로 쏠려 있는 눈동자를 보라—그 의 입가에는 자신도 모르게 회심의 미소가 어려 있다.

반면 검은 수염 장수의 눈썹은 쳐지고, 눈과 눈동자는 둥글고 크게 그려 놓았다. 이것은 적장의 빠르고 순간적인 돌파에 대한 놀라움과 자신의 대응이 실패로 돌아간 순간의 당혹스러운 심정과 그것이 의미하는 공포와 전율의 순간을 보여준다.

그런데 거란군의 장비목록을 보면 도끼와 철퇴는 있는데, 검이나 도는 빠져 있다. 그 이유는 검과 도가 너무나 당연한 필수품이기 때문이 아닐까 싶다. 도검이 멋있기는 하지만 비싸고, 실전에서는 도끼나 철퇴에 비해

기병 전투 그림

위력은 떨어지기 때문에 일반 병사의 필수 장비에서 제외했을 가능성도 생각해 볼 수 있다.

하지만 위의 그림을 보면 그렇지는 않다.

이 그림도 앞의 그림과 같이 몽골군의 전투 장면을 묘사한 그림의 일부다. 다빈치나 미켈란젤로의 작품에 비하면 원근감이나 비율도 맞지 않고 등장인물들의 얼굴은 꼭 물고기처럼 그려놓았다. 칼에 맞는 병사의 목이 인간에게선 불가능한 180도 회전을 한 것은 강조법으로 봐주더라도, 그의 오른손을 보면 손가락은 오른손인데, 팔꿈치의 굽은 각도는 왼팔에서나 가능한 각도다. 고개를 뒤로 돌린 모습을 그리다가, 너무 완전하게 돌아가면서 오른 팔을 그릴 때는 몸이 앞으로 향하고 있는지 뒤로 향하고 있는지 헷갈린 모양이다. 그래서 이 병사는 칼을 기준으로 앞쪽은 앞을 향한 몸이고, 그 뒤쪽은 뒤를 향한 몸이 되었는데, 다행히 손가락만이 오른손 모습을 유지하였다.

이렇게 뭔가 좀 부족하기는 해도, 이 그림도 전투상황의 묘사라는 부분에서는 탁월하다. 배경을 채운 구름 문양은 기병 전투의 부산물인 구름

거란군의 도

같은 먼지다. 뽀얀 흙먼지를 일으키며 벌어지는 추격전, 바닥에는 부러진 창과 목, 팔이 나뒹굴고 있다.

이번에는 오른쪽 장수가 달아나는 적의 등을 장도로 내리치고 있다. 약간 굽고 끝이 뾰족한 도는 유목민족이 좋아하는 만도다. 이것이 중앙아시아를 건너 인도와 중동으로 가면 더욱 둥근 형태가 된다. 그가 탄 말의 발굽 밑에는 부러진 창이 동댕이쳐 있다. 치열한 전쟁터를 묘사하는 소품일 수도 있으나 창으로 한 명을 살해하고, 창이 부러지자 창을 내던지고, 장도를 빼어들어 그 다음 적을 치는 연속동작으로 이해할 수도 있다. 그런데 이번에는 왜 철퇴나 도끼가 아니고 도일까?

칼에 맞아 쓰러지는 병사에게 답이 있다. 그는 갑옷을 입지 않은 경기병이다. 검이나 칼의 위력은 적이 갑옷과 투구를 입었을 때 크게 감소한다. 적이 투구와 방패, 갑옷으로 무장했다면 베는 것보다는 도끼로 투구나 갑옷을 깨뜨리고 들어가거나 철퇴로 가격하여 충격을 주거나 말에서 떨어뜨리는 쪽이 훨씬 효과적이다. 특히 중장기병은 갑옷의 무게 때문에 말에서 떨어지면 중상을 면하기 어려웠다.

대신에 도끼나 철퇴는 무겁고 느리다. 그러므로 갑옷을 입지 않은 적과 싸울 때는 도가 효율적이다. 실제 전투에서는 갑옷을 입지 않은 군사가 훨씬 많았을 것이다. 또 전투가 아니라 일상에서도 칼은 다양한 용도가 있으므로 이를 필요 없는 무기로 간주했을 리가 없다. 다만 검과 도 중에서 병사들이 일상적으로 사용한 무기는 도였다. 검은 도에 비해 제작비가 비쌌기 때문에 일찍이 실전에서 퇴역하였다.

무기 외에도 기병은 여러 벌의 갑옷과 탑재식량 등 다양한 장비를 갖추었다. 이 같은 풍부하고 다양한 장비는 재보급 없이 며칠 혹은 몇 번의 전투를 신속하게 수행할 수 있게 해 주었다.

우리가 잘 모르는 기병대의 탁월한 장점 중 하나가 수송력이다. 한 명의 기병이 이처럼 엄청난 장비와 보급품을 가지고 다닐 수 있는 것도 오직 풍부한 말 때문이었다. 이것이 유목기병이 지니는 최대의 장점이었다. 보통 기마민족의 기동력이 말을 타고 달리기 때문에 가능하다고 생각하는데, 그렇지 않다. 아무리 기마민족이라도 기병만 있는 부대는 없다. 말을 보호하기 위해 기병도 이동할 때는 도보로 다니기도 한다. 그들이 탁월한 기동력과 원거리 이동력을 발휘할 수 있었던 진짜 이유는 말의 수송능력 덕분이었다.

거란군은 수송력이란 장점을 더욱 살리기 위해 정군 1명마다 타초곡병 1명을 붙였다. 타초곡병은 정말 유목민족에게나 가능한 독특한 병종이었다. 전투 시에 이들은 경기병, 공병의 역할을 수행하며 공격을 보조했다.

행군 시에 타초곡병의 주임무는 식량과 마초의 현지조달이었다. 악명 높은 유민민족의 현지조달 전술은 적에게는 공포를, 유목민족에게는 놀라운 이동력과 생존력을 부여하였는데, 이것도 기병의 기동력과 수송력 때문에 가능했다. 보병은 이동반경도 좁고, 한 번에 운반할 수 있는 식량의 양도 많지 않다.

그러나 기병은 주 이동로를 벗어나 광범위한 지역을 약탈할 수 있고, 약탈물을 풍부하게 실어올 수 있었다. 식량을 조달하기 위해 이들은 사냥과 낚시도 했다. 게다가 말 자체가 훌륭한 식량창고였다. 말은 젖을 생산하고, 비상시에는 고기도 제공했다.

거란군의 행렬(벽화모사도). 거란군의 모습을 보여주는 극히 희귀한 그림 중의 하나다.

거란은 몽골과 흉노의 혈통답게 기병이 강했고, 전술의 중심에는 기병이 있었다. 그러나 기병도 종류가 여러 가지고 민족마다 전술에 개성이 있었다. 거란군은 기병전술 중에서도 속도와 기동전을 중시했다. 거란군의 전술은 그들의 역사를 기록한 『요사』 병위지에 정리되어 있다.

『요사』는 거란이 망한 지 200년 후에 중국에서 기록한 책이다. 즉 병위지에서 묘사한 거란군의 전술은 거란인이 자신들의 전술을 정리해 놓은 것이 아니라 그들과 싸웠던 중국인들이 관찰하고 경험한 바를 기록했다. 이 점에 유의하면서 병위지의 기록을 검토하면 거란과 싸웠던 한병들에게 가장 인상 깊었던 것은 거란군의 파상공세였다.

거란군은 10개 대(隊)로 구성된 1도(道)를 전투부대의 기본 단위로 삼았다. 1대는 보통 500명에서 700명으로 편성되었으며 대 단위로 대형을 구성했다. 적을 공격할 때는 이 대 단위로 공격하였는데, 적진이 한 번 공격에 무너지면 다행이지만 그렇지 않으면 무리하게 충돌하지 않고 바로 물러서고 2진,

3진이 축차적으로 공격했다. 그러다가 적진에 틈이 생기면 전군이 일제히 돌격하여 적을 타격했다.

물론 처음부터 기병이 충격작전으로 나가는 것은 아니고, 근접해서 사격함으로써 적을 약화시킨 후에 돌격하는 수법을 많이 썼다. 이것은 기동전의 장점을 살린 것으로 나중에 몽골군도 즐겨 사용한 전법이다.

이 같은 축차공격전술은 적을 지치게 하고, 화살을 소모시킨다는 장점이 있다. 하지만 단점도 있다. 축차전술이란 따지고 보면 병력을 분산, 운영하는 방식이다. 이는 가능한 한 병력을 집중하여 강타하라는 전술학의 기초원칙에 어긋난다.

예를 들어 보자. 우리가 10명이고 적이 4명이라고 할 때 한꺼번에 덤벼들면 10：4의 싸움이 된다. 그러나 1명씩 내보낸다면 1：4로 싸우다가 각개격파 당하고 말 것이다. 분산된 소규모 단위의 공격은 파괴력이 약해지고, 각개격파 당하거나 불필요한 인명소모가 많아질 위험이 높다. 사실 공격이든 수비든 병력의 축차적 투입은 어쩔 수 없을 때나 하는 방법으로, 금기에 가까운 전술이다.

그럼에도 불구하고 거란군이 이런 비상식적인 전술을 사용할 수 있었던 요인의 하나가 기동력이다. 뛰어난 기동력은 공격과 후퇴 시, 적의 발사무기에 의한 피해를 줄여주었다. 거란군도 적진 돌파라는 임무는 여느 기마민족과 마찬가지로 중장기병에게 맡겼는데, 거란은 중장기병의 기동력을 높이기 위해 다른 중장기병에 비해 갑옷을 얇고 가볍게 하는 모험을 감행했다.

그러나 속도만을 믿고 축차공격방식을 선호하는 것은 여전히 위험하다. 잘 조직된 군대가 견고한 진지를 구축하고, 침착하게 대응한다면 공격과 후퇴를 반복하는 거란군의 희생과 체력소모가 더 클 것이다. 결국 기동력만으로는 이런 전술의 비효율성을 극복할 수는 없다.

거란군의 전술을 이해하려면 그들의 축차공격전술이 공격전술의 본질이 아니라는 사실을 깨달아야 한다. 거란군이 부대를 소규모 단위로 편성하고, 기동성을 높인 진짜 이유는 양동작전과 기만전술에 의한 기습공격의 효과를 높이기 위해서였다. 축차공격전술도 이를 위한 소도구에 불과하다.

『요사』 병위지에 바람이 적진을 향해 불 때면 거란군은 경기병으로 하여금 말 양쪽에 두 개의 빗자루를 매달고 달리게 하여 먼지를 일으켜 적의 관측을 어렵게 하였다는 기사가 있다.[16] 이 먼지는 돌격부대를 감싸는 연막도 되고, 부대의 이동이나 집결을 감추는 기능도 한다. 벌판에서 기병이 일으키는 먼지는 적이 부대의 규모와 이동로를 관측, 판정하는 요인이 되기 때문이다.

이 전술을 거란군의 독특한 전법으로 보는 연구도 있는데,[17] 필자의 생각은 다르다. 이 정도는 누구나 생각해 낼 수 있는 아이디어고, 빗자루를 매달고 달리는 것도 거란군에게나 가능한 특별하고 어려운 기예가 아니다. 그러므로 이 이야기가 『요사』에 실린 이유는 연막작전이 거란군의 독특한 전술이어서가 아니라 연막작전이 거란군의 전술에서 차지하는 역할과 비중이 높았기 때문이다.

거란군에게서 연막의 효용과 비중이 높았던 이유는 무엇 때문일까? 답은 양동작전, 기만전술에 의한 기습적 돌파에 있다. 축차공격술을 다시 한 번 생각해 보자. 세상에 어떤 장군이 뻔한 공격과 후퇴를 반복하며 전력을 소진시키겠는가? 승부는 가능한 한 빠르고 단호하게 내는 것이 최선이다. 게다가 돌격부대는 무장을 약간 가볍게 했다고는 하지만 어디까지나 전술적 대형으로 포진한 중장기병대다. 쓸데없는 기동은 쓸데없는 희생을 낳고 체력만 소모시킨다. 그러므로 실제 공격은 단순반복적인 축차공격이 아닌 철저한 교란과 양동작전으로 구성되었을 것이다.

전투 상황을 가정해 보자. 거란군이 삼면에서 공격해 온다. 거란군의 평소 전술을 볼 때 주공은 이 중 어느 한 부대거나 셋 다 기만이다. 연막전술

덕분에 적진에서 일어나는 먼지만 가지고는 병력의 집중도와 주공의 방향을 판단할 수가 없다. 먼지 속에서 드러나는 적의 대형은 한쪽은 밀집횡대고 한쪽은 듬성듬성하다. 그러나 이것도 속임수일 수 있다. 밀집횡대를 얇게 펴서 배치하고, 그 속에 경기병대나 하급부대를 집어넣었을 수도 있고, 마구잡이로 돌격해 오는 부대의 뒤쪽에 주력이 숨어 있을 수도 있다. 세 방향에 전부 병력을 증강하자니 병사들이 쉬지를 못하고 화살 소모도 많다.

지휘관은 고심 끝에 주공이 우측이라고 판단하고 좌측을 약화시키고 우측으로 예비대를 투입했다. 지휘관의 판단은 적절해서, 좌우측의 공세가 함께 저지되었다. 그런데 이렇게 병력을 운용하자 좌측을 공격하던 거란군의 우위도 적군의 자위가 약화되었다는 사실을 알아차렸다. 거란군 속에서 이런 저런 고함 소리가 들리더니 중앙과 우측을 공격하던 부대 중 일부가 좌측면으로 빠르게 집결하여 돌격해 들어오기 시작했다. 지휘관은 당황했다. 우측면에 투입한 예비대를 다시 좌측면으로 돌리는데, 전령이 오고 가고, 부대가 이동하는 동안 속도에서 우위에 있는 거란군은 보다 빠르게 좌익으로 집결했고, 순식간에 좌측면에 대한 강습돌파를 시도한다.

기만과 양동, 기습돌파 작전의 효율성을 높이기 위해 거란군은 후방 사령부의 재가를 받지 않고, 공격부대가 현장 상황을 판단하여 즉석에서 병력을 이동하여 공격방향을 바꾸거나 수세에 몰린 인접부대를 지원할 수 있게 하였다. 이때 거란군은 보통 본국에 있는 산이나 하천의 이름을 구호로 사용했다고 한다.[18] 백두산이면 '집결', 낙동강은 '후퇴' 뭐 이런 식이었을 것이다.

이제 거란군의 전술적 특성이 분명해지는데, 거란군의 최대 장점은 가변성과 신속한 현장 대응력이었다. 빠른 기동력과 현장 지휘관의 재량권을 존중하는 소부대 단위의 기동은 이 전술의 위력을 극대화시켰다.

거란군의 이 같은 전술원칙은 여러 상황에 응용되었다. 거란군은 행군할 때 본대인 호가군과 선봉부대로 나누었다. 1로군에서 호가군은 정예병 3만, 선봉군은 3천 명으로 구성되었다.

선봉군은 특별히 용맹한 병사로 구성했다. 이들은 호가군의 전후좌우 사면에 배치했다.

선봉군 앞에 다시 원탐난자군이라는 수색기병을 운영했다. 이들은 특별히 선발한 용사들로, 10명 단위로 선봉대의 전후방 20리 지점에서 활동했다. 원탐난자군은 적과 조우했을 때 적이 소수면 바로 치고, 자신들만으로 공격하기 어려운 규모라면 선봉군을 불러 함께 쳤다. 선봉군도 칠 수 없는 규모일 때는 본대를 기다렸다. 이처럼 단위부대는 제각기 재량권을 지니고 현지 상황에 맞게 즉각즉각 대응할 수 있었다.

거란군의 전술에 대한 기초적인 설명은 일단 이 정도로 마치고자 한다. 나머지는 거란과 고려의 구체적인 전쟁 과정을 통해 살펴보도록 하겠다.

2. 고려의 군제

고려의 군제는 중앙군과 지방군으로 구분된다. 수도에 배치하는 중앙군은 건국 초에는 좌군, 우군식으로 단순하게 나뉘어 각기 보병과 기병으로 구성되었다. 기병과 보병의 구성은 반반이었다. 후삼국 쟁패기라는 전시체제였던 만큼 기병의 수도 많고 중앙에 배치한 병력도 많았다.

독재와 숙청으로 통치했던 광종도 당연히 엄청난 중앙군을 보유하고 있었다. 광종은 예전의 태조의 군대를 다시 징발하여 재무장시켰지만, 그와 함께 개경이나 서경군 같이 자신의 지역군이나 친위세력 군대에 의존하던 방식에서 탈피하여 전국에서 용사를 선발하여 시위군을 삼았고,[19] 이들을 국왕 친위대로 해서 전제정치를 폈다.[20]

광종이 죽은 후 죽음의 공포에서 벗어난 관료들은 좀 더 체계적이고 안정되고, 권력자의 자의에 의해 이용되지 않을 그런 군제를 만들어야 한다고 생각했다. 그래서 성종 14년 6위의 설치를 시작으로 2군6위가 만들어지고[21] 목종대까지 이들의 직제, 복장, 군영 등의 체제가 정비되었다.

2군6위는 명실상부한 고려 최고의 정예부대였다. 전국에서 선발한 장교와 병사들이 교대로 상경하여 근무했다. 고려시대에는 무과가 없었으므로, 군관과 병사의 선발권을 장군이나 지휘관에게 주어 그들이 시험을 보이거나 추천하여 뽑았다. 장군들은 일가친척, 개인적으로 모집한 무사, 자기 지역의 향리나 무사 중에서 이들을 선발하고 추천했을 것이다.

그래서 고려시대에는 같은 지역이나 인맥으로 부대가 구성되는 경우가 많았다. 이런 방식은 군 내부가 사적인맥으로 연결되는 문제가 있지만, 지휘관과 병사, 부대원들 간에 유대감이 강하고, 지휘관의 재량에 따라 우수한 무사를 선발, 편성할 수 있다는 장점이 있다. 특히 백병전에서 이런 유대감과 일체감은 대단히 중요한 상승요소였다.

2군은 왕의 근위대로 응양군(鷹揚軍)과 용호군(龍虎軍)으로 불렸다. 병력은 응양군은 1000명, 용호군은 2000명이었다. 둘 중에서도 응양군의 지위가 높아 응양군의 상장군은 반주(班主)라고 하여 무반의 대표자가 되었다.

6위는 좌우위(左右衛), 신호위(神號衛), 흥위위(興威衛), 금오위(金吾衛), 천우위(天牛衛), 감문위(監門衛)였다. 각 군과 위는 1000명으로 이루어진 영(領)이라는 단위부대로 구성되었다. 6위에 속한 영이라도 병사들의 특기와 질에 따라 명칭이 달랐다. 이 구성을 보면 각 위의 특징이 잘 드러난다.

여러 6위에 포함된 영 중에서 전투부대는 정용과 보승이었다. 6좌우위, 신호위, 흥위위는 전투부대인 정용과 보승으로만 구성되어 있다. 그래서 이들을 별도로 3위라고도 불렀다.

명 칭	총병력	구 성
좌우위	13,000	보승(保勝) 10령, 정용(精勇) 3령
신호위	7,000	보승 5령, 정용 2령
흥위위	12,000	보승 7령, 정용 5령
금오위	7,000	정용 6령, 역령(役領) 1령
천우위	2,000	상령(常領) 1령, 해령(海領) 1령
감문위	1,000	1령

불행하게도 정용과 보승을 구분하는 기준은 미스테리다. 정용은 기병, 보승은 보병이라고 보는 견해도 있다.[22] 병력의 비례로 보면 기병, 보병일 가능성도 높다. 그런데 지방의 주요 지역에 설치한 군사기지인 진(鎭)에는 정용과 보창이 있었는데, 보창은 곧 중앙군의 보승에 비견되는 부대라고 생각된다. 이 부대의 구성을 보면 정용은 기병인 마대(馬隊), 석궁부대인 노대(弩隊), 보병 등으로 구분되고, 보창은 전혀 그런 구분이 없다. 그렇다면 정용은 순수한 기병부대가 아닌 기병을 포함한 부대고, 보창은 순수한 보병부대라는 말이 된다.[23] 따라서 이 기록에 따르면 정용=기병, 보승=보병 이라는 등식은 성립하지 않게 된다. 여기서 정용과 보승을 기병, 보병으로 이해하는 방법이 과연 적합한 방식인지 생각해 볼 필요가 있다. 6위의 정용과 보승은 모두 1천명 단위부대인 영(領)이다. 1천이면 인구비례를 감안하면 현재의 5천은 되는 연대규모가 넘는 부대이다. 그렇다면 영은 각각 독자적으로 작전과 전투를 감당할 수 있는 단위부대라고 보아야 한다.

그런데 기병만으로 하는 전투가 가능할까? 전투를 하려면 궁수의 지원도 있어야 하고, 보급물자와 기지를 지켜줄 보병도 있어야 한다. 즉 단위부대로 서 전술적 편제를 갖추고 작전 수행능력을 갖추려면 중기병, 경기병, 궁수, 창병, 노수 등 다양한 병종을 갖추어야 한다. 당장 주진군의 정용만 해도

둥근 바탕의 용무늬. 고려의 왕실은 용의 자손이라고 하여 용무늬를 상징으로 많이 사용했다. 흥위위와 좌우친군은 군복 정면에 둥근 바탕에 용무늬 장식을 했고, 용호위의 병사들과 국왕의 사령들 역시 이러한 장식을 했다고 한다.

이런 여러 병종으로 구성되어 있다.

1천명이나 되는 부대를 오직 기병, 보병 같은 동일 병종으로 묶어 놓고, 10여 개 이상의 영, 즉 1만 이상 되는 병력을 모아 앞뒤로 배치해야 겨우 전술대형을 구성할 수 있도록 군을 편제했다는 것은 상식적으로 말이 되지 않는다. 또 그렇게 했다면 기병(정용), 보병(보승)만이 아니라 궁수부대, 창병부대, 사역부대, 노부대 등 다양한 부대가 6위 안에 있어야 한다.

그러므로 정용과 보승은 기병과 보병의 구분이 아니고, 전술적 편제나 부대의 능력이 다른 두 종류의 부대라고 보는 것이 적절하다. 예를 들어 정용은 기병의 비율이 높아 전술적으로 기병을 잘 활용할 수 있고, 공격력도 강한 부대이고, 보승은 보병 비율이 높아서 보병전술, 방어 작전을 주로 하는 부대로 각기 부대를 구성하는 병종의 종류나 비율이 달라서 이런 구분을 했을 것이다.

금오위는 도성 순찰을 맡은 경찰부대로 비순위(備巡衛)라고도 했다.[24] 경비와 순찰은 중요한 임무이므로 비순위에는 보승도 없고, 최정예인 정용만 6령이나 배치했다. 그런데 옛날의 도성순찰이란 도성의 관리임무까지 겸해야 했다. 성이 무너지면 즉시 수축해야 하고, 왕이 행차하는데 길이 파였다거나, 야간 순찰을 하다가 죽은 시체를 발견한다면, 당장 조치를 취해야 했기 때문이다. 하지만 명색이 정예무사들이고 사회적 신분도 높았던 이들이 시체 치우고 흙 나르는 일에 시간을 보낼 수는 없었다. 그래서 사역군임이 분명한 역령이라는 부대 1000명을 배당했다. 이 부대는 금오위에만 있었다.

천우위는 일반적으로 의장대였다고 본다.[25] 하지만 의장이 임무의 전부는 아니었던 것 같다. 배속한 영의 명칭도 독특하다. 상령의 임무는 무엇이었을까? 해령은 수군임이 분명한데, 왜 천우위에 두었을까? 이 시대의 해군은 전투도 중요하지만, 평소에는 수송을 중요 임무로 하였다. 기차와 자동차가 나오기 전에는 배가 최고의 대량 운송수단이었기 때문이다. 천우위는 의장대도 하지만 국왕이나 귀빈이 행차할 때 호위하고, 궁중에서 사용하는 물자를 수송하는 것이 주임무였던 것 같다.

감문위는 이름 그대로 여러 성문의 경비를 맡은 부대다. 여기에는 병종 구분 없이 1령만 배속시켰다. 성문 경비치고는 병력이 많아 보이는데, 개경은 성문이 많아서 황성에만 20개, 나성에 25개의 성문이 있었다.[26] 성문은 24시간 경비해야 하므로 하루에 하나의 문마다 2인 1조로 4개

개경 눌리문. 궁성으로 통하는 외성의 서쪽 문이다.

조씩만 운영해도 문이 45개니 360명이 필요하다. 그러나 성문에 2명의 보초는 너무 적다. 큰 문은 한 번에 좀 더 많은 병사를 세워야 할 것이고, 연락병, 장교의 당번병, 예비병력 등도 감안해 주어야 한다.

그래도 좀 많다는 느낌이 들면, 기존의 중앙군 중에서 나이가 들거나 노부모가 있는 외아들, 병이 든 병사 등을 감문위로 보냈다는 사정을 감안해 주자.[27] 이것이 감문위의 숨은 기능이었다.

6위 중에서도 전투부대인 좌우위 등은 병사들의 복장도 특별했다. 좌우위는 보통 둥근 무늬가 있는 비단도포를 입고, 흥위위는 오색 꽃무늬를 수놓기도 했다. 이런 복장은 모든 병사가 한 것이 아니고 그 중에서도 왕의 좌우에 배치하거나, 주변에 배치한 병사들에게 입힌 특별한 복장이었

고려의 무장(공민왕릉의 석상). 갑옷 위에 수를 놓은 겉옷을 입고 장식이 있는 허리띠를 차고 있다.

다. 평소에도 이들은 자색 모자를 써서 다른 병사와 구분되었다.

　서긍의 『고려도경』에는 용호위에 속한 맹군(猛軍)이란 병종이 나오는데, 이들은 수도 제일 많고, 푸른 베옷과 희고 좁은 모시바지를 입고, 그 위에 투구와 갑옷을 썼다고 했다. 이들이 정용과 보승에 해당하는 병사들이라고 생각된다.

　2군 6위의 지휘관과 부지휘관은 상장군(정3품)과 대장군(종3품)으로 정원은 각기 1명이었다.

　1000명 단위 부대인 영의 지휘관은 장군(정4품)이며 그 아래에 부장으로

투구에 단 높은 술과 뾰족한 깃털을 꽂은 모자

중랑장(정5품) 2명이 있다. 이 중랑장들은 왕의 내전에서 숙직하며 왕을 경호하는 임무도 맡았다.

장군, 위장들은 붉은 비단으로 만든 옷을 입고, 금이나 뿔모양 장식을 단 허리띠를 둘렀다. 옷에는 둥근 무늬를 수로 새기거나 짐승 모양을 새긴 천을 둘러 위엄을 보였다.[28]

중랑장 아래는 낭장(정6품) 5명이 있는데, 이들은 200명 단위부대를 지휘했다. 실전에서는 이 200명이 주요한 전투단위가 되기 때문에 낭장은 로마군의 백부장이나 현재의 중대장처럼 실전 지휘관으로서 매우 중요했다.

이 200명 부대의 장교들로 별장(정7품)과 산원(정8품)이 있으며, 오늘날의 소대장급인 교위(또는 오위 정9품)와 대정(종9품)을 두었다. 교위는 50명 단위인 오(伍)를, 대정은 25명 단위인 대를 지휘했다.

낭장 이하의 장교들은 실전에서 병사들을 이끌고 선두에서 싸워야 하는 전문무사들로 백병전에서 이들의 역할은 대단히 중요하다. 삼국지에서

관우, 장비, 여포가 하는 역할을 연상하면 된다.

그들은 대개 자색 도포를 입었다. 헐리우드 영화에 등장하는 로마군단의 트레이드마크는 붉은 망토다. 영국의 왕실을 수호하는 근위대도 붉은색 군복을 입는다. 붉은색은 일단 멋있고 강렬한 느낌을 주지만, 백병전에서의 상처와 피를 감추기 위해 붉은색을 선호했다는 이야기도 있다. 그러나 실제 로마군단은 그런 멋진 선홍색 망토를 두르지 못했다. 선홍색 염료가 워낙 비쌌기 때문이다. 군단장급은 되어야 그런 망토를 둘렀다.

고려군 장교가 자색 옷을 선호한 이유도 비슷하다. 기왕이면 선홍빛이 좋았겠지만, 우리 나라에서도 선홍빛은 귀해서 붉은색이라도 탁한 색의 옷을 입어야 했기 때문이다.

바지의 색은 일정하지 않아 흰색, 자색, 황색, 검은색 등으로 다양하였다. 지휘관은 말을 타야 하므로 발에는 기병용의 검은 가죽 부츠를 신었다.

고려군 장교들에게서 독특한 복장은 모자였다. 그들은 투구와 갑옷을 착용하지 않을 때는 양쪽에 뾰족한 깃털(꿩의 꼬리인 듯)을 꽂은 높은 모자를 즐겨 썼다. 격이 가장 높은 용호위나 좌우위의 장군들은 뿔 끝에 금꽃 장식을 달기도 했다.

평소에 쓰는 모자만이 아니라 투구도 중국의 투구보다는 높고 뾰족했다. 영화에 등장하는 투구는 둥글게 디자인 되는 경우가 많은데, 옛날 투구는 원뿔형에 가깝게 뾰족하다. 그 이유는 주물로 제작하지 않고, 철판을 감아서 망치로 때려서 제작하기 때문이다(주물로 만들면 강도가 약해진다). 그런데 우리는 한 술 더 떠서 투구 끝에 장식으로 다는 술도 길고 높게 달았다. 둘을 합하면 높이가 60cm가 되기도 했다.

이런 이야기를 하면 기분 나빠하는 사람도 있지만 고려인은 키가 작아 높은 모자를 좋아했다는 설도 있다.

투구를 쓰지 않을 때는 무늬 있는 깃털모자나 비단두건을 썼는데, 낭장들은 두건에 진주조개를 장식으로 달았다. 활집도 호피로 만든 것을 착용하기도 했다. 특히 대궐문의 위병, 기병, 중간장교인 중검랑장 등이 호피로 싼 활집을 차고 있었다고 한다.[29]

이런 묘사를 보면 장교들의 투구나 모자, 복장은 고구려 고분벽화에 등장하는 무사들의 모습과 지극히 유사하다.

지방군은 주현군과 주진군이 있었다.[30] 주현군은 말 그대로 지방민으로 구성된 부대다. 주현군도 그 내부에 정용과 보승, 1품군, 2품군, 3품군의 구분이 있었다. 이들의 실체도 명확하지 않다. 정용과 보승은 2군 6위에 속한 병사들인데, 이들이 상경하지 않고 지방에 거주하다가 비상사태나 군을 동원할 필요가 있을 때는 주현군에 편성되었을 것이라고 보는 견해도 있고, 주현에 배치한 정용, 보승은 2군 6위의 정용, 보승과는 다른 별도 부대라는 견해도 있다.

1~3품군은 급수가 떨어지는 부대다. 1품군은 모르겠지만 2, 3품군은 분명 노역에 더 많이 동원되는 부대였다. 주현군의 장교는 그 지역의 향리가 맡았다. 이들은 궁술을 시험해서 실력과 직제에 따라 교위와 대정으로 임명했다. 그렇다고 향리가 전적으로 주현군을 지휘하는 것은 아니고, 전시에 장군, 중랑장, 낭장이 중앙에서 파견되어 와 이 부대를 지휘했다. 그러나 이런 지휘관도 아주 낯선 사람이기보다는 그 지역과 연고가 있거나 그 지역 출신 유력인사를 임명하는 경우가 종종 있었다.

주현군이라고 하면 전투력이 보잘것없는 주민부대라고 생각하기 쉽지만, 그렇지만도 않았다. 고려시대는 조선시대와는 분위기가 달라서 지방자치적인 경향이 강했다. 향리들도 조선시대의 아전처럼 행정요원이 아니라 무예를 익힌 지방의 유지이자 실력자들이었다. 서양 중세의 영주나 기사계급까지는 아니더라도 조선시대의 사족이나 향리보다는 그런 성격이 강한 계층이었다고 보면 된다.

이처럼 지역사회의 실력자와 무사, 주민으로 편성되었으며, 평소에 무예를 닦은 무사층이 풍부하고, 지역 연계를 지니고 조직되어 유대감과 단결력도 강하여 주현군도 만만치 않은 전투력을 보유했다.

주진군도 크게 보면 주현군의 일종이지만 국경지대인 양계지방과 군사 주둔지인 진에 설치했다는 점에서 주현군과 다르다. 진 자체가 요새고, 특히 국경지역인 양계의 진은 중앙군, 특수부대, 무사, 용병이라고도 할 수 있는 이민족 부대 등을 포섭해서 부대를 구성하기 때문에 특별한 전력을 지녔다고 할 수 있다. 실제로 주진군은 이후 여러 전쟁에서 맹활약을 한다.

3. 고려군의 전술과 무기

우리도 몽골 계통의 민족이라 군사전술과 장기는 삼국시대부터 대륙보다는 초원민족과 유사했다. 이 점은 고려도 변함이 없다. 후삼국의 최후를 장식한 고려와 후백제의 마지막 전투였던 일리천 전투(936년)에 참가한 고려군의 구성을 보면 마군이 전체 병력의 절반을 차지한다.[31] 다만 이때 마군의 전원이 기병인지 아니면 기병 비율이 높은 정예부대인지는 확실하지가 않아서 전 병력의 절반이 기병이었다고 단

극을 든 기병(중국 한대)

돌격하는 중장기병대. 삼국시대의 기마인물형토기(국보 275호)지만 고려의 중장기병의 모습도 큰 차이가 없었을 것이다. 한 가지 아쉬운 것은 기병이 돌격용 창[槊, Lance]을 낀 자세가 아니라 창을 던지는 자세를 취하고 있다는 점이다. 하지만 실전에서는 이런 투창공격도 많이 사용되었을 것이다. 대항군은 중장기병대의 돌진을 막기 위해 장애물을 설치하고, 원거리에서는 활과 노로, 근거리에서는 밀집창대로 저지했다. 그러나 유효사거리 내에서 사격 기회는 한두 번뿐이고, 중장기병대는 빈틈없이 보호되고 있었으므로, 궁수와 보병이 돌격선의 정면에서 이들과 맞서기 위해서는 상당한 훈련과 용기를 요구하였다.

언하기는 곤란하다. 어찌 되었든 그만큼 기병의 비율과 비중이 높았다.

고려군의 무기와 장비도 기본적인 구성은 삼국시대나 거란의 기병과 별 차이가 없다. 기병은 보통 창과 극, 활로 무장했다. 송나라 사신인 서긍을 맞이하는 행사에서 기병들은 극을 들고 나타나기도 했는데,[32] 극은 전통적으로 기병을 상대하는 무기였다.

고분벽화에도 극을 든 중장기병들이 보인다. 이것은 고려도 그렇고 그들이 상대했던 거란과 여진도 기병이 주력을 이루는 부대였기 때문이다.

고구려 안악3호분의 궁수. 투구를 쓰지 않고 팔과 어깨를 드러낸 갑옷을 입고 있다.

　기병은 중장기병과 경기병으로 구성되었던 것이 분명하다. 중장기병은
미늘 갑옷을 입고,[33] 마갑을 갖추었다. 결론적으로 각각의 전술이나 무기는
삼국시대와 크게 달라지지 않은 것 같다. 이들의 전술과 운용방식은 전편인
『전쟁과 역사』 삼국편에서 다루었으므로 별도로 서술하지 않겠다.
　삼국시대에 비해 약간 사료가 풍부한 부분은 보병에 관해서다.

　맹군은 푸른 베로 만든 짧은 저고리와 흰 모시로 만든 좁은 바시를 입고,
　그 위에 투구와 갑옷을 덧입었는데, 오직 팔과 어깨에 덮는 것만이 없다.
　투구를 머리에 쓰지 않고 등에 지고 다니는데, 각각 작은 창을 들고,
　창 끝에 흰 깃발을 달았다.[34]

맹군은 정용과 보승을 합한 전투요원이었던 것으로 보인다. 서긍이 본 이들은 팔과 어깨가 노출된 갑옷을 입고 투구를 등 뒤로 걸고 있었다. 고구려 안악 3호분의 행군도를 보면 일반 보병들은 투구를 쓰고, 최소한 상의는 중장갑을 하고, 방패와 창을 들었다. 이들과 달리 투구도 쓰지 않고, 갑옷도 짧아 팔과 어깨가 노출된 병사들도 있는데, 이들이 바로 궁수다. 어깨와 팔을 덮는 갑옷은 사격할 때 장애가 되기 때문이다. 투구를 쓰지 않은 이유도 투구가 시야를 가리고, 고개를 거의 돌리지도 못하게 할 정도로 불편하기 때문이다.

다시 서긍의 묘사를 분석해 보면, 고려의 일반 보병은 고구려의 궁수와 같은 갑옷을 입고 있었지만, 고구려 궁수들은 쓰지 않았던 투구를 뒤로 걸고 있다. 고구려의 궁수와 장갑보병의 복장이 혼합된 형태라고 할 수 있다.

그들의 갑옷이 궁수와 보병의 혼합형태였다면 그들의 기능 역시 그러했다고 보아야 할 것이다. 군인들의 갑옷과 무기는 전술 및 기능과 긴밀한 상호관계가 있기 때문이다.

작은 단서지만 이것을 과감하게 확대 해석해 보자면, 고려는 삼국시대에 비해 보궁수의 비중을 높였고(안악 3호분에서 보병궁수의 비율은 매우 낮다), 이렇게 되자 중장보병이나 창병이 줄어드는 약점을 커버하기 위해 궁수를 보병으로 전환하는 체제와 전술을 사용했다고 볼 수도 있겠다.

이것은 당군이 개발하여 송대로 이어진 보병전술을 채용한 것이라고도 할 수 있다. 당군은 기병이 우수한 북방민족과 싸우기 위해 상대가 안 되는 중장기병의 비율을 줄여버리고, 궁수와 노수의 비율을 높였다. ─최대로 높일 경우 전 보병의 1/3까지 되었다.

그리고 궁수로 인해 창병이 줄어드는 약점을 보완하기 위해 궁수와 노수는 보병대열의 일선에서 사격한 후에 보병대열의 2선으로 돌아 들어가

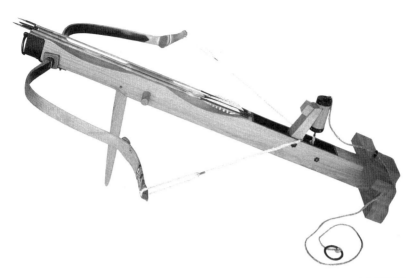

노(복원모형)

활과 노는 버리고 창을 들고 보병전투에 합세하는 전술을 개발했다.[35]

고려군도 이런 전술을 채용함에 따라 갑옷과 투구에 변화가 발생했다고 생각된다. 지나친 억측 같지만 갑옷과 투구 외에도 이런 추정이 가능한 정황 증거가 있다.

우선 건국 초부터 고려가 견제하고 싸워온 상대는 고구려가 대적한 중국군이 아니라 거란과 여진이었다. 상대가 중국군이라면 기병을 주축으로 하는 전통적인 전술이 유용하겠지만, 같은 전술을 사용하는 거란과 여진군이라면 그들에게 대항하기 위해 고안된 당군의 전술을 우리의 보병전술에 수용했을 가능성이 충분하고 이는 매우 유용했을 것이다.

보다 분명한 근거로 고려가 노수의 증설과 노의 개량에 상당한 노력을 기울였다는 사실을 제시할 수 있다.

우리나라는 궁술의 명망이 너무 높아서 노는 상대적으로 소홀하게 다루는 경향이 있는데, 고려시대에는 노의 비중이 상당히 높았다.

『고려사』를 보면 거란전쟁이 끝난 후 고려는 노의 개량과 노수 및 보병의 양성과 훈련에 상당한 노력을 기울였다. 고려군의 병과에서도 경궁(梗弓), 정노(精弩), 강노(剛弩), 사궁(射弓)이라고 해서 활과 노와 관련된 병과가 반을 차지하고 있는데, 이것도 전체 보병에서 궁노의 비중이 높았던 사실을 보여준다.[36]

노의 비중이 높다는 것 또한 보병의 비중이 높아졌다는 것을 의미한다. 노의 가장 큰 특징이 보병용 무기이기 때문이다. 서구에서는 기병이 노를 사용한 사례도 있지만, 장착속도가 느리고, 무겁기 때문에 동아시아의 기병 전사들은 노보다는 활을 애용했다.

그런데 이런 추론에는 문제가 있다. 서긍이 본 고려군 병사는 활이 아닌 창을 들고 있었기 때문이다. 하지만 이 병사들은 전투를 위해서가 아니라 송나라 사신을 호위하기 위해 동원된 병사들이었다. 그렇기 때문에 방패도 들지 않고 있었다. 『삼국편』에서도 언급했지만, 우리 나라의 활은 각궁이다. 이 활은 강력하긴 한데, 너무 강력해서 평소에는 활줄을 풀어 놓아야 하고, 값도 매우 비쌌다. 그러므로 근접경호를 담당하는 장수나 군관 외에 일반 병사들은 활을 차고 나타나지 않았을 가능성이 높다.

활 이야기가 나온 김에 생각해 보고 싶은 이야기가 있다. 서긍이 만난 고려의 장수나 의장병들 중에 허리띠에 물소뿔로 만든 장식을 달고 있는 장교와 병사들이 있었다. 물소뿔로 만든 허리장식이나 허리띠는 서대(犀帶)라고 해서 6품 이상 되는 관원 제복의 허리띠나 허리띠 장식 재료로 사용되었다. 그 외 왕의 옷이나 제복에도 장식으로 사용되었다.

고려에 물소뿔이 수입되고 있었다는 사실은 대단히 중요하다. 우리 민족의 최강의 무기이자 장기는 활이었다. 활도 여러 종류가 있는데, 가장 강력한 활은 뼈나 뿔로 만드는 각궁(角弓)이다. 고분벽화에 나오는 활은 모두 각궁이고, 고려와 조선군 모두 이 각궁을 사용했다. 그러나 각궁도

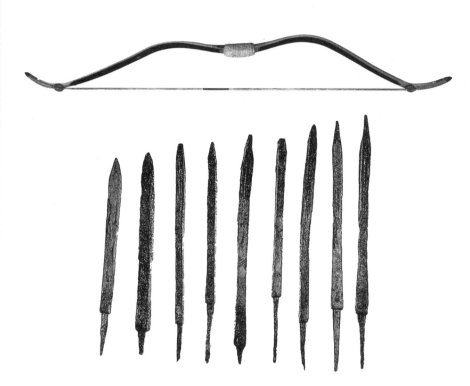

활과 고려군의 화살촉

무엇을 재료로 사용하느냐에 따라 그 위력이 크게 달라진다.

삼국시대에는 소의 갈비뼈를 사용했다는 이야기도 있는데, 갈비뼈 활에 견줄 수 없는 명품이 물소뿔로 만든 활이다. 조선시대에는 물소뿔을 사용했고, 그 전통과 제작법은 오늘날까지 이어진다. 다만 물소뿔 활이 언제부터 제작되었는지는 현재로서는 알 수 없다.

그런데 고려시대에 물소뿔이 유입되고 있었다면 각궁의 재료로도 사용되었을 가능성이 있다. 물론 물소뿔로 만든 활은 고가품이어서 장수나 군관급 정도에서나 사용했을 것이다. 어쨌든 이 활은 유효사거리가 400미터가 넘었다. 고려 전기부터 물소뿔이 활의 재료로 사용되었다고 한다면 고려군의 화살공격은 최고의 위력을 발휘했을 것이다.

이제 이야기를 정리하자. 삼국시대와 비교할 때, 고려군에서 달라진 모습은 보병전술이다. 기병전술이 장기인 거란군에 대항하기 위해 고려군은 당군이 북방민족과 싸우기 위해 고안한 신전술을 수용하여 궁수와 노수를 증가시키고, 궁·보병의 전환전술을 채택했다. 이 같은 전술적 대응은 대 거란전에서 대단히 유용했을 것이다.

왜냐하면 궁노 수의 증가는 궁노의 증가 이상의 의미가 있었기 때문이다. 세상의 모든 병기와 전술에는 상대성이라는 게 있다. 거란군의 입장에서 보면 고려와 고려군은 여러 가지로 그들에게 상극이었다.

우선 고려의 지형은 산이 많고, 길이 좁고, 통로가 제한적이다. 그러다 보니 거란이 장기로 하는 속도와 현란한 기동 효과가 초원이나 화북평원지대 같지 않다. 거란군은 이 기동성을 위해 중장기병의 장갑마저 약화시켰는데, 고려족의 땅에서는 다양한 양동이 쉽지 않고 기동력이 떨어지기 때문에 기동력이 약화된 장갑의 피해를 상쇄시켜 주지 못한다.

더욱이 고려 궁수의 실력과 위력은 중국군에 비할 바가 아니었다. 여기에 궁노의 숫자마저 더해졌다면…….

그러므로 거란군은 차라리 중장기병의 비중을 높이는 방식이 우리 지형에서는 더 효율적이었을 것이다. 삼국시대에 이 땅에서 양성한 군대가 중장기병의 비중을 높였던 것은 다 그만한 이유가 있었기 때문이다.

3장 1차 거란전쟁

1. 소손녕의 침공

993년(성종 12) 8월, 소손녕군이 기습적으로 압록강을 건넜다. 고려는 부랴부랴 군을 편성하여 시중 박양유를 상군사, 내사시랑 서희를 중군사, 문하시랑 최량을 하군사로 임명하여 각기 상군, 중군, 하군을 지휘하게 했다.

박양유와 서희의 부대는 안주에서 귀주 사이에 주둔하면서 조심스럽게 선발부대를 북상시켰다. 한편 성종은 이들을 파견한 다음 달에 직접 서경을 거쳐 청천강 방어선의 중심이며 전방사령부라고 할 수 있는 안주까지 왔다.

10월에 고려군이 북상한다는 소식을 듣자 소손녕도 부대를 움직여 남하하기 시작했다. 두 나라의 군대는 귀주에서 조금 못 미친 봉산성에서 맞닥뜨렸다. 역사적인 최초의 전투에서 고려군은 대패하고 급사중 윤서안이 사로잡혔다.

거란과 고려군이 첫 전투를 치른 지역이 봉산이라는 사실은 좀 의외다. 봉산성은 낮고, 평지에 위치한 성이었다. 봉산에서 하룻길밖에 안 되는

안주성의 전체 모습. 왼쪽 부분이 청천강과 큰 누대가 장대인 백상루다. 성은 강북을 방어 전면으로 하여 설계되었다. 청천강이 해자 역할을 하고, 강안의 하안단구 위에 성벽을 쌓아 강쪽의 방어력은 매우 높다. 조선 후기의 모습이지만 성의 입지는 고려시대와 달라지지 않았다고 생각된다. 『1872년 지방지도』 평안도(상) 안주목

곳에 귀주가 있다. 귀주성은 거란전쟁과 몽골전쟁 때 빠짐없이 격전지가 된 요충이었다. 물론 아직 이 일대가 고려의 행정력이 미치는 곳은 아니었으므로 귀주성은 정비되어 있지 않았을 가능성도 있다. 그러나 그렇다고 해도 굳이 봉산을 결전지로 택할 전술적 이유가 없었다. 분명 봉산은

고려군이 좋아서 선택한 장소는 아니었다.

이 사실은 하나의 의문과 단서를 동시에 제공한다. 고려는 왜 유리한 위치에서 기다리지 않았을까? 혹 고려군은 귀주로 진군하다가 미처 도착하기 전에 거란군에게 차단 당했던 것은 아닐까?

가능성은 여러 가지지만 원치 않는 장소에서 적과 조우했다는 사실은 고려군이 서둘렀다는 증거가 될 수 있다. 선발대가 서두르는 이유는 대개 한 가지 경우밖에 없다. 고려군의 본대가 전쟁을 치를 만한 수준이 못 되었던 것이다. 박양유와 서희가 이끄는 고려군이 북상한 후에 성종이 직접 서경을 거쳐 안주까지 온 것도 고려군이 축차적으로 군을 편성하여 투입하고 있음을 보여준다. 고려는 충분한 대항군을 형성하기 위해 시간을 필요로 했고, 그 시간을 벌기 위해 최대한 북쪽에서 적을 맞아 지연시켜야 했다.

고려는 분명 전쟁준비가 되어 있지 않았다. 8월에 거란의 침공 소식을 듣고 전국에 병마제정사(兵馬齊正使)를 보내 병력을 모집했고, 10월에야 겨우 군대를 편성했다. 봉산에서 패한 부대는 선발대였음에도 불구하고, 선발대가 패전했다는 소식을 듣자 박양유와 서희의 부대는 회군하고 말았다. 고려는 2차 전투, 즉 주력을 동원한 방어전은 기획하지도 못했다. 병사는 채웠지만 제대로 준비가 되어 있지 않았던 것이다.

2. 안융진 전투와 강동육주

봉산에서 선발대가 패배하자 안주까지 와 있던 성종은 당장 서경으로 되돌아갔다. 서경에서 고려의 중신들과 대책회의가 벌어졌다. 이 회의의 주제는 어떻게 싸울 것이냐가 아니라 어떻게 항복하느냐였다. 무조건 항복하자는 안과 그러기에는 염치가 없으니 절령 이북 땅을 떼어주고 강화하자는 두 개의 안이 나왔다. 절령은 황해도 평산에 있는 자비령으로 경기도와 황해도의 경계이며 개경에서 하룻길 정도밖에 안 되는 곳이다. 서경을 포함한 황해도 이북지역을 넘겨주자는 것이었다.

결국 땅을 주고 강화하는 쪽으로 결정이 났다. 고려 왕실에게 있어 서경이란 조금 과장되게 표현하면 왕실의 직할지나 같은 곳이었다. 그러한 서경을 넘겨준다는 것은 사람으로 말하면 팔이나 다리를 포기하겠다는 의미다. 일단은 사태를 진정시킬 수 있겠으나 팔과 다리를 잘라주고 나면 다음에는 싸울 수도 없다. 일단 서경과 황해도 이북지역을 넘겨주고 나면 개경 방어도 불가능해진다. 정말 이 지역을 할양했더라면 고려는 한강 이남으로 천도해야 했을 것이다.

졸지에 고려 지배층의 두 기둥이라 할 수 있는 서경과 개경을 모두 버리고 중부 이남으로 내려간다면 반란이 나거나 최소한 고려의 정치가 극도로 혼란스러워지리라는 것은 뻔하였다. 즉 절령 이북을 떼어주고 항복한다면 생명은 잠깐 연장할 수 있을지 모르나 결국은 스스로의 생명을 포기하는 것과 다름이 없었다.

어처구니 없게도 고려는 주력군을 동원한 전투를 벌여 보지도 않고 최후의 선택을 했다. 싸울 수 있는 주력군이 없었기 때문이다. 준비 안 된 국가와 국제정세에 대한 무지가 초래한 소름끼치는 결과였다.

천만다행으로 거란은 고려가 이렇게까지 대책없이 살아 왔다는 사실을 알지 못했다. 소손녕군이 압록강을 건넌 때는 8월이었는데, 10월이 되어서도 그들은 겨우 평안북도 귀주-봉산 근처까지 진출했다. 이후의 침공군은 이 거리는 2~3일에 주파했다. 첫 침공이었기 때문에 지리도 잘 모르고, 그만큼 신중하게 움직였을 수도 있지만, 군대 자체도 강하지 않았던 것 같다.

이후 소손녕은 거란군이 80만이라고 얼토당토 않은 허장성세를 부리며, 항복을 요구하였다. 이때 거란군의 실제 병력수는 알 수가 없다. 다만 거란군이 원정할 때는 최고 사령관으로 도통을 두는 경우가 있고 그렇지 않은 경우가 있다. 이때는 도통이 없었는데, 도통이 없는 원정군은 대개 기병 6만을 넘지 않기 때문에 최대 6만 정도였다고 추정하기도 한다.[37] 그런데 이 규정은 기병 6만이므로 기병 이외의 병력과 사역군까지 합하면 그 이상일 가능성도 있겠다.

고려 조정 전체가 공포에 젖어 우왕좌왕 하고 있을 때, 거란군의 움직임과 소손녕의 협박에서 무언가 이상한 점을 찾아낸 사람이 있었다. 고려군을 이끌고 북상했다가 막 북계에서 돌아온 서희였다.

처음 소손녕이 항복을 요구하는 서신을 보냈을 때, 조정 관리들은 모두 두려움에 떨었으나 서희만은 대뜸 거란군이 전투를 회피하고 있다는 사실을 알아차렸다.[38] 비결은 간단하다. 군대를 출동시킨 이상, 항복이나 협상을 요구하려면 일단 상대의 영토나 요충지를 점령하고 그것을 담보로 요구사항을 내놓는 것이 정상이다. 그래야 협상에서 유리한 위치를 선점할 수 있고, 최소한 전쟁비용이라도 뽑아낼 수 있다.

그러나 소손녕은 두 달 동안 거의 움직이지도 않았고, 아무것도 손에 쥐지 않은 상태에서 자신의 카드부터 꺼내 놓았다. 더욱이 스스로 자신의 병력이 80만이라고 떠벌렸는데, 80만은커녕 절반인 40만만 되었어도 두 달씩이나 내원성에 그렇게 웅크리고 있지 못했을 것이다. 식량과 비용을 감당할 수 없기 때문이다. 그러므로 그가 눌러 앉아 있다는 자체가 병력이 그리 많지 않다는 증거였다.

옛날 전쟁에서 병력이야 언제나 과장하기 마련이지만 소손녕의 부풀리기는 과도함을 넘었다. 상식과 관행을 넘어서는 지나친 과장은 그들 내부에 문제가 있고, 사령관이 어리석다는 증거였다.

그러나 아무리 느낌이 온다고 해도 추정만으로 국가와 국민의 생명이 걸린 결정을 내릴 수는 없는 일이다. 보다 객관적이고 신뢰할 수 있는 정황이 필요했다. 그런 정황증거도 있었다.

당시 거란은 압록강 건너 내원성(의주)까지 세력을 확장했다. 그러나 아직 거란의 영토는 동경(심양)에서 내원성을 잇는 가느다란 선에 불과했다. 그 주변은 여진족의 땅이었고, 정세는 불안했다. 거란은 압록강에서 더 남하하기 전에 먼저 동경-내원 선상의 주변을 평정해야 했다.

동경에서 내원성까지는 대략 250km 정도이다. 동경주변은 지평선이 보이는 평야지대이지만 압록강 쪽으로 100여 km 이상 내려오면 제법 크고 높은 산들이 포진해있다. 그러므로 이 지역을 완전히 평정하려면 시간이 필요했을 것이다.

이 정도 사정은 고려도 충분히 알고 있었을 것이다. 이런 상황에서 소손녕군이 압록강을 건너 여진의 영토를 횡단하여 고려로 치고 들어왔다.

이건 두 가지 모순된 상황을 야기한다. 거란은 고려를 침공함으로써 여진정벌이라는 당면 과제도 해결하기 전에 스스로 또 하나의 적을 만들어 냈다. 기업이 한 분야에서 투자금도 건지기 전에 다른 사업에 투자하는 것과 같은 경우라고 할 수 있다. 기업이 엉뚱한 투자를 할 경우에는 대개 사업이익을 노리기보다는, 부동산을 확보한다거나 새 사업을 빌미로 새로운 자금원을 확보해서 돌린다거나 하는 다른 속셈이 있는 경우가 많다. 외교와 전쟁도 마찬가지다. 상궤를 벗어난 무모한 도발은 다른 노림수가 있다는 증거다.

군사적으로도 소손녕은 형편이 좋지 않았다. 압록강에서 청천강까지는 여진의 거주지역이었다. 거란으로서는 적진을 가로지르는 원정이었다. 거란군은 고립되어 있고, 주변에는 여진, 앞에는 고려라는 두 적이 있었다. 아무리 거란군의 자생력이 강하고, 현지보급능력이 뛰어나다고 해도, 사방에 적이라는 처지는 결코 바람직한 상황은 아니다.

게다가 이런 상황은 여진과 고려의 동맹을 야기할 수도 있었다. 지금까지 고려는 거란의 우방도 아니었지만, 직접적으로 충돌하지도 않았다. 그런데 지금 거란군은 스스로 여진과 고려의 땅에 뛰어들어 둘을 동시에 자극하고 있었다. 이런 상황은 여진과 고려의 동맹을 야기할 수도 있고, 행여 거란군이 작은 패배라도 당하거나 약점을 보인다면 고려와 여진은 더욱 사나워질 것이다.

소손녕은 조심스럽지 않을 수 없었다. 그는 거란군의 전력을 보존하면서 최대한 신속하게 상황을 종결시켜야 했다. 그러나 이게 모순이었다. 신속하게 상황을 종결시키려면 빠른 시일 내에 고려군에게 심각한 타격을 가하거나 서경 같은 전략 요충을 점령해야 한다. 그러나 이런 전투는 희생이 크고, 희생이 크면 전력은 약화되고, 전력의 약화는 적의 호승심을 충동한다. 그래서 소손녕은 군대의 이동과 전투를 자제하면서 허세와 협박으로 심각한 타격을 대신하려 했다.

『고려사』에는 항복을 반대하는 서희의 논지가 아주 짧게 요약되어 있지만, 아마도 서희는 이런 논지로 성종과 신하들을 설득하려 하였을 것이다. 서경을 내주면 당장의 위기는 극복할 수 있어도 다음을 기약할 수 없다는 말도 했을 것이다. 그래서 그는 적의 허세에 속지 말고 일난 한 번 붙어본 후에 항복이나 대응책을 논의해도 늦지 않다고 주장하였다.

그러나 아무도 그의 말에 동조하지 않았다. 단 한 사람 전 민관어사(前民官御事) 이지백(李知白)이 서희와 마찬가지로 항복불가론을 펼쳤다. 그러나 그의 논거가 서희와는 전혀 달랐다. 땅은 줄 수 없으니 금은보화를 주자, 그리고 선대로부터 전하여 온 연등회와 팔관회, 선랑(仙郎) 등의 행사를 다시 거행하고 타국의 색다른 풍습을 본받지 말고 국가의 전통을 보존함으로써 나라를 지키자는 것이었다.[39]

금은보화로 적장을 회유해 보자는 건의까지야 옳고 그름을 떠나서 충분히 생각해 볼 수 있는 의견이다. 그러나 연등회와 팔관회의 복구는 황당하다. 당장 전쟁 상황에서 전통문화의 복구라니.

『고려사』에서는 당시 성종이 중국 풍습을 모방하기 좋아하여 전통적 풍습을 금지했기 때문에 이지백이 이런 말을 하였다고 했다. 이전에 성종은 연등회, 팔관회 같은 전통적인 풍속을 금지하고, 중국의 풍속으로 대체하려고 했던 것 같다. 오늘날의 표현을 빌면 무분별한 국제화와 전통문화와의 갈등이다.

그러나 보통 역사책에서 중국 풍습을 모방했다고 말할 때는 풍속이나 복장과 같은 어설픈 외래문화의 수입을 의미하는 것이 아니다. 성종은 엉성하게 운영되던 고려의 국가운영방식을 개혁하여 국가제도와 체제를 정비하고, 전통귀족의 사적 권력을 억제하려고 하였다. 그러다 보니 중국의 제도를 수입했고, 고려의 전통행사에도 제동을 걸었다.

과도한 수입이니 전통문화의 파괴니 하는 논쟁은 예외로 하고 지향과 목적으로 보면 성종이 추진한 개혁은 국가를 국가답게 하려면 당연히 해야 하는 개혁이었다. 당장 지금의 사태를 보아도, 강력한 적이 나를 위협하는데, 고려의 군사동원체제는 엉성하기 짝이 없지 않은가?

그러나 어쨌거나 귀족들은 자신의 특권과 자유를 위협받는 상황이 싫었을 것이다. 그래서 이지백은 국가적 위기상황을 기회로 그들이 가져오던 불만을 토로했다. 팔관회와 연등회의 복구는 그 자체로만 보면 황당하지만, 그 속에 담긴 메시지는 분명하다. 당장 단합과 협조가 중요한 상황에서 성종은 양보하지 않을 수 없었던 것이다.

아무리 그렇다고 해도 지금이 그런 문제를 들고 나올 시기는 아니었다. 이런 인물들이 국가의 중심에 포진해 있으니 서희의 냉철한 상황판단이 외면당했던 사정도 이해가 간다.

서희의 주장은 외면당하고, 고려의 결론은 거의 항복으로 가고 있을 무렵이었다. 설마 그런 선물까지 준비하느라 답신이 늦어지고 있는줄은 꿈에도 생각하지 못했던 소손녕은 조바심이 나기 시작했다. 그래서 소손녕은 겨우 며칠을 기다리지 못하고 군대를 남진시켰다. 고려의 결단을 재촉하기 위해서는 아무래도 군사행동이 필요하겠다고 뒤늦게 깨달았던 것이다.

그러나 주력이 직접 움직이기는 여전히 부담스러우므로 일부 부대를 파견하여 고려군을 기습하게 하였다. 이 계획에 따라 거란군 분견대가 살그머니 남하했다. 며칠 후 이 부대는 청천강 하구에 있는 안융진에 출현했다.

거란군이 귀주를 지남에 따라 청천강이 고려군의 주방어선이 되었다. 당시 고려군의 사령부는 청천강 중류에 위치한 안주에 있었고(고려시대의 원지명은 안북), 안융진은 안주의 서남쪽 끝인 청천강 하구에 위치했다.

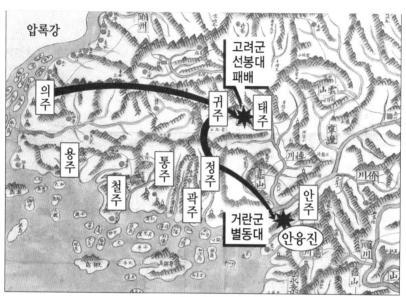

소손녕군의 진로

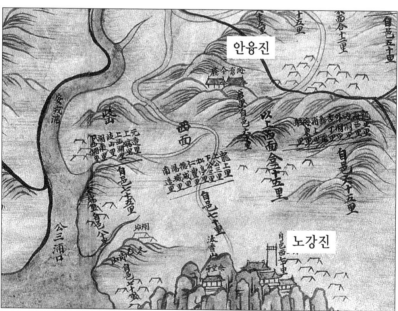

안융진. 그림 가운데 산 위의 기와집 두 채가 있는 곳. 『1872년 지방지도』평안도(상) 안주목

안주성과의 거리는 70리였다.

내원성(의주)에서 청천강으로 남하하는 길은 귀주−태주(태천)−박주(박천)−안주로 가는 내륙길과 의주−통주−정주−안융진으로 내려오는 해안길이 있다. 소손녕군은 내륙길을 따라 귀주로 진출했지만, 분견대는 해안길로 돌려 안융진 앞에 도달한 것이다.

안융진성은 전쟁이 나기 한 20년 전인 광종 21년 혹은 25년에 쌓은 둘레 755m의 작은 토성이었다.[40] 조선시대에는 안융진을 폐지하고 이곳에 바닷길로 수송해 갈 곡식을 저장하는 해창을 설치하고, 진은 5km쯤 더 하구로 내려와 바다를 면한 태향산(汰香山) 절벽에 설치했다. 앞의 그림 하단에 보이는 바위절벽이 그곳으로, 이곳의 명칭은 노강진이다.

지세로 보면 노강진이 제대로 된 요새지인데, 고려시대에는 하구에서 약간 올라간 구릉지대인 안융에 기지를 두었다. 조선시대에 요새를 노강진으로 옮긴 이유는 군 전력에서 수군의 비중이 높아졌고, 일본이 제일의 가상적이었으므로 바다를 통해 들어오는 적을, 수군을 동원해서 강어귀에서부터 차단하려고 했기 때문이다.

그러나 고려시대만 해도 수군의 비중이 낮고, 주적은 왜구가 아닌 북방민족이었으므로 강어귀보다는 안융진처럼 도섭지점과 그곳에서 이어지는 육로를 방어하는 지점에 군사기지를 두었다. 위 그림을 자세히 보면 도로는 강가에 난 두 개의 산을 지나 안융진의 좌우를 돌아 위(안주쪽)로 올라간다. 안융진은 바로 이 도로를 감제하는 요충임을 알 수 있다.

고려가 싸움 준비가 되어 있지 않았다고는 해도 군대가 아예 없었던 것은 아니다. 당시 고려군의 총사령부가 안주에 있었으므로, 고려의 본대는 안주와 귀주 사이에 집중 배치되어 거란군과 대치하고 있었다고 보아야 한다. 거란군은 그들의 장기대로 이들을 우회하여 남하했다. 안주성도 정면공격을 피하여 서쪽인 안융진으로 우회했다.

거란군의 작전은 두 가지로 추정할 수 있다. 첫 번째는 안주성 공격이다.

청천강을 도하한 후 유목민족의 자랑거리인 기마대를 보내 서경과 안주 사이의 도로와 보급선을 차단하고, 안주를 배후에서 공격한다. 안주성은 정면에 청천강을 끼고 있으므로 북쪽에서 공격하기보다는 남쪽에서 공격하는 것이 유리하다. 이렇게 하면 고려군 총사령부가 위험할 뿐 아니라 안주에서 귀주 사이에 있는 고려군을 고립시킬 수 있다. 그들은 사령부 및 후방과 연락이 끊긴 상태에서 소손녕이 거느린 주력부대를 정면에 두게 된다.

두 번째는 안주 공략을 직접 시도하지 않고, 안주의 남쪽 도로를 차단하여 고려군의 보급로를 끊음으로써, 고려군을 불안하게 만드는 방법이다.

작전지역을 크게 우회하여 대부대가 도하하기 쉽지 않은 청천강 하류로 내려온 것으로 보아 안융진으로 진출한 거란군이 대부대는 아니었던 것 같다. 그렇다면 두 번째 방안이 소손녕의 의도에 가까웠을 것 같다.

고려는 거란군의 우회작전을 전혀 탐지하지 못했다. 거란군이 안융진에 도착했을 때 이 작은 요새에는 주현군으로 편성된 수비대만 주둔하고 있었다.[41] 진은 진장이 있는 곳이 제일 큰 곳이고, 그 다음에는 중랑장, 작은 곳은 낭장이 책임자로 있었다. 안융진은 나중에는 진장급의 진이 되지만, 이때는 중랑장과 낭장이 지키는 중급의 진이었다. 후대의 기록이지만 평상시 안융진에 소속된 병력은 지휘관 외에 장교 15명에 병사 394명과 백정 825명이었다. 백정은 전투부대가 아닌 일반 민간인 부대를 말하는 것 같다.

그러나 이때는 전시였으므로 평상시보다는 크게 증원되어 있었을 가능성이 크다. 또 하나 다행스럽게도 안융진이 청천강 방어선의 요지였으므로 이곳의 수비대 자체가 괜찮은 장수와 부대로 구성되어 있었다.

안용진성. 토성이어서 작은 언덕처럼 보인다. 이 성을 사용할 때는 목책을 세우고, 경사면에 장애물도 배치한다.

　당시 안용진 수비대의 책임자는 중랑장 대도수(大道秀)와 낭장 유방(庚方)이었다. 대도수는 934년 발해민을 이끌고 고려로 투항했던 발해의 세자 대광현의 아들이다.[42] 고려는 귀순하는 발해 유민을 주로 서북지역에 거주시켰다. 수비를 맡은 주현군에는 대도수의 일족과 발해의 유민도 포함되어 있었을 것이다. 발해유민의 최고 지도자 집안이 이끄는 부대였던 만큼 휘하에는 유능한 장수와 용사들도 많았고, 충성심과 단결력, 거란군에 대한 투지도 높았을 것이다.

　지휘관이 거란에 대해 남다른 사연과 투지를 지닌 인물이었다면 부지휘관으로 중앙에서 파견되어 온 낭장은 대단히 유능한 청년 장교였다. 유방은 출신이나 성장 과정은 알려지지 않았지만, 유씨라는 성으로 보아 태조 왕건 휘하에서 최고의 장수였던 유금필의 후예가 아닌가 싶다. 유금필 집안은 많은 무장을 배출하여 당시 고려 조정에서 유씨 성을 가진 무장이

고분벽화에 나타난 발해인

많았는데, 그 중에서도 유방은 두드러진 존재였다.

유방은 나중에 승진을 거듭하여 목종 때는 경호실장인 친종장군이 되고, 현종 때는 병부상서, 서경유수, 서북면의 최고 사령관을 거쳐 무장출신이라는 핸디캡을 극복하고 관료로서는 최고의 지위인 시중에까지 올랐다. 이 경력은 그가 능력 있는 인물이었음을 말해준다.

제대로 된 기록이 없어 허망하지만 안융진 전투는 극적이고 중요한 전투였다. 고려는 완전히 허를 찔렸는데, 안융진 수비대가 멋지게 이들을 격퇴했다. 거란군 별동부대는 큰 타격을 받았는지 더 이상 싸우지 못하고 후퇴했다.

　이 작전이 실패하자 소손녕은 더 이상의 군사행동은 엄두를 내지 못했다. 안융진 전투는 웬만한 역사책에는 나오지도 않을 정도로 잊혀졌지만, 대도수와 유방 이하 수비대 용사들의 결단과 분전은 찬사와 감사를 받기에 충분하다. 만약 거란이 청천강 도하에 성공하여 안주를 위협했으면, 고려는 더 이상 버티지 못하고 서경 이북을 넘겨주었을 것이다. 황해도 이북이 없는 고려는 2차나 3차 침공 때 거란에게 굴복하고 말았을 것이고, 그렇게 되면 그 뒤의 역사는 어디로 튀었을지 상상하기도 쉽지 않다.

　거란이 압록강을 도하하고, 안융진을 기습하기까지 고려의 사정은 계속 최악이었다. 침공의 징후, 적의 기동, 전술, 하여간 적의 동향을 예측한 적이 없고, 내어 놓는 대응책도 실패 아니면 오진이었다. 그러던 참에 작은 수비대의 예상치 못한 분전이 미로와 같던 상황판에 확실한 추를 꽂았다.

　안융진 전투의 승리는 거란군의 안주 공격 내지는 포위를 막았다는 전술적 의미만 있는 것이 아니었다. 안융진의 승리는 새로운 기적을 창출했다. 이 기적의 연출자는 고맙게도 적장 소손녕이었다.

　소손녕의 안융진 공격작전을 다시 검토해 보자. 지도를 보면 알 수 있듯이 봉산에 있던 거란군은 고려군의 정면을 압박하지 않고 완전히 우회하여 청천강 하구로 내려왔다. 고려군의 측면과 배후를 공격하기 위한 전술이었다고 볼 수도 있지만, 그것도 맞붙어 싸울 때의 이야기다. 이 기동은 우회의 범위가 너무 컸다. 전면에 대한 압박이 없는 우회는 말 그대로 완전한 우회 즉 회피다.

　전투를 피하고 주변지역을 약탈하면서 협상으로 뭔가를 얻어내고자 하는 방법은 코작크나 흉노족 같이 변방부족이나 약한 국가가 거대국가를 괴롭힐 때 쓰는 방법이다. 이 족보에는 선비족의 후예인 거란도 포함되어 있다. 소손녕도 젊은 시절에 이런 전술로 만리장성을 넘나들며 명성을 쌓았을지 모른다. 즉 이런 우회전술은 거란군의 장수와 병사들에게는 아주 익숙한 방식이었다.

미지의 적과 처음 조우하였을 때, 일단 자신이 가장 자신 있는 방법으로 부딪혀 보는 것은 지극히 정상적인 행동이라고 할 수 있다. 사실 소손녕군의 전역은 처음부터 끝까지 탐색전이라고 할 수 있는 것이었다. 거란군도 고려군과의 전투는 처음이었고, 땅도 생소한 곳이었다. 이런 상황에서 소손녕이 자신과 자신의 부대에게 가장 익숙한 방법으로 고려군에게 접근한 것은 어찌 보면 당연하다.

그러나 아무리 그렇다고 해도 전술과 작전을 펼칠 때는 그 작전의 목적과 용도를 분명히 자각해야 한다. 나폴레옹 전술의 대가로 군사학상 불후의 명저인 『전법개요』를 저술한 조미니는 공격형 전술의 애호가로 알려져 있다. 그러나 이런 해석은 문제가 있다.

그가 수비지향의 전투, 요새전의 효과에 의문을 품었던 이유는 당시의 무기수준과 과학기술의 한계로 축성진지의 위력이 약했던 탓도 있지만, 막연한 수비는 종종 작전의 목적을 상실하고 수동적으로 만들기 때문이다. 그는 무조건 공세가 좋다고 말하지 않았다. 공세가 좋은 이유는 전쟁의 주도권을 장악하기가 쉽기 때문이다. 그러므로 주도권을 장악하는 데 유리하다면 얼마든지 수비형 작전을 수행해도 좋다.[43]

그러므로 우리는 조미니는 공격형 전술을 선호했다고 말하기 전에 그가 왜 공격이 좋다고 판단했는가라고 물어야 한다. 내용은 조금 다르지만, 손무의 병법에도 비슷한 취지의 이야기가 있다. 어떤 전술이나 작전, 군사적 행동의 배후에는 다 이유와 목적이 있다. 그러나 종종 사람들은 배후에 있는 목적은 잊고, 현상에만 집착한다.

소손녕도 '왜'라는 부분과 전술의 목적을 잊고 있었다. 중국의 변방에서 대국을 압박할 때와 이 전쟁에서 자신이 처한 위상은 분명히 달랐다. 그러나 그는 이 차이를 인식하지 못했다. 안융진 공격작전은 점령군의 전술이 아니라 약탈자의 전술이었다. 그는 자진해서 약탈자로 기동함으로써 스스로 자신들의 실체를 드러내고 말았다. 게다가 내려보낸 부대는 안융진의 주현군에게 패하기까지 하였다.

안융진의 낭보가 전해지자 고려 정부는 단박에 강화론으로 돌아섰다. 당시 고려는 어서 빨리 땅을 떼어줄 생각으로 서경에 비축해 놓은 막대한 군

서희의 동상. 이천 설봉공원

량을 백성들에게 나누어 주었고, 그래도 군량이 남아 나머지를 대동강에 수장시킬 준비까지 하고 있던 참이었다.

강화회담이 주선되었다. 고려 측 협상대표는 서희였다. 10만도 안 되는 군대로 80만 대군이라고 허풍을 칠 만큼 배포는 컸던 소손녕은 일단 세게, 그리고 위압적으로 나왔다. 서희가 도착하자 소손녕은 서희에게 신하의 예를 갖추라고 요구했다. 그러나 이미 상대의 수를 읽고 있던 서희에게 이런 허세는 만용에 불과했다.

서희는 단호하게 양국 사신이 만나는 자리니 동등한 예를 취해야 한다며 거절했다. 소손녕은 계속 고압적으로 나가 보았지만 서희는 미동도 않고

숙소로 철수해 버렸다. 결국 소손녕이 굴복하여 두 사람은 동등하게 서로 마주보고 인사하고 회담장에 나란히 착석하였다.

이 회담에서 두 사람 사이에 오간 문답은 『고려사』 서희의 열전에 상세하게 기록되어 있다. 그 내용은 다음과 같다.

> **소손녕**　　고려는 신라를 계승하였으므로 고구려의 옛 땅은 우리 것이다. 어째서 침범하는가?
>
> **서 희**　　고려는 고구려의 후손이다. 그래서 이름도 고려고 서경에 도읍했다. 그러므로 원래대로 하면 거란의 동경도 우리 땅이다.
>
> **소손녕**　　땅이 우리와 연접하였는데, 왜 바다 건너 송을 섬기는가?
>
> **서 희**　　압록강 연안도 다 우리 땅이었는데, 여진이 강점하여 거란과의 교통을 차단했다. 만일 여진을 구축하고 우리의 옛 땅을 회복하여 거기에 성들과 보들을 쌓고 길을 통하게 된다면 어찌 국교를 통하지 않겠는가?

회담의 첫 화두는 고려가 어느 나라를 계승했으며, 만주의 원 소유주가 누구냐는 것이다. 우리 역사책에서는 이 이야기를 크게 다루어 서희가 명분과 정통성 싸움에서 승리했다고 말한다. 그러나 이런 해석은 정말로 문제가 있다. 서희와 소손녕의 첫 번째 문답은 형식적인 것에 불과하다. 그 땅에 우리 선조가 먼저 살았다는 말 한 마디에 영토를 양보하는 국가는 세상에 없다. 회담의 핵심은 두 번째 이야기에 숨어 있다.

두 번째 대화에서 서희는 "만일 여진을 구축하고 우리의 옛 땅을 회복하여 거기에 성들과 보들을 쌓고 길을 통하게 된다면 어찌 국교를 통하지 않겠는가?"라는 획기적인 제안을 하였다. 이 말의 의미는 압록강을 경계로 하여 거란과 고려가 동시에 여진족을 공격하여 축출하고, 이 지역을 나누어 점령하자는 것이다.

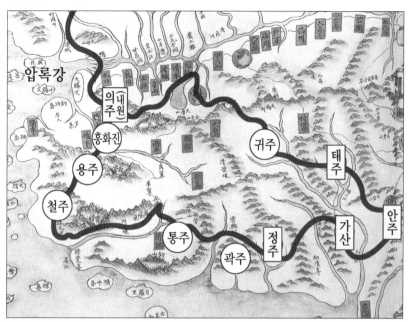

강동6주와 평안도의 해안길과 내륙길

이 말을 듣는 순간 소손녕은 속으로 쾌재를 불렀을 것이다. 소손녕은
처음부터 고려를 점령할 의도는 없었다. 이때까지도 거란의 당면과제는
여진족의 평정이었는데, 거란이 압록강 유역으로 남하하면서 여진을 압박
하면 고려를 자극하여 여진과 고려가 반거란동맹을 형성할 우려가 있었다.
더욱이 고려라는 나라는 노골적으로 거란을 적대시 해 온 국가였다. 그들로
서는 최소한 고려를 위협하여 여진을 돕거나 동맹을 맺지 못하도록 할
필요가 있었고, 그것이 소손녕이 남진한 주 목적이었다. 그런데 서희가
자진해서 동맹을 맺고, 남북에서 여진을 함께 협공하자는 제의까지 해
온 것이다.

소손녕은 평소에 목소리는 크지만 치밀함이 부족하고 큰소리는 잘 쳐도
내심으로는 실패를 두려워하는 그런 인물이었던 것 같다. 침공 후에 앞뒤가

바뀐 전술 운영도 그렇고, 서희의 말 한 마디에 목적을 이루었다고 흥분해 버린 것을 보아도 그렇다.

임무를 완수하고 기대 이상의 목적을 이루었다고 흥분한 소손녕은 고마운 서희에게 7일간이나 잔치를 베풀어 접대하고, 동맹 기념으로 낙타 10두, 말 100필, 양 1천 마리와 비단 5백 필이란 엄청난 예물을 남겼다. 소손녕이 이 정도로 좋아한 것을 보면 자기가 무슨 짓을 지질렀는지를 끝내 몰랐던 것 같다.

역사책에서는 이 회담의 결과로 서희가 강동6주를 얻었다고 하였다. 강동6주란 지금의 평안북도에 있는 흥화진(의주), 용주(용천), 귀주(구성), 통주(선천), 철주(철산), 곽주(곽산) 6개의 군을 말한다. 이렇게 나열하면 그냥 군 6개를 얻은 것 같다. 그러나 정작 중요한 것은 강동6주의 질적 의미다.

평안북도와 남도는 지형이 상당히 다르다. 일단 청천강을 건너 평남 지역으로 들어오면 인구밀도도 높고, 평야도 상당히 넓어진다. 그러나 청천강 이북에서 압록강에 이르는 지역은 해안 쪽으로 붙은 도로라고 할지라도 산지가 많고 지형이 험해서 방어에 유리하고 이동이 쉽지 않다.

한반도의 서부지역을 방어하는 데에 평안북도 지역은 최고의 방어벽이었다. 옛날 고구려와 당의 전투를 보아도 당군이 일단 압록강 방어선을 뚫으면 평양까지는 별다른 저항 없이 내려오곤 하였고, 조선시대에도 방어망은 평북지역에 집중되어 있었다. 게다가 평북지역은 길이 험하고 산지가 많아 남으로 내려오는 길도 해안길과 내륙길 단 두 길로 제한되어 있다. 이 통로에 자리 잡은 요충들이 바로 강동6주였다.

소손녕은 이런 짓을 저질렀다. 조금만 신중했으면 고려를 거저 삼키다시피 할 수도 있는 상황에서, 고려를 무장해제 시키기는커녕 고려에게 북방 방어벽을 쌓게 하고, 거기에다 고맙다고 예물까지 한 재산 남겨두고 떠났다.

의주성 남문

10년 전인 984년(성종 3) 이겸의가 이 지역 탈환을 시도했다가 여진족에게
대패했던 사실을 기억하자.

지옥에서 천국이란 이런 경우를 두고 하는 말일 것이다. 여진족에겐
미안했지만 고려는 망설일 필요가 없었다. 다음 해(성종 13년, 994)부터
거란과 고려는 동시에 여진에 대한 공세를 개시했다. 이번에도 고려 쪽에서
는 서희가 출정하여 압록강 유역까지 영토를 넓혔다.

누구보다도 이 지역의 전략적 가치를 잘 알았던 그는 994년과 995년
2년 동안 안주, 선주(선천), 곽주(곽산), 귀주, 맹주(철산), 장흥진, 귀화진,
흥화진, 안의진 등 압록강에서 청천강에 이르는 통로 상의 요지에 성을
쌓았으며, 그 외 지역에도 무려 29개 소에 성을 쌓거나 보강하여 북방방어선
을 구축했다.[44]

이 축성 사업은 대단한 역사였다. 중장비가 없던 시절에 토목공사란 대단한 노력이었다. 조선왕조실록을 보면 의주성의 남문 하나를 다시 짓는 데 2,500명이 몇 달 동안 공사를 해도 완공하지 못했다는 기록이 있다.[45)]

성문 하나를 짓는 데도 이 정도의 공이 든다. 의주성 남문은 서울의 남대문 규모의 큰 문이고, 고려시대의 성이 토성일 가능성도 있고, 성문도 이보다는 작았다는 점을 감안해 준다고 해도, 2년 동안 수 십 개의 성을 축조하는 공사란 당시로서는 대단한 역사였고, 백성에게도 말 못할 고역이었을 것이다. 그러므로 이런 고통과 무리까지 감내하고 대업을 완수한 지도자의 공로 또한 간단하게 평가할 수 없다.

서희는 일단 거란군을 물리치기는 했으나 고려와 거란은 숙명적인 일전을 펼칠 수밖에 없는 운명이라는 사실을 깨달았던 것 같다. 백성들의 입장에서 보면 대단히 고통스럽고 무리한 과업이었지만, 그는 이 사업을 강행해서 결국 이루어냈다.

자신도 지나치게 무리를 했는지 2년간의 대업을 마친 후 서희는 바로 병석에 드러누웠고, 결국 3년간의 투병생활 끝에 사망한다.

그러나 그의 예측은 정확했고 헌신은 보답을 받았다. 이 방어망의 위력은 이후 30년간 벌어지는 대 거란전쟁에서 철저하게 증명된다.

서희의 전기들을 보면 세 치 혀로 나라를 구했다는 식의 표현이 많은데, 그것이 오히려 서희의 공과 노력을 폄하하는 역할을 한다. 강동6주를 확보하고, 이 2년 동안 평북지역 개척과 축성작업에 바친 서희의 노력이야말로 선구자적인 업적이었고, 역사적 값어치도 높았다.

만약 이 방어망이 없었더라면, 거란군이 이 난코스를 그냥 통과하고 청천강이나 서경 앞에서 전쟁을 시작할 수 있었더라면, 거란군은 몇 번이고 개경을 함락했을 것이고, 중부 이남지역까지도 손쉽게 진출했을 것이다.

서희의 묘. 여주군 산북면 후리

　보통 역사책에서 서희는 거란
의 1차 침공을 물리친 인물로 등
장하지만, 이건 잘못되었다. 거
란전쟁을 통털어 최고 수훈자는
서희다. 서희가 확보하고 개척한
강동6주가 여섯 번에 걸친 거란
의 침공에서 고려를 구했다. 이
완고한 방어선과 험로가 없었다
면 강감찬의 귀주대첩도 있을 수
없었다. 그의 통찰력과 안목이
고려와 그의 후손을 구한 것이
다. 더욱이 그의 외교적 승리는

서희가 요양했던 개경 개국사의 석등

국가적 외교정책이란 것이 없던 상황에서 나온 것이라 더욱 값진 것이었다.

서 희 (徐熙 : 942 ~ 998)

서희의 선조는 경기도 이천(利川)의 토호였다. 집안의 기록에 따르면 신라 말 효공왕 때 서희의 조부 서신일(徐神逸)이 현재의 이천시 부발읍에 있는 효양산 아래에 정착했다고 한다. 전설에 의하면 어느 날 서신일이 사냥꾼에게 쫓기는 사슴 한 마리를 구해주었다. 그 날 밤, 꿈에 신선이 나타나서 사례하기를, "사슴은 나의 아들입니다. 당신 덕에 죽지 않았으니, 당신의 자손들은 대대로 경(卿)이나 상(相) 같은 높은 벼슬을 하게 될 것입니다."라고 하였다. 그 꿈을 꾼 후 서신일이 나이 80에 서필을 낳았는데, 서필과 아들 서희, 손자 서눌이 대를 이어 재상이 되었다는 내용이다.

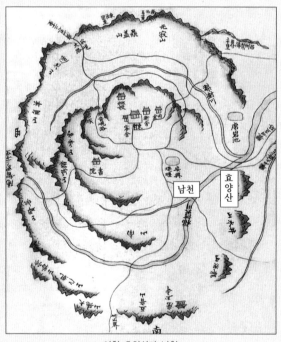

이천 효양산과 남천

『동국여지승람』에는 보다 현실적인 이야기가 전한다. 이천은 삼국시대부터 서울, 경기 지방에서 충청도—경상도 · 전라도로 내려가는 길목이었다. 태조 왕건이 이 길로 남하할 때에 서목(徐穆)이란 이가 인도하여 남천(南川)을 무사히 건너게 하였다. 이것이 서씨가와 고려왕조와의 만남으로, 이천(利川)이란 지명도 '이섭대천(利涉大川)'이라는 말에서 유래했다고 한다.46)

부친 서필은 하급관원에서 시작해서 재상에까지 이르렀다. 서필은 광종을 섬기면서 외국인에 대한 과도한 대우를 비판하는 등, 몇 번이고 바른 말을 했는데, 광종은 그를 처벌하지 않았다. 서필이 개인적으로 광종에게 신임을 얻었고, 이 집안이 황해도의 세가가 아니었던 덕을 보았던 것 같다.

서희는 960년(광종 11) 문과에 급제하였다. 982년 송나라에 사신으로 가서 단절된 국교를 회복하고 돌아왔는데, 이때의 경험이 국제정세에 대한 그의 판단력에 큰 도움을 주었을 것이다.

강동6주를 획득한 후 평장사(平章事)가 되고, 성종 13년에 청천강이북의 여진족을 축출하고, 여러 곳에 성을 쌓았다. 그러나 이때의 무리 때문이었는지 성종 15년(996)부터 건강이 나빠져 개성 개국사에서 요양하였는데, 성종이 개국사에 쌀 1천 석을 희사하고, 기도와 축수 등 모든 노력을 다하도록 하였다. 그러나 다음 해 되려 성종이 갑자기 사망했고 뒤이어 서희도 목종 원년(998)에 57세로 사망했다. 장위(章威)라는 시호를 내렸다. 현종 18년(1027)에 성종의 묘정에 배향되고 덕종 2년(1033)에 태사(太師)로 추증되었다.

4장 위험한 전쟁

1. 통주성의 대회전

1차 고려침공이 있은 후 거란의 성장은 눈부셨다. 1004년 거란의 성종은 대망의 중국 원정을 단행하여 1005년에 하북성 복양현에 위치한 전연(澶淵) 까지 쳐들어갔다. 송군의 반격을 받아 더 이상 밀고 들어가지는 못했지만, 송은 거란과 굴욕적인 조약을 맺어야 했다. 이 조약을 '전연의 맹'이라고 부른다. 중국사에서 최대의 수치로 남아 있는 이 조약은 송이 거란을 형님으로 모시고, 매년 10만 냥의 은과 20만 필의 비단을 상납한다는 내용으로 채워져 있다.

거란은 전연의 맹을 성립시켰지만 그것은 중원정벌의 제1보였을 뿐이다. 다음 단계의 정복전쟁을 기획하면서 거란은 중국 내부로 좀더 깊숙이 들어가기 위해서는 동쪽의 정치적 상황을 보다 확실하게 다져놓을 필요가 있다고 생각했던 것 같다. 나중에 증명된 바와 같이 동방에 대한 이 걱정은 전적으로 옳았다. 중원으로 진출하여 요나라를 세운 거란은 우려하던 대로 배후에서 일어난 여진족에게 멸망 당하기 때문이다.

그러던 참에 고려에서 강조의 정변이 일어나 목종(성종의 조카)이 쫓겨나고 현종이 즉위했다. 이 소식을 들은 성종은 당장 고려 정벌을 결정하였다. 전과 같이 관계개선을 위한 침공이 아니라 성종이 친정하는 정복을 위한 침공이었다. 1010년 성종은 강조의 대역죄를 징벌하기 위해 고려를 친다는 것을 사방에 선포하고, 장군 소응(蕭凝)을 고려에 보내 친정을 통보했다.

원정군은 40만. 실제 사령관에 해당하는 도통으로는 소배압이 임명되었다. 그는 지략이 있고, 무용도 뛰어난 장수였다. 특히 기사(騎射)에 능했다고 한다. 하지만 그의 최대의 장점은 탁월한 결단력이었다. 985년 송이 침공해 왔을 때는 거란의 지원군으로 참전하여 송의 동로군(東路軍)을 격파하고, 송이 빼앗은 지역을 탈환하였다. 이 전쟁에서 그는 선봉부대를 이끌며 맹활약을 했다.

대송전쟁에서 보여준 탁월한 무공으로 그는 부마로 선택되었다. 공주를 아내로 얻은 그는 대송전선의 최대 거점이던 남경[析津]을 다스리며 이 방면의 통치를 전담하였다.[47]

성종의 원정군에는 여진족도 적극 가담했다. 그들은 무려 만 필의 말을 거란에게 바치고 이 원정에 참여했다. 거란의 강압도 있었겠지만, 여진으로서는 고려에게 빼앗긴 땅을 찾을 수 있는 기회이기도 했다.

동양에서는 왕조가 교체되거나 정변이 발생했을 때 악을 징벌한다는 이유를 내세워 타국을 침공하는 경우가 많다. 이것을 명분을 중시하고, 도덕적 사고가 강한 동양인의 심성 탓으로 이해하는 분도 계신데, 그건 큰 착각이다.

타국을 정복할 때 점령하는 것과 다스리는 것은 별개의 문제다. 점령은 힘으로 되지만, 통치를 하려면 그 사회 내부, 그 중에서도 지배층 내부에서 협력자를 구해야 한다. 그런데 정변은 숙청과 정계개편을 수반하기 마련이다. 지배층은 분열하고 당한 쪽에서는 권력의 회복과 복수를 노린다. 그러다 보면 외국의 침략자가 고마운 경우도 생긴다.

송도 전경. 남대문과 개경의 중심가인 십자로가 뚜렷하다. 고려시대에는 정면의 송악산 아래 자리잡은 왕궁의 위용을 볼 수 있었다. 강세황 작, 『송도기행첩』

그래서 정변은 침공의 호기가 된다. 외국의 침공으로 이익을 볼 수 있는 사람, 내부의 협력자를 찾을 수 있기 때문이다. 삼국시대에 당 태종이 고구려 정벌을 결정한 계기도 연개소문의 정변이었다. 2차 전쟁에서 거란은 사신을 보내 미리 침공 통보를 했다. 신사의 도리를 지키느라고 그런 것이 아니다. 고려 지배층의 분열과 협조를 기대했기 때문이다. 이 의도는 성공하지 못했지만, 고려의 국내 사정이 어려웠던 것은 사실이다. 현종은 감금생활에서 갓 벗어난 18세의 청년이었고, 황해도 호족과 서경 세력이 중심이 된 편협한 국가운영 때문에 국가나 국왕에 대한 지방민들의 충성심이란 여차하면 왕의 행차를 기습하거나 대놓고 왕의 귀중품을 요구할 정도로 낮았다.

다행스럽게도 1차 거란전쟁 덕분에 고려는 거란에 대한 대비를 게을리하지 않았다. 고려가 성종의 침공 기미를 눈치 챈 때는 1010년 9월이었다. 거란이 사신을 파견하여 선전포고를 했기 때문이다. 고려는 거란에 계속 사신을 보내 화의를 요청했지만, 그와는 별도로 전쟁준비에도 착수했다.

이번에는 한 달 만에 30만이란 대군을 소집했다. 각 성에는 지역민으로 구성된 주현군이 있었던 만큼 총 병력은 40만을 상회했다. 양측 모두 고려 - 거란 전쟁을 통틀어 최대 규모의 병력을 동원하여 맞섰다.

정변을 일으키기 전에 서북면의 군사책임자였던 강조는 직접 이 병력을 이끌고 북으로 향했다. 고려군의 지휘부는 다음과 같았다.

이부상서 참지정사(吏部尚書參知政事) 강조(康兆)	행영도통사(行營都統使)
이부시랑(吏部侍郎) 이현운(李鉉雲)	부사(副使)
병부시랑(兵部侍郎) 장연우(張延祐),	부사(副使)
검교상서 우복야 상장군(檢校尚書右僕射上將軍) 안소광(安紹光)	행영도병마사(行營都兵馬使)
어사중승(御史中丞) 노정(盧頲)	행영도병마사부사
소부감(少府監) 최현민(崔賢敏)	좌군병마사
형부시랑 이방(李昉)	우군병마사
예빈경(禮賓卿) 박충숙(朴忠淑)	중군병마사
형부상서 최사위(崔士威)	통군사(統軍使)

강조는 통주(평북 선천군)에 주둔하며 거란을 기다렸다.

대진쟁 소식이 전해진 날, 고려는 오랫동안 중단되었던 팔관회를 재개하여 온 도시가 축제를 벌였다. 예전 거란의 1차 침입 때 팔관회를 부활해야 한다는 청원이 있었다. 성종은 그때 허락은 했지만 끝내 팔관회를 부활시키지 않았는데, 이때에 비로소 시행한 것이다.[48]

팔관회는 11월 보름에 시행하는 의례 겸 축제. 위령제의 성격을 지닌 불교의
팔관계와 전통적인 축제인 제천의식이 결합한 행사로서 신라 때부터 시행되었다.
봄에 하는 연등회가 축제의 성격이 강한 데 반해, 팔관회는 국가의례의 의미가
강해서 국왕에게 신하들이 하표를 바치고 궁중에서 연회를 개최하였다.[49]

전쟁을 다룬 영화에는 공식 아닌 공식이 하나 있는데, 영화의 도입부는
파티장면에서 시작한다는 것이다. 최소한 첫 장면은 아니라도 본격적인
전투장면이 시작되기 전에는 꼭 파티장면이 나온다.

이 날 개경시내로 쏟아져 나온 사람들의 표정과 분위기도 영화 속의
장면과 크게 다르지 않았을 것이다. 그리고 훗날 이 전쟁에서 살아남았던
사람들에게 그 날의 정경은 평생토록 잊혀지지 않았을 것이다. 다시는
볼 수 없는 풍경이었기 때문이다.

1010년 11월 거란군은 예전처럼 내원성(보주)에서 압록강을 건넜다. 거란
의 1차 침입 때 소손녕은 무인지경으로 이곳을 지났지만 이번에는 그럴
수 없었다. 서희의 노력으로 이곳에서 청천강까지 주요 거점은 모두 요새화
되어 있었다. 최초의 요새는 내원성 서남쪽에 있는 흥화진이었다.

흥화진, 조선시대에 불린 백마산성이란 이름으로 더 유명한 이곳은
내원성에서 남쪽으로 15km 지점에 있는 산성이다. 1차 거란전쟁이 끝난
후 서희가 이 지역을 수복할 때 쌓았다. 현재는 조선시대에 증축한 성만을
볼 수 있는데, 고려시대의 성도 지금의 성과 큰 차이가 없을 것이다. 성은
정상부의 봉우리와 능선을 따라 쌓았다. 봉우리의 높이는 170~130m 정도에
불과하지만 원추형의 산이라 시계가 좋고 경사도 가파르다.

흥화진(백마산성). 『해동지도』 의주목

　남문이 주도로와 연결되는데, 여기서 서문으로 이르는 지역이 산세가 낮고 좌우측 능선도 완만해서 시계는 좋지만 방어상으로는 좀 취약해 보인다. 그래서 이 안쪽에 내성을 다시 쌓아 방어력을 보강하였다.

　백마산성의 최대 장점은 풍부한 수원이었다. 성 안에 있는 우물이 30개가 넘었으며,[50] 수원을 이루는 샘은 물이 넘쳐흘러 시내를 이룰 만큼 수량이 풍부하여 장기 농성전도 감당할 수 있다. 병자호란 때 이곳을 지킨 임경업 장군은 이 성을 수비하는 데 필요한 적정 인원을 4,235명으로 산정하였다.[51]

　1010년에 이 성에는 서북면 도순검사 양규, 신사(鎭使) 정성(鄭成), 부사(副使) 장작(將作) 주부(主簿) 이수화(李守和), 판관(判官) 늠희령 장호(張顥) 등이 이끄는 고려군이 주둔하고 있었다. 지역이 지역이니만큼 고려는 엄선한 장군과 정예군을 이 성에 배치하였다.

백마산성 남문

거란군은 11월 17일부터 23일까지 7일간 성을 공격했으나 성은 끄떡도 하지 않았다. 거란 성종은 사로잡은 고려 농부를 성에 보내 강조에게 반기를 들 것을 권유하기도 했으나 통하지 않았다. 흥화진이 호락호락하지 않자 거란군은 수비군 20만을 무로대에 남기고, 남진을 결정하였다. 성종은 흥화진을 떠나면서 호방하게 우리가 돌아올 때까지 백성을 위무하며 기다리고 있으라는 전갈을 남겼다.

거란군이 겨우 7일 만에 흥화진 공략을 포기한 것은 원래 거란군이 성에 얽매이기를 싫어했기 때문이다. 타국을 침공했을 때 거란군은 강력한 성을 만나면 곧잘 공략을 포기하고 우회하는 전술을 썼다. 얼핏 끈기와 승부욕이 부족해 보일 수도 있지만, 실상 이것이 수나라나 당나라 군대는 생각도 못할 무서운 전술이었다.

진군로 상에 있는 성을 버려두고 떠나면 당장 보급로가 끊기고, 성에서 출동한 군대가 후위를 공격하거나 인근의 성과 합세하여 대군을 형성할 수도 있다. 이 때문에 고구려를 침공한 중국군은 요하에서 평양까지 수많은 성들을 하나하나 떨구고, 점령한 성에는 수비군을 남겨 두면서 진군해야 했다. 그래서 당의 장군들이 추산한 병력이 최소 30만이었다.

고려는 1차 거란전쟁 후 의주에서 안주에 이르는 주도로 상에 강동6주를 비롯한 요새를 수축하여 요새화하였다. 고려는 이 성들이 과거 수당전쟁 때 요하방어선에 구축한 고구려의 방어벽이 해준 역할을 해주기를 기대했다. 그러나 거란군에겐 이 작전이 통하지 않았다. 일단 거란군은 보급문제에 한해서는 중국군보다 자유로웠다. 그렇다고 보급로가 필요 없을 정도는 아니었지만, 보급로가 끊겨도 당분간은 싸울 수 있었고, 진격로 상에 있는 모든 성을 떨구며 전진할 필요는 없었다.

그래도 성을 그대로 지나치면 배후공격을 당할 위험이 있기 때문에 아주 방치할 수는 없었다. 그래서 그들은 보통 약간의 병력을 성 근처에 남겨두거나 인근 성과 연계할 수 없도록 주변 도로를 차단하는 방식을 사용했다.

남겨두는 병력은 소수여서 때로는 겨우 100명이었다. 이들은 성을 포위하고 위장공격을 해서 대군이 남아 있는 것처럼 속이거나 성문 밖에 매복해 있다가 출성하는 적을 기습하는 작전을 사용했다.

그러나 그 어느 것도 장기적으로 적을 붙잡아 둘 수 있는 방법은 못 된다. 이 전술의 비밀 역시 거란군의 기동력에 있다. 거란군은 적이 성 밖으로 나와도 치고 달아날 자신이 있었다. 그래서 100명이 성을 포위하고 지킨다는 말도 안 되는 상황이 성립하는 것이다. 적이 나오면 무조건 달아나는 것이 아니라 위장공격, 매복기습, 도로차단 등을 통해 적군의 이동을 지연시키면서 본대에 연락을 한다.

여기서부터 상황이 복잡해진다. 본대가 바로 회군하기란 쉽지 않다.

하필 대규모 적과 교전, 대치 중이라면 더욱 그렇다. 성을 나온 적군은 배후로 쳐들어올 수도 있고, 인근의 성과 연계할 수도 있다. 이 모든 상황에 대해 거란은 기동타격대로 대처하였다. 본대가 회군하는 동안 기병대는 배후를 끊고, 도로를 차단하고, 히트앤드런 작전으로 시간을 벌고, 적군의 합세를 방해하였다. 거꾸로 빈 성을 공격하거나 애꿎은 주변 지역을 초토화하여 이들을 다른 방향으로 유도할 수도 있다. 이런 전투를 수행할 때도 최소한 며칠, 몇 번을 보급 없이 싸울 수 있는 무장과 자생력을 갖추고 있다는 것이 큰 장점이 된다.

하지만 흥화진의 경우는 좀 특수해서 소수 병력이 아닌 원정군의 절반에 해당하는 20만 명이라는 대군이 남았다. 거란군의 전술로 보면 이런 대군이 오직 흥화진의 고려군을 견제하기 위해 남았을 리는 없다. 내원성은 고려와 거란의 국경으로, 고려정벌의 전진기지인 동시에 동경(지금의 심양)과 원정군을 연결하는 중간기지였으므로 이곳에 절반의 병력을 주둔시켰을 것이다. 어쨌거나 덕분에 양규의 정예부대는 더더욱 꼼짝없이 고착되고 말았다.

흥화진에서 서경으로 남하하는 데는 두 길이 있었다. 가장 빠르고 좋은 길은 통주, 곽주, 정주를 거쳐 안주로 내려오는 서해안 길이다. 이 길은 직선거리로도 가깝고 강남 산맥을 우회하여 서해안 평지를 따라 전개되는 길이다. 그래도 곳곳에 구릉이 있고, 지형의 기복이 심하여 결코 만만치 않지만 이 지역의 길 중에서는 제일 나은 곳이다.

내륙 쪽으로 우회하는 길로는 흥화진에서 귀주로 진출해서 대령강을 따라 박주—안주로 내려오는 코스가 있었다. 서해안 길보다는 험하겠지만 그래도 군대의 이동이 가능한 길이었다. 수비를 하는 고려군의 입장에서는 어느 한 길도 포기할 수 없었다. 강조는 병력을 둘로 나누어 자신은 통주를 지키고, 최사위에게 귀주 통로를 방어하게 하였다.

거란도 이쪽으로 병력을 보냈다. 그러나 귀주 쪽으로 진출한 거란군은

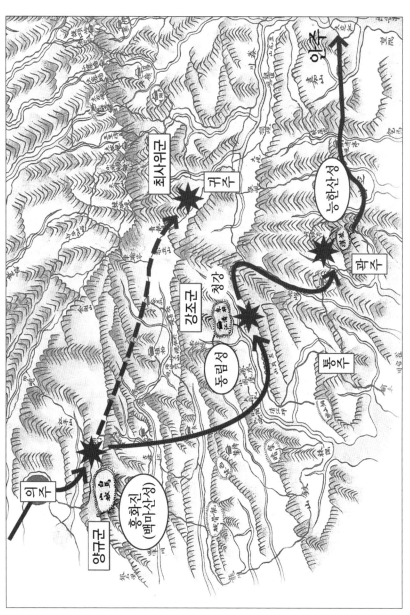

거란군의 진로와 주요 격전지

주력이 아니었다. 고려군의 병력을 분산시키기 위한 양동작전 내지
는 이 길을 이용한 고려군의 배후공격을 견제하기 위해 파견한 별동부대였
던 것으로 보인다.

> 최사위는 여러 장령들을 데리고 군사를 나누어 귀주(龜州) 북쪽 육돈, 탕정
> (湯井), 서성(曙星) 등 세 길로 나아가 거란과 교전하였으나 패배 당하였다.[52]

　기록이 너무 간단해서 정황을 파악할 수가 없는데, 한 가지는 분명하다.
최사위군은 적을 기다리지 않고 공격하다가 패배했다는 사실이다. 최사위
군은 (1) 거란의 주력을 배후에서 공격하기 위해 홍화진으로 진출하다가
패했거나 (2) 진군해 오는 거란군을 서둘러 야전에서 격퇴하려다가 패한
것 같다.
　최사위군이 패전하기는 했지만 이 전투가 전체 전세에 큰 영향을 줄
정도는 아니었던 것 같다. 고려군의 주력은 강조의 지휘 아래 통주(선천)에
있었고, 거란군도 홍화진을 떠난 지 이틀 만에 통주에 도달했다.

　조선시대의 지도를 보면 통주에는 세 개의 성이 있다. 하나는 읍성이고,
하나는 읍성 서북쪽에 있는 산성인 동림성, 그 남쪽에 있는 검단성이다.
거란군과 싸웠던 통주성은 동림성이었다. 이 성은 해발 367m 및 257m인
두 개의 봉우리를 축으로 하여 쌓은 산성이다. 둘레는 약 4km이다.
　그림 왼쪽 하단에 성 밖으로 튀어나온 새로운 성벽이 보인다. 성의
서쪽은 산길이지만 의주로 통하는 길이었다. 조선시대는 이 고개를 막기
위해 마치 장성처럼 이곳으로 성벽을 연장하고 관문을 설치했다. 이 성벽이
고려시대에도 있었는지는 알 수 없다.
　정면승부를 택한 강조는 성 밖으로 나와 거란군에게 승부를 걸었다.

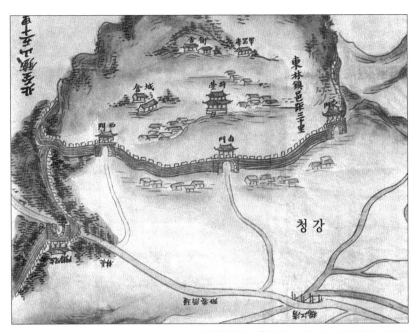

통주성(동림성). 『1872년 지방지도』 평안도(상) 선천부

　강조는 부대를 셋으로 나누었다. 통주성 앞은 세 개의 하천이 교차하여 자연적인 방어선을 형성하고 있었다. 강조의 본대는 이 세 지류가 만나는 지점인 삼수채에 진을 쳤다. 기록에는 통주성 남녘이라고도 하고 서쪽이라고도 했는데, 통주성 남문은 실은 남서쪽으로 위치하고 통주성 앞을 흐르는 청강도 남서쪽으로 흐른다. 또 흥화진으로 가는 길은 서쪽으로 나 있다. 그래서 서쪽이라고도 하고 남녘이라도 했던 것 같다.

　이 기사로 미루어 보면 강조는 통주성 남문으로 나와 청강이 갈라지는 부분에서 강을 앞에 두고 포진했딘 것 같다. 이 경우 통수성과 강조군 사이가 청강으로 가로막힌다는 단점이 있지만 대신 강조군은 전면과 좌우측 모두 하천의 지류로 보호를 받는다.

　한 부대는 통주 근방의 산에 진을 쳤다고 하는데, 지형으로 미루어 보건대 강조부대의 우측이며 방위로는 통주성 남문에서 서문 쪽 산지 사이에 조선시대에 돈대를 설치했던 자리에 포진했던 것 같다. 한 부대는 통주성 바로 앞에 포진했다. 아마도 통주성 남문에서 동문쪽으로 향한 성벽을 따라 청강 안쪽에 진을 친 듯하다. 이들은 강조의 우익도 되고, 유사시에 본대의 퇴각을 엄호하는 후위의 역할도 한다.

군을 포진할 지점을 선정할 때는 퇴로를 확보하고, 후퇴가 가능한 요새까지의 통로를 확보하는 것이 매우 중요하다. 요새가 가까이 있으면, 혹시 불의의 패배를 당하더라도 병사의 희생을 크게 줄이고 부대를 정비할 수 있었다.

이 같은 고려군의 포진은 이상적이고 교과서적인 포진이었다. 전국시대의 명장 오기가 저술한 『오자병법』에서는 공격군이 처할 수 있는 가장 곤란한 상황을 다음과 같이 설정하였다.

위 무후가 오기에게 물었다.

"적의 병력수는 매우 많고 장병들 모두 고도로 전투에 숙련되어 있으며, 또한 용맹스럽소. 적 부대는 배후에 험준하고도 광대한 후방을 의지하고, 우측으로 산악을, 좌측으로 하천을 끼고 있으며, 방어용 참호도 깊고, 보루도 높게 쌓아 놓았으며, 강력한 궁노대로써 수비 태세를 취하고 있소. 적의 기동은 퇴각 시에는 산악이 옮겨가듯 신중하고도 빈틈이 없으며, 진격 시에는 폭풍우가 휘몰아치듯 걷잡을 수 없이 맹렬하오. 적에게는 군량의 비축도 많아 굶주릴 염려가 없으므로 아군이 지구전을 시도하기 어려운 상황이라면, 우리는 어떤 작전으로 대처해야 옳겠소?"

오기가 이렇게 답변했다.

"그것은 실로 어려운 문제입니다. 그러한 상황이라면 전차나 기병 등 유형적 전투력만으로는 해결할 수 없습니다."

배후 요새의 중요성

로마가 한니발의 침공으로 고통받고 있을 때, 로마의 장군 스키피오는 역으로 카르타고를 공격하여 한니발을 이탈리아 반도에서 끌어낸다. 그런데 스키피오는 카르타고로 바로 진입하여 그 도시들을 공략하지 않고, 카르타고 주변을 돌며 그들의 식민지와 교통로를 공략하였다. 그 이유는 한니발을 카르타고에서도 다시 한 번 끌어내야 했기 때문이다. 한니발과 같은 명장과 싸워서 여러 번의 승리를 얻는다는 것은 불가능한 일이어서, 한 번의 기회에 철저하게 궤멸시켜야 했다.

한니발

오랜 전역으로 지치고 병력의 손실도 컸던 한니발은 카르타고 영토 안에서 스키피오와 싸우기를 원하였다. 그러나 자신들의 부의 근원인 식민지와 도시들이 파괴되는 것을 견딜 수 없었던 카르타고의 의원들은 한니발을 닥달하여 당장 스키피오와 결전을 벌이라고 하였다. 할수없이 한니발은 카르타고를 떠나 튀니지로 진군하여 자마(Zama) 평원에서 로마군과 만났다.

이것은 스키피오가 바라고 바라던 바였다. 한니발은 본토에서 떠나 보급물자도 부족하고, 배후 요새도 전혀 없는 곳에서 로마군과 맞서게 되었다. 양측의 병력은 비슷했으나 한니발 군의 자랑이던 코끼리도 얼마 남지 않았고 기병도 부족했는데, 이곳은 기병에게 절대적으로 유리한 대평원이었다.

보병끼리의 전투는 격렬하게 진행되었는데, 카르타고의 최정예 보병이 로마군과 접전을 벌이고 있을 때에 로마 기병대가 배후에서 나타났다.

양쪽의 공격을 감당하지 못한 카르타고군의 진이 붕괴했다. 카르타고군은 평원으로 흩어졌지만, 악착같이 추격한 기병대에 의해 철저하게 사냥 당했다. 생존자가 없다시피한 끔찍한 살육으로 전쟁사의 한 페이지를 장식한 한니발의 군대는 소멸되었다.

한니발은 전장에서 도주하였지만 다시 재기하지 못하고 7년 후에 암살당한다. 전장의 배후에 카르타고의 성 하나만 있었어도 한니발이 단 한 번의 패배로 몰락해 버리는 비극은 일어나지 않았을 것이다.

이 글에서 전투경험이 풍부하고 잘 훈련된 군대라는 부분은 당시 고려군의 수준에 대해 확신을 가질 수 없으므로 일단 논외로 하더라도, 나머지 서술들 즉, 풍부한 병력과 산과 하천을 낀 지형, 참호와 보루(고려군은 준비를 하고 있었다), 강력한 궁노대 등은 강조군의 상황과 거의 맞아 떨어진다. 또 험준하고 광대한 후방과 풍부한 군량은 통주성이라는 요새로 치환할 수 있을 것이다. 고려군의 포진은 확고하고 강력했다. 오기의 말처럼 정상적으로 공격하기도 곤란하고 지구전으로 갈 수도 없는 상황이었다.

상황을 좀더 구체적으로 살펴보자. 고려군의 포진으로 보면 거란군은 서쪽에서 차유령을 넘어 바로 동림성으로 왔거나 일단 통주읍을 점령한 후 남쪽에서 올라왔을 가능성이 있다. 그러나 고려군의 지형과 포진이 워낙 좋아 둘 중 어느 쪽에서 접근했든 고려군의 삼각 편성 안에 들어와 삼면에서 공격을 받게 된다.

게다가 정면을 하천이 막고 있었다. 겨울이라 하천은 수량도 적고 얼어 있을 가능성이 높아서 도하의 어려움은 없었을 가능성이 크다. 그래도 하천의 비탈이 자연적인 장애물이 되고, 적의 자유로운 기동을 방해한다.

거란군이 청강을 건너 청강의 동쪽에서 강조군의 본대를 공격한다면 삼면에서 공격을 받는 위험을 면할 수 있다. 그러나 이쪽은 하천의 폭이 넓다. 그리고 거란군이 처음부터 이 방향에서 접근했다면 고려군의 진형 배치도 달라졌을 것이므로, 거란군의 최초의 접근로는 서쪽이나 남쪽 두 방향 중 하나이거나 길을 나누어 양쪽에서 접근했을 것이다.

어려운 상황이었지만 거란군은 공격하지 않을 수 없었다. 공격이 시작되자, 고려군은 전면에 검사를 배열하여 석의 돌격에 맞섰다. 거란군은 자신의 전술대로 여러 차례 돌격을 감행했으나 고려군의 방어망을 뚫지 못했다.

검차란 수레 위에 방패를 설치하고 앞에 여러 자루의 창검을 꽂아 돌출시킨 무기다. 바리케이트 역할도 하고, 앞으로 밀고 돌격하면 탱크의 역할도 한다. 이런 종류의 무기는 뒤에 궁수나 무장병을 태우게 한 것 등 명칭과 종류가 다양했다. 중국의 무경7서 중 하나인 『육도』에서는 검차와 유사한 전차(戰車)의 사용법에 대해 다음과 같이 말했다.

> 축이 짧아 잘 구르며 창을 장착한 전차 120대(병사 1만 명 당)를 준비합니다. 이것은 옛날 황제(중국 고대의 군주 병기를 처음 만들고, 병법서인 『악기경』을 지었다고 한다)가 치우(蚩尤)를 격파할 때 사용한 것으로서 적의 보병과 기병을 공격하고 궁지에 몰린 적을 요격하며, 패주하는 적을 차단하는 데 사용합니다. (『육도』 호도(虎韜)편)

검차는 기병대 보빙의 전투에서 매우 유용했다. 명나라의 명장 척계광은 검차를 이용한 진법으로 몽골군을 대파했다. 그렇지만 검차가 고려군의 신무기는 아니고 고전적이고 보편적인 무기다. 그러므로 검차가 승리에 결정적 역할을 했다고 볼 수는 없고, 전체적으로 고려군이 선전을 했다고

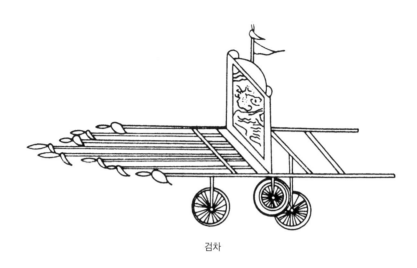

검차

보아야 할 것이다.

거란군은 서전에서 패배했다. 고대 전략가의 예언대로 교과적인 방어진
지를 구축하고 있는 고려군의 진지를 돌파하기란 기병과 전차 등 유형적
전투력만으로는 해결할 수 없는 난제임이 확실했다.

그렇다면 방법은 없는 것일까? 그렇지 않다. 병법의 천재는 이런 상황을
타개하는 방법도 가지고 있었다.

(이런 상황은) 성인익 뛰어난 지모가 있어야 해결할 수 있습니다. 만약 1천
승의 전차와 1만 기의 기병을 확보하고 여기에 보병을 가세시킬 수만
있다면 이 병력을 5개 군으로 편성하고, 각 군으로 하여금 교통상의 요로를
하나씩 점령하게 하여 5개 군으로 5개 방면의 접근로를 따라 공격하게
합니다. 이에 적은 당혹하여 아군의 주공 방향이 어느 곳인지 모르게
될 것입니다.……그리고 1개 군은 정면에서 적을 고착시키고, 1개 군은
적의 배후로 우회시켜 퇴로를 차단하고, 2개 군은 은밀히 적의 좌측방이나
우측방으로 진출하여 적의 급소를 습격합니다. 이렇게 5개 군이 협동작전

을 전개한다면 승기를 포착할 수 있을 것입니다. 이것이 바로 강대한 적을 치는 방법입니다. (『오자병법』)

오기가 제안한 방법은 기병을 충분히 확보한 후, 양동과 교란을 통해 적이 전방위로 포진과 경계를 계속하게 한다는 것이다. 이렇게 하면 적은 병력이 분산, 고착되어 주의도 분산되고, 집중력도 흩어지고, 지치게 된다. 그 후에 적의 약한 곳을 찾아 기병의 기동력을 이용, 그곳을 기습적이고 집중적으로 공격한다는 것이다. 이 돌격의 목표는 적군을 살육하는 것이 아니라 진을 파괴하는 것이다. 진이 파괴되면 보병이 총공세를 펼친다. 이때 기병대 하나를 배후로 빼 놓는 것을 잊지 말아야 하는데, 진이 파괴되고 놀란 수비군이 달아날 때 이들이 배후 요새로 귀환하는 것을 방해하고, 적을 섬멸하기 위해서다.

풍부하고, 빠르고 경험 많은 기병, 이들에 의한 교란과 양동, 분산과 집결, 강습돌파, 이런 작전을 펼치는 데 지구상에서 유목기병보다 더 적합한 부대가 어디에 있겠는가?

거란군이 처음 공세를 취할 때부터 이런 작전을 염두에 두고 있었을 것이다. 몽골군의 전술도 유사하지만 유목민족의 기병돌격은 늘 탐색전을 겸한다. 그러므로 서전의 승리에 만족해서는 안 된다. 유목민족은 한두 번의 패배에 좌절하지 않는다. 거란군도 보통 2~3일은 지속적으로 공격을 했다. 그래서 이들의 공격은 처음보다는 나중 공격이, 어제 보다는 오늘 공격이 더 위협적이다.

유목민족과 싸워본 경험이 있는 사람들은 서전의 승리에 방심하지 말라고 누누이 경고를 주었다. 하지만 전쟁에서 냉정을 유지하기란 생각보다 훨씬 어려운 일인 것 같다. 나중에 몽골군이 중앙아시아를 건너 유럽까지 가는 동안 온 세상의 수많은 군대들이 이 함정에 걸려 패망했다.

거란군과의 실전 경험이 부족했던 강조도 이 함정에 걸렸다. 초전에서 승리하고 거란병이 퇴각하자, 그는 장기를 두며 여유를 부렸다. 강조는 병사들에게 심리적 안정을 주기 위한 행동이었다고 말할지도 모른다. 그럴 수도 있다. 그러나 필요한 행동이었다고 해서 그것이 정당한 것은 아니다. 강조는 자신에게 이렇게 물어야 한다. 그것이 당시 상황에서 가장 우선적으로 해야 할 일이었고, 절실한 행동이었는가?

강조가 고려군의 자신감을 배양하고자 노력하고 있는 순간에 거란군의 타격대가 기습을 감행해 왔다.

> 거란의 선봉 야율분노(耶律盆奴)가 상온(詳穩) 야율적로(耶律敵魯)를 데리고 삼수의 보루를 공격하였다. 진주(鎭主)가 거란병의 내습을 급보했으나 강조는 곧이듣지 않고 말하기를 "입 안의 음식과 같다. 적으면 안 되니 많이 들어오게 하라!"라고 하였다. 이어 또 급보하기를 "거란병이 이미 많이 들어왔다"라고 하니 강조가 놀라서 "정말인가?"라고 하면서 일어섰다. 이때 강조는 정신이 흐릿해지면서 목종이 눈에 어리더니 이어 뒤에서 목종이 "네 놈도 그만이다. 천벌을 면할 수 있겠느냐?"고 꾸짖는 소리가 들리는 것 같아 그만 투구를 벗고 펄썩 꿇어앉았다. 그리고는 "죽을 죄를 졌습니다"라고 하였는데 이 말이 끝나기도 전에 거란병이 뛰어 들어와 그를 결박하여 깔개로 싸서 메고 갔다.[53]

『요사』에 의하면 이 공격은 야율분노와 야율홍고(耶律弘古)가 이끄는 선봉 부대와 야율적로[54] 휘하의 우피실군이 맡았다. 야율분노와 야율홍고는 모두 대송전쟁에 참전한 적이 있다. 당연히 그들의 병사들도 함께 종군했을 것이다. 야율적로는 이전의 경력을 알 수 없으나 우피실군의 지휘관이었고, 전투 후에 성종이 영재라고 칭찬하고 포상을 내렸다는 기록으로 보아 뛰어난 장수였음이 분명하다.

강조군
거란군

통주성 전투 전황도

　『고려사』의 기록은 지극히 불충분하지만 고려군 진영 앞을 혼란스럽게 오가던 거란의 기병대는 그들의 장기대로 고려군의 약한 부위를 발견하고, 3개의 최정예부대를 모아 기습적이고 집중적인 공격을 가했다. 강조가 "입 안의 음식과 같다. 적으면 안 되니 많이 들어오게 하라!"고 말했다는 것으로 보아 거란군은 초전에 패배한 방향에서 공격을 했던 것 같다. 고려군은 삼면에서 그 지점을 감제하고 있었으므로 강조는 독 안에 든 쥐와 같다. 서둘러 반격하여 내몰지 말고, 적을 충분히 끌어들인 후에 반격하라고 말했던 것이다.

　그러나 그 다음에 상황이 건너뛴다. 적이 이미 진을 돌파하여 본대

중앙까지 파고들었다는 급보가 날아들었다. 거란군이 고려군의 취약지점을 발견하고, 속도를 이용한 강습돌파로 진을 파고들었거나, 그들의 장기대로 양동작전을 써서 고려군이 원하는 지역에서 공격을 하는 동안, 다른 부대가 고려군의 약한 고리나 반대편인 고려군의 좌측면을 뚫고 들어왔던 것 같다.

거란군 돌격부대는 고려군 진영 한복판으로 밀고 들어왔다. 이들의 돌파가 너무나 신속하여 총사령관인 강조를 비롯하여 행영도통부사 이현운(李鉉雲), 행영도통판관 노전(盧戩), 감찰어사 노이(盧顗), 양경(楊景), 이성좌(李成佐) 등 고려군의 지휘부가 순식간에 포로가 되고, 행영도병마부사 노정(盧頲)과 사재승 서숭(徐崧), 주부 노제(盧濟) 등이 전사했다.[55]

강조가 투구를 벗고 털썩 꿇어앉아 목종의 영혼을 향해 사죄했다는 이야기는 후세에 덧붙인 이야기가 분명하다. 정말 강조가 털썩 주저앉았다면 목종의 영혼 때문이 아니라 어느새 고려군 중앙부가 유린되면서 고려군이 붕괴하는 모습 때문이었거나, 자신의 막사나 사령부 주위를 포위한 거란 기병 때문이었을 것이다. 그도 장군이었던 만큼 지금 이 사태가 어떤 비극을 예고하는지 알았을 테니까.

강조군 진영을 강습한 거란군은 3개 부대로 구성된 연합부대였다. 이것은 오자의 병서에 있는 대로 2개 부대가 강습돌파를 하고, 1개 부대가 배후를 차단하는 전술이다. 『요사』에서는 야율분노의 선봉부대와 야율적로 휘하의 우피실군이 보루를 기습했다고 했다. 이 두 부대가 돌파를 맡고 야율홍고의 부대가 고려군의 퇴로를 차단하는 역할을 맡았을 것이다.

고려군 방어선을 돌파한 부대는 고려군의 중심부로 곧바로 돌격해서 지휘부를 신속하게 궤멸시켰다. 야율홍고의 부대로 추정되는 한 부대는 고려군을 종단하여 통주성으로 돌아가는 퇴로를 차단하였다. 강조군과 통주성 사이로 흐르는 청강은 이 순간부로 거란군의 편이 되었다.

후위의 고려군이 통주성으로 빠지는 퇴로를 열어 주어야 했지만, 그들도 야율홍고군에게 저지되었고 지휘부가 한순간에 궤멸되는 바람에 고려군은 대혼란에 빠졌다. 병사들은 본능적으로 적군이 없는 곽주 쪽을 향해 죽음의 달리기를 시작하였다.

이렇게 해서 거란군은 강조군의 격파에 이어 몰아내기에 성공했다. 다음 임무는 벌판으로 달아나는 고려군을 쫓아가 무자비하게 쳐 죽이는 것이었다. 이쯤 되면 예비대나 뒤에 처져 있던 거란군의 다른 부대에게도 총공격 명령이 떨어졌을 것이다.

중세의 모든 전쟁에서 전투의 성과는 적의 진형을 부수고, 적병을 벌판이나 개활지로 몰아낸 뒤, 이 순간을 어떻게 요리하느냐에 달려 있다. 적에게 결정적 타격을 가하려면 도주하는 적이 대오를 정돈하거나 집결할 여유를 주지 말아야 하고, 그러기 위해서는 기병이 도주하는 적을 추격하며, 숨 쉴 틈을 주지 말고 헤집어야 한다. 추격과 살육이 시작되었다. 이곳에서 곽주성까지의 거리는 무려 27km였다.

무참하고 대책 없는 살육이 계속되었다. 거란군의 추적은 빠르고 집요했다. 통주에서 곽주로 가는 도로는 고려군의 시체와 장비로 뒤덮였다. 곽주성까지 반도 가지 못했는데, 벌써 고려군 3만 명이 희생되었다. 끝이 날 것 같지 않던 이 악몽은 통주와 곽주의 중간지점에 있는 완항령[56]에서 겨우 끝났다. 좌우기군장군(左右奇軍將軍)이던 김훈(金訓)과 김계부(金繼夫), 이원(李元), 신영한(申寧漢) 등이 완항령에 매복하였다가 거란군에게 돌격하여 백병전을 벌임으로써 겨우 추적을 저지했다.

이 부대가 원래 강조군에 속한 부대였는지 지원 부대였는지는 분명하지 않은데, 정황으로 보아 강조군 소속의 부대가 아니었나 싶다. 기군(奇軍)은 일종의 예비대로 후방에 대기시켰다가 전투가 개시되면 상황에 맞추어 자유롭게 투입하는 부대다. 이런 임무에는 기동력이 중요했으므로 기군은 보통 기병이었다. 김훈 등은 패주하는 고려군에 섞여 후퇴하다가 거란군의 집요한 추적과 살육이 계속되자 후퇴하는 부대를 수습하여 완항령에서 목숨을 걸고 거란군을 공격했던 것이다. 그의 용기와 헌신으로 고려군은 간신히 더 이상의 희생은 면할 수 있었다. 전후에 김훈은 이 공로로 상장군으로 승진했고, 병사들의 인기와 신임을 얻어 무반의 실력자로 성장하였다.

통주성의 대회전은 거란 성종에게 커다란 기쁨을 안겨주었다. 고려군의 주력을 일거에 궤멸시킨 것도 큰 기쁨이었지만, 선봉부대가 강조를 생포하여 왔기 때문이다. 강조는 작년에 발생한 정변의 주역이었고, 실세였다. 그를 회유한다면 고려 조정에 대분열을 야기할 수 있었고, 성종은 고려의 통치자 내부에서 협력자를 구할 수 있으므로 고려를 실질적인 속국으로 삼거나 통제할 수 있는 힘을 얻게 된다.

강조는 쿠데타를 일으키고 왕을 죽인 인물이다. 그것은 권력욕과 야심이 있다는 증거였다. 성종은 그의 야망에 기대를 걸고, 강조를 묶은 포박을 풀어주며 자신의 신하가 되라고 회유하였다. 그러나 강조는 야심가답지 않게 최후의 양심을 지켜 투항을 거부했다.

회유가 안 되면 고문이다. 거란군은 강조의 살을 칼로 베어내는 고문을 가했다. 그러나 강조는 끝까지 투항을 거부했다. 옆에 있던 이현운이 이 무시무시한 광경을 보고 자진해서 충성을 서약하자, 강조는 이현운을 발로 걷어찼다. 성종은 회유를 포기하고 강조를 처형했다.

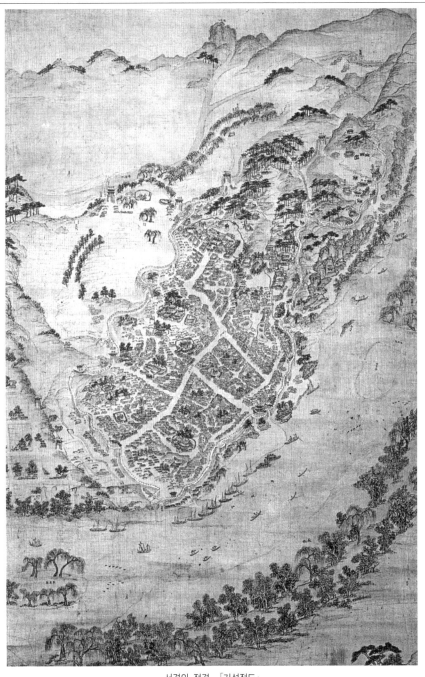

서경의 전경, 「기성전도」

2. 서경공방전

　밤은 어둡고 고요했다. 장군은 막 순시를 마치고 장대로 돌아오는 길이었다. 한겨울 압록강에서 불어오는 바람을 성벽 위에서 맞는다는 게 쉬운 일이 아니었다. 성벽 여기저기에 모닥불이 지펴져 있고, 간간이 물을 끓이기 위한 무쇠솥이 걸려 있었다. 개경에서는 궁성 회랑 중간중간에 묽은 죽을 담은 장독을 두고 오가는 사람은 누구나 마실 수 있게 하는 제도가 있었다. 장군은 병사들을 위해 야간에 그 제도를 시행해 볼까 하고 여러 번 생각해 보았으나 군량이 부족해질지 모른다는 우려 때문에 시행하지 못했다. 다행히 성 안에 물은 풍부했으므로 솥을 최대한 준비해서 뜨거운 물이나마 마음껏 공급하게 하였다.

　이곳에 고립된 지 벌써 한 달째였다. 거란군은 처음 7일간 이곳을 공격하더니 미련 없이 공격을 포기하고 남쪽으로 내려갔다. 그 뒤로 들려오는 소식은 엄청난 패전의 소식뿐이었다. 자신들은 성을 지켜냈지만, 전쟁은 계속 불리하게 진행되고 있었다. 포위되어 있다는 사실보다도 아무것도 하지 못하고 앉아서 종전을 기다린다는 것이 그에겐 더욱 고통스러웠다.

　방어사와 부장들은 성을 사수하고 병사와 주민들을 보호한 것만 해도 큰 공이라고 그를 위로했다. 말을 바꾸면 성 밖으로 싸우러 나가서는 안 된다는 말이었다. 맞는 말이었다. 성에서 하룻거리도 안 되는 곳에 거란군 20만이 주둔하고 있었다.

　장군은 20만이란 숫자를 믿지는 않았다. 그들은 대부분 거란족이 아닌 이민족으로 구성된 후위부대였다. 거란족과 싸워본 경험이 있는 여진족들의 제보에 의하면, 이들의 전투력은 주력부대에 비해 확연히 처지고, 거란인들은 이민족 군대에겐 주요한 임무를 맡기지 않는다고 하였다. 그렇다고는 해도 방심할 수 없는 대군이었다. 수천 명이 넘는 성의 주민과 병사들의 목숨을 팽개치고 성과도 불확실한 모험을 할 수는 없었다.

　최근의 정보에 의하면 거란군은 곽주와 안북을 각기 하루 만에 함락시키고 벌써 서경을 압박하고 있다고 한다. 적이지만 감탄할 수밖에 없는 속도였다. 적의 진격속도를 늦추기 위해 소부대를 끌고 나가 적의 보급로나 후방을 교란시켜 볼 생각도 해보았지만, 이렇게 빠른 적을 향해 유격전을 벌인다는 것도 쉬운 일이 아니었다. 들려오는 첩보를 종합해 볼 때, 전쟁은 종반을 향해 달려가고 있었다. 서경이 떨어지면 개경도 끝이었다. 서경과 개경 사이에는 적을 막을 만한 요새도 없다.

이렇게 끝나야만 하는 것일까? 그들의 말처럼 이대로 전쟁이 끝난다고 해도 흥화진의 용사들을 손가락질할 사람은 아무도 없다. 그는 수십만의 적군 속에서 성을 사수했고, 주민들을 구했다. 거란의 황제마저 자신과 병사들의 용전을 치하하고 떠났다. 이미 한겨울이다. 전쟁의 결과가 어떻게 되든 회군하는 적들은 굳이 이 성을 공격하는 수고는 않을 것이다. 괜히 나서서 적을 위협하지만 않는다면 말이다. 그는 이미 명예를 지켰고, 병사들은 생명을 보존했다. 그것으로 충분하지 않을까?

장군이 상념에 사로 잡혀 있는 동안 부장 한 명이 다가오더니 병사들의 준비가 끝났다고 보고했다. 장군은 곧 내려가겠다고 대답했다. 사실 그는 이미 최정예 기병 700명을 추려 출동명령을 내려놓았었다. 군인에겐 의무가 있다. 그것이 그의 결론이었다. 그 의무감이 명예를 보존하는 것만으로는 충분치 않다고 말하고 있었다.

장군은 도열해 있는 병사들을 향해 돌아섰다. 병사들은 말에서 내려 고삐를 단단히 감아쥐었다. 기도비익을 위해 말에는 재갈을 물리고 발굽은 천으로 감쌌다. 군관들이 그 틈새를 돌아다니며 최후의 점검을 하고 있었다. 성의 수비에 부담을 주지 않기 위해 그는 최소한의 병력만을 차출해야 했다. 겨우 700명뿐이었지만 최소한 첫 번째 작전에서는 그것이 장점이 되어 주었다.

첫 작전은 성을 감시하고 있는 거란병에게 들키지 않고 포위망을 벗어나는 것이었다. 그 다음엔 더욱 대담하고 터무니없는 작전이 예정되어 있었다. 굳은 표정의 병사들을 보며 장군은 나직히 중얼거렸다. "너희가 빠르다고? 하지만 기동력이라면 우리도 자신이 있다."

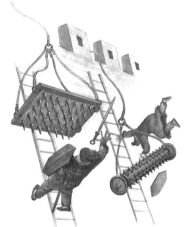

흥화진에 남아 있는 고려군이 마음에 걸렸던 성종은 강조의 서신을 위조하여 흥화진으로 보냈다. 거란에 항복하라는 내용이었다. 그러나 양규는 "우리는 국왕의 명령을 받고 왔으니 강조의 지시를 받을 수 없다."고 일축하였다.

목종 때에 등용되었다는 것 외에 흥화진에 부임하기 전의 양규의 이력에 대해서는 기록이 없다. 강조는 서북면 도순검사로 있던 중에 쿠데타로 집권했고, 양규는 강조의 후임으로 이곳에 왔는데, 이런 정치상황에서 군 인사는 민감한 사안이므로 강조의 추천이나 승인 없이 강조의 후임이 되기는 불가능했을 것이다. 그러나 양규는 강조에 대한 신의보다는 대의를 지켰다.

한편 강조군의 궤멸을 눈앞에서 목격한 통주성은 공포에 휩싸였다. 성종은 사로잡은 고려 장군 노전과 거란의 합문사 마수(馬壽)를 보내 항복을 권유했다. 통주성은 전의를 상실한 상태였는데, 중간 지휘관격인 중랑장 최질(崔質)과 홍숙(洪淑)이 궐기하여 노전과 마수를 억류하고 저항을 주장하였다. 이들의 과감한 행동에 지휘부도 마음을 고쳐 먹었다. 이 전투에서 진위부위로 있던 호장(戶長) 김거(金巨)와 별장 수견(守堅)이 맹활약을 했다. 김거는 향리의 우두머리급인 호장이었으므로 통주의 주민이었고, 통주주민으로 구성된 부대를 이끌었을 것이다. 수견도 김거 다음에 언급되는 것으로 보아 이곳 토호가 아닌가 싶다.[57]

관군이 궤멸하였으므로 통주 주민으로 구성된 주현군이 방어의 일선에 섰을 것이다. 장비와 훈련도 부족하고, 절망과 공포에 사로잡혀야 마땅한 상황에서 통주 주민들은 성을 지켜냈다.

비록 강조군은 패했지만 통주성 사수는 절망적인 상황에서 거둔 놀라운 전과였다. 통주성 사수는 이후의 상황전개에 커다란 변수가 된다. 이 공으로 종전 후에 최질은 크게 출세하였다. 그러나 향병이던 김거와 수견은 포상에서 제외되었다가 22년이 지난 1032년에야 뒤늦게 공적을 인정받아 낭장직을 받았다.[58] 그러나 이때 수견은 이미 세상을 떠난 뒤였다.

홍화진은 투항을 거부하고, 통주성의 공략도 여의치 않자, 거란군은 통주성도 버려두고 곽주(곽산)로 내려갔다. 아무리 기동력과 현지조달 능력이 출중한 거란군이라고 해도 이 많은 대군이 청천강 이남으로 남하하려면 중간 기지 하나는 반드시 있어야 했다. 이미 홍화진과 통주를 우회한 거란군으로서는 곽주까지 포기할 수는 없었다. 따라서 거란군의 곽주 공격은 강도나 각오가 남달랐을 것이다.

당시 곽주에는 통주에서 후퇴한 고려군을 포함한 중앙군과 수비대가 함께 주둔하고 있었다. 고려군이 주둔한 곽주성은 읍성은 아닐 것이고, 읍의 뒷산에 있는 능한산성일 가능성이 높다. 이 산성도 지세 상으로 보면 만만치 않은 요새였다.

그러나 패전이란 무서운 것이다. 승자에겐 자신감을 패자에겐 두려움을

곽산 능한산성 부분

능한산성. 현재의 성벽 모습이다. 산비탈이 상당히 가파르다는 것을 알 수 있다.

준다. 곽주에서 고려군은 용맹을 보여주지 못했다. 12월 6일 곽주성이 함락되었다. 통주 전투가 벌어진 날이 11월 25일, 통주성을 한 3~7일 정도 공격했다고 보고, 이동과 휴식에 이틀을 잡으면, 곽주성은 2~5일 만에 함락된 셈이다. 완항령 전투에서 고려군을 구했던 신령한이 전사했고, 행영수제관(行營修製官) 승이인(乘里仁), 발해 유민으로 보이는 대장군 대회덕(大懷德), 공부낭중(工部郎中) 이용지(李用之), 예부낭중(禮部郎中) 간영언(簡英彦) 등도 전사했다. 통주에서 간신히 살아남았던 고려군의 상당수가 이곳에서 최후를 맞고 말았다.

　곽주성을 점거한 거란군은 6천 명의 수비대를 남겼다. 거란군은 모든 성을 점령할 필요는 없었지만, 그렇다고 모든 성을 다 우회할 수는 없었다. 최소의 희생과 최대한의 시간절약을 위해 그들은 압록강에서 청천강에 이르는 통로에서는 최소한의 중간 기지를 두기로 했고, 그렇게 선택된 곳이 곽주였다.

　이제 청천강에서 개경 사이에서 적을 막을 만한 요새로는 안주(당시 명칭은 안북)와 서경만이 남았다.

　한편 고려 정부는 강조군이 패했다는 소식을 듣자마자 동북면(함경도)의 병력을 빼내어 거란전쟁에 투입하기로 하였다. 시간적으로나 거리상으로나 안주는 이미 늦었으므로 서경으로 집결하게 했다. 이곳의 병력을 빼내면 여진이 빈 땅을 차지할 우려가 있었지만 감수할 수밖에 없었다. 이 조치는 거란전쟁이 발발한 이래 고려 정부가 처음으로 내린 제대로 된 결단이었다. 이후의 상황 전개를 보면 이 결정은 정말 아슬아슬했다. 명령이 하루나 이틀만 늦었어도 전쟁은 걷잡을 수 없는 방향으로 진행되었을 것이다.

　서경의 중요성은 말로 표현하기가 곤란할 정도다. 서경은 서북 방면 최대의 도시였고, 고려 제2의 수도였다. 그만큼 물자와 식량도 풍부했다.

성천 강선루(「관서명구첩」). 성천의 객사로, 지채문 부대도 이곳에 주둔했을 가능성이 있다.

1차 거란전쟁 때 서경 포기를 결심한 정부가 군량창고를 개방하여 주민들에게 마음대로 가져가게 했지만, 그래도 처치 곤란할 정도로 식량이 남았다는 곳이 이곳이다.

서경이 함락되고 이곳 토호들이 거란에게 협조한다면 거란군의 장기주둔도 가능하고, 황해도 이북이 아예 거란의 영토가 될 가능성도 있었다. 비록 고려의 수도가 개경이긴 하지만, 전쟁의 정점에 있는 도시는 서경이었다.

12월 초에 동북계 도순검사 탁사정과 함흥에 주둔하고 있던 중랑장 지채문은 급히 서경으로 이동하라는 명령을 받았다. 탁사정은 목종이 살아 있을 때는 왕의 침전을 경호하던 왕의 측근이었다. 그러나 강조가 군대를 끌고 개경으로 들어오자 그는 같은 경호장수이던 하공진과 함께 강조 편에 가담했다. 아마도 이 공으로 현종이 즉위한 후에 도순검사로 영전했던 것 같다.

두 장수는 서경을 향해 출발했다. 먼저 출발한 지채문의 부대는 평양 동쪽 약 50km 지점인 성천의 강덕진에 입성했다. 이제부터는 적전지역이므로 지채문은 탁사정군과 합류하기 위해 이곳에 대기하였다.

동북면군이 서경으로 이동하는 동안 거란군은 주저없이 남하해서 곽주를 함락한 지 이틀 만에 안주에 육박했다. 12월 8일에 안주의 부사 박섬은 저항할 엄두도 못 내고 달아났다. 박섬이 비겁했다고 비난할 수도 있지만, 병력도 부족했던 것 같다. 강조가 통주로 진군할 때 개경 이북지역에서는 최소한의 수비병만 남기고 가용병력은 있는 대로 긁어갔던 것 같다.

다음 날인 12월 9일에 거란군 선봉부대가 벌써 서경까지 도달하여 중흥사를 불태웠다.

12월 10일에는 본대가 평양에서 하룻길인 숙주(숙천)에 입성했고, 이 날 벌써 항복을 권하는 거란의 사절이 서경에 도착했다. 사절은 거란인 유경(劉經)과 통주 전투에서 포로가 된 노의였다.

서경은 서북면의 행정중심지이지만, 군사적으로 볼 때도 서북면 최고의 요새지이기도 했다. 성은 삼중으로 방어되고 있으며, 성벽은 높고 튼튼하고 남쪽은 대동강과 하안단구로 막혀 있었다. 비록 마지막에 함락되기는 했지만 수당전쟁 때 평양성은 몇 차례에 걸친 포위를 이겨낸 화려한 전력을 갖고 있었다.

그러나 아무리 우수한 시설과 장비라 해도 그것은 생명이 없는 기계일 뿐이다. 싸우려는 인간의 의지가 결합되어야 비로소 전쟁의 도구가 될 수 있다. 이번 경우에는 바로 그 의지가 결여되어 버렸다. 거란의 사절을 맞이한 서경부유수 원종석은 막료들과 상의한 후 당일로 항복하기로 결정

거란군이 불태운 중흥사의 당간지주. 평양시 인흥동에 있다.

하고, 항복문서를 작성하기 시작했다.

서경의 관료나 주민들이 모두 항복에 동의한 것은 아니었다. 부유수와 막료들의 결정에 수긍할 수 없었던 사람들은 성천에 주둔하고 있는 지채문에게 급보를 띄워 서경유수가 항복하려 한다고 연락하였다. 놀란 지채문은 즉시 부대를 이끌고 서경으로 달려왔다. 그러나 이미 항복을 결심한 원종석 등은 성문을 닫아건 채 열어주지 않았다.

지채문 부대에 합류해 있던 군용사시어사 최창이 꾀를 내어 서경의 분대어사 조자기에게 연락을 했다. 예상대로 조자기가 내응하여 성문을 열었고, 지채문은 성 안으로 진군했다. 평양성은 삼중구조로 되어 있다. 맨 외곽의 외성, 그 안에 내성이 있고, 내성 안에 궁전을 보호하는 궁성이 있다. 아마도 부유수 이하 서경의 관료들도 여기에 거주하고 있었을 것이다.

지채문은 즉시 이곳까지 군대를 끌고 들어가서 옛날 고구려의 궁전 남쪽 회랑에 부대를 주둔시켰다. 다분히 위협에 가까운 무력시위까지 하면서 원종석에게 항전을 촉구했으나 원종석은 항복의사를 굽히지 않았다. 그 사이 항복문서는 거란 사절에게 전달되었고, 사절단은 서경을 떠났다. 거란군 본영이 있는 숙주까지는 하룻길, 이들이 돌아가는 시간과 본대가

평양성 대동문(부분)과 부벽루 부근 강안과 성벽. 필자미상, 「關東名區帖」

진군하는 시간까지 계산하면 서경 함락 이틀 전이었다.

다급해진 지채문과 최창은 비상수단을 쓰기로 했다. 그들은 특공대를 파견하여 유경과 노의 일행을 기습하여 살해하고 항복문서를 불태워 버렸다. 일종의 벼랑끝 전술이었다. 사절단을 죽여버렸으니 거란 황제는 대노할 것이고, 이제 서경이 살아남기 위해서는 싸울 수밖에 없었다. 그러나 의외로 투항파들은 완고했다. 사절단을 살해한 사실이 알려지자 이들은 분노의 화살을 지채문에게로 돌렸다. 저들 때문에 우리가 다 몰살당하게 생겼다고 여론몰이를 했을 것이다.

이 역공은 성공했다. 성 안의 민심이 흉흉해지는 바람에 지채문은 부대를 이끌고 성 밖으로 달아나야 했다. 서경군은 아무도 지채문 편에 서지 않았고, 오직 대장군(大將軍) 정충절(鄭忠節)만이 지채문을 따라 나왔다.[59]

정부군이 성 밖으로 도주해야 했을 정도로 서경 주민들이 극단적으로 거란과 싸우려 하지 않았던 이유는 거란군에 대한 공포심 때문만은 아니었다고 생각된다. 지금부터 66년 전인 945년 혜종이 병사하자 정종은 서경군을 끌어들여 왕규를 제거하고 왕위에 올랐다. 그 참에 정종은 아예 서경으로 수도를 옮기려고까지 했었다. 그러나 이 계획은 정종이 재위 4년 만에 사망함으로써 물거품이 되고 말았다. 그 후에 즉위한 왕들은 오히려 서경세력을 견제하고 억눌렀다. 이런 기억은 서경 주민들에게 진한 아쉬움과 소외감을 남겼을 것이다.

거란의 성종에게 이 같은 서경의 상황은 뜻하지 않은 횡재였다. 성종이 강조의 쿠데타 소식을 듣고 고려 침공을 결정했을 때, 서경 주민의 심정까지는 염두에 두지 않았을 것이다. 그러나 서경공격을 앞둔 시점에서는 서경의 상황에 대한 확실한 첩보를 가지고 있었던 것이 분명하다. 유경과 노의 일행이 살해된 사실을 몰랐던 성종은 서경의 투항에 큰 기대를 걸었다.

이때 또 하나의 기쁜 소식이 거란 진영에 전해졌다. 고려 국왕이 항복의

사를 밝힌 것이다. 『고려사』에서는 강화를 청했다고 표현했는데, 그 뒤의 기사를 보면 거의 투항이었다. 서경 주민의 동요에 고무되어 있던 성종은 이젠 확실히 되었다고 생각했다. 성종은 당장 주변의 민간인들에 대한 약탈과 납치를 금지시키는 한편, 거란인 마보우(馬保佑)를 개성유수로, 왕팔(王八)을 부유수로 임명하고, 울름이 인솔하는 기병 1천을 서경으로 파견했다.

성종은 서경을 접수하러 부하장수를 파견하면서 서경유수가 아닌 개경 유수를 미리 임명하여 대동시켰다. 이것은 서경인을 협력자로 해서 고려를 다스리겠다는 의미였다. 서경인을 우대하고, 그들이 국가의 중심이 되는 장밋빛 미래를 제시한다면, 거란에 충성하는 새 왕국을 세울 수도 있었다.

최소한 황해도 이북의 분리, 독립은 가능했다.

서경이 항복을 준비하고, 거란의 사절은 남하하고, 성종은 장밋빛 환상을 보았던 그 날 정말 극적으로 탁사정이 이끄는 동북군 본대가 서경에 도착했다. 성 밖으로 피신해 있던 지채문은 탁사정과 합류하여 다시 서경으로 입성하였다. 탁사정이 하루만 늦었더라도 서경은 함락되었을 것이다. 압도적인 정부군의 병력 앞에서 서경의 불만세력은 숨을 죽였다. 부유수 원종석과 막료 등 강화파가 숙청되고,[60] 다시 주전파가 서경을 장악했다.

당일, 혹은 그 다음 날 거란군 장수 한기가 이끄는 돌격기병부대 200기가 평양성 앞에 도착했다. 평양성에서 북쪽으로 난 문은 보통문이다. 그 밖에도 칠성문과 여러 소문이 있지만, 한기는 사절단으로 왔으니 당연히 정문인 보통문 앞으로 왔을 것이다.

유경과 노의가 살해된 사실도 몰랐던 그들은 성 밑에서 문을 열고 나와 황제의 명령을 받으라고 소리쳤다. 과연 그들의 눈 앞에서 성문이 순순히 열렸는데, 기대했던 환영인파 대신 고려의 기병이 튀어나왔다.

한기군 중 100기가 살해되고 나머지는 모조리 생포되었다. 전혀 예상치 못한 기습이었다고는 하지만 바람처럼 빠르다는 거란 기병이 도주도 못하고 거의 전멸 당했다는 것은 고려 기병의 수준이 거란군에 못지 않다는 사실을 알려준다. 이번에도 고려군이 200기에 불과한 사절단을 공격하여 몰살시킨 것은 강화론을 의식해서 싸우지 않을 수 없는 상황을 야기하려는 의도였을 것이다.

단 한 명도 살아 돌아가지 못했기 때문에 한기군의 전멸을 알지 못했던 울름군 1천은 다시 지채문의 포위 공격에 걸렸다.

거란군은 궤멸되었고, 울름 등은 간신히 포위망을 뚫고 탈출했다. 울름을 맞은 성종은 자신의 경솔을 인정하고 장수들에게 패전 책임을 묻지 않았다.[61] 그러나 분노까지 묻을 수는 없었다. 장밋빛 청사진이 한순간에 허물

왼쪽은 대화궁지 궁터와 주변 토성의 모습. 오른쪽은 조선시대 지도(『해동지도』)에 보이는 대화궁지인데, 평양성 동북쪽의 임원역이 있던 자리에 있었다. 장안성으로 표기되어 있다.

어진데다가 고려가 자신을 기만했다고 생각했을 테니 분노가 이만저만이 아니었을 것이다. 어차피 서경은 그냥 지나칠 수 없는 곳. 성종은 총진군을 명령했다.

고려군은 탁사정이 성 안에 주둔하고, 지채문과 완항령에서 김훈과 함께 거란군을 공격했던 이원(李元)은 성 밖으로 나가 자혜사(慈惠寺)에 주둔했다. 거란군은 숙천에서 서쪽길을 따라 평원군으로 내려왔는데, 고려의 정찰병이 거란군의 이동을 탐지했다. 고려군은 거란군을 맞받아 치기로 하고, 지채문과 탁사정 부대와 법언이 이끄는 승병부대가 합세하여 북상했다. 거란군의 수는 알려지지 않았고, 고려군의 병력은 9천이었다.

그동안 등장하던 40만이니 20만이니 하는 수에 비하면 터무니 없이 적은 숫자였지만, 이는 순 전투병의 수이므로 적은 규모가 아니다. 고려군이 택한 요격 지점은 임원역 남쪽이었다. 임원역은 지금의 대동군에 있는 곳으로 평양성 북쪽으로 약 30리쯤 떨어진 지점에 있다. 약 160년 후에 서경천도를 주장했던 묘청이 대화궁을 쌓았던 곳이 바로 이곳이다.

궁을 건설할 만한 곳이면, 뒤에 산이 있고, 좌우로도 산세가 궁 주변을 엄호하며, 전면에 넓은 평야가 펼쳐진 지형임에 틀림없다. 이런 곳은 매복과 기습적인 기병공격에 유리하다. 전투에 관한 구체적인 사료는 전혀 없지만, 사진에도 언뜻 보이는 평야에서 거란군과 정면대결을 벌이지는 않았을 것이다.

거란군이 평야를 지날 때 고려의 주력은 산세를 끼고 높은 곳에 위치하고, 좌우 계곡에 매복해 있던 기병이 측면이나 배후를 치는 그런 전술을 쓰지 않았을까? 막연한 추측이 아니다. 이런 식의 싸움이 고려와 조선군의 표준적인 전술이고, 우리나라의 지형이나 궁술과 기병이 장기인 고려군의 특성에도 가장 잘 부합하기 때문이다.

산비탈은 거란군의 기병돌격을 둔화시킨다. 아주 높은 곳으로 올라가 버리면 거란군이 싸우지 않고 지나쳐 버릴 수도 있으므로 2,3부 능선 정도에 포진한다. 이 정도면 기병공격도 가능하지만 속도도 떨어지고, 말도 빨리 지치고, 접근로도 제한된다. 적진의 움직임이 환히 보이므로 거란군의 장기인 양동과 기습도 쉽지 않다. 궁술은 양군 다 세계 최고 수준이지만 아래로 내려다보며 고정진지에서 쏘는 고려군의 화살이 더욱 위력적일 수밖에 없다. 낮에는 바람도 산 아래로 분다.

우리나라는 확실히 수비에 유리한 지형이다. 국토의 70%가 산지인데다가 산은 대개가 작고 가파르다. 산이 작다는 것은 단점인 것 같지만, 군사적으로는 큰 장점이다. 산이 너무 크거나 산곡이 깊고 험하면 방어선이 너무 넓어지거나 끊어진다.

산과 산이 줄줄이 연결되어도 곤란하다. 적이 멀리 돌아서 능선이나 산의 측면으로 접근해 올 수 있기 때문이다. 우리 나라는 어딜 가나 대개 150~300 고지의 산들이 들판에 불쑥불쑥 솟아 있다. 절대고도로 따지면 더 높은 산도 많지만, 대개 주변 고도도 같이 높아지므로 실제적인 형태는 비슷하다. 그러므로 야전에서 적과 만나면 본진은 대개 산비탈에 설치하고, 적과 산 아래 벌판에서 교전하거나 적의 공격을 유도하여 타격을 입히는 전술을 많이 사용했다.

그런데 이런 식의 전술이라면 궁병과 보병이 중요하고, 기병은 별로 쓸모가 없는 것처럼 보일 수도 있다. 기병 하면 드넓은 만주 벌판과 고구려군만 떠올리는 경향도 이런 선입견 때문일 것이다. 그러나 그렇지 않다. 조선시대까지도 군의 주력은 기병이었다. 우리나라는 산이 많고 가파르지만 산과 산 사이에는 확실한 들판이 펼쳐진다. 지평선이 보이는 광활한 평원은 없어도 만 단위의 군대가 충분히 교전할 수 있는 들판이 산과 산 사이에 얼마든지 놓여 있었던 것이다.

그러므로 기병을 이용한 돌파와 기동, 추격전을 펼칠 수 있다. 또한 부대를 숨길 곳이 많으므로 거란군처럼 복잡한 기동을 하지 않아도, 기병을 이용한 매복, 기습, 교란작전을 효과적으로 수행할 수 있다.

이렇게 말하고 보니 유리한 지형을 선점하고, 거란군이 공격적으로 나오도록 유도만 하면 쉽게 승리할 것 같은데, 그렇지는 않다. 유목 기병은 초원에서만 강하다는 생각도 오해 중의 오해다. 초원 전사들의 최대 장점은 그들의 적응력이다. 그들과 그들의 말은 험지와 산지에도 무척이나 강하고, 더위와 추위에 모두 강하다. 거란족과 동일시할 수는 없지만, 그들의 사촌격인 몽골의 기병은 영국군과 소련군도 실패한 아프가니스탄의 험지를 정복한 유일한 군대였다.

결론적으로 말하면 고려군과 거란군은 같은 조건에서 정예군끼리 부딪힌다면 호각지세였다. 양측은 병종, 무장, 특성, 말의 품종까지도 비슷하였다. 다만 살아온 환경이 다른 탓에 양쪽의 전술적 장기는 극명하게 달랐다.

거란군은 공격적이고, 실전 경험이 풍부했다. 병력과 전술체제에서도 앞섰다. 고려군은 병력과 경험에서 열세였지만, 전통적으로 수비에 강하고,

고려의 청동말 조각. 다리가 약간 짧고 통통한 몽골말의 특성이 잘 표현되어 있다.

한국의 독특한 지형과 기후가 큰 도움을 주었다.

그러나 양측은 본질적으로는 같은 특성을 지녔기 때문에 서로 간의 차이라든가 상대적 장점이 절대적인 것은 아니었다. 고려 기병의 돌파력과 속도는 거란군에 결코 뒤지지 않았을 것이며, 거란군이 우세한 고려군과 조우한다면 고려군과 같은 전술을 사용할 것이다.

이 날 전투는 치열했다. 고려군에는 법언이 이끄는 승병부대가 포함되어 있었는데, 종교인들답게 이들은 국가와 주민과 대의를 위하여 헌신적으로 싸웠다. 그 바람에 지휘관인 법언이 전사할 정도로 큰 타격을 입었지만, 이들의 분전을 바탕으로 고려군은 거란군 3천 명을 살해하고 패주시켰다.

이 전투는 꽤 의미 있는 전투였다. 두 나라 군대의 전력을 평가할 수 있는 방법은 전투밖에 없다. 그런데 1차 거란전쟁 이후로 고려군은 수성에 성공한 적은 있지만, 야전에서는 한 번도 이겨보지를 못했다. 즉 야전에서는 거란군이 절대적으로 강했고, 이것은 데이터가 증명하는 객관적인 평가였다.

임원역에서의 승리는 이 평가를 뒤집었다. 울룸 부대는 거란이 서경공략의 전위부대로 파견한 부대니만큼 당연히 최정예부대였다. 교전 규모도 만만치 않아서 오늘날로 치면 사단 규모의 대결이었다. 이 전투에서 고려군이 승리함으로써, 고려군의 수준이 결코 거란에 뒤지지 않는다는 새로운 준거를 제공했다.

전투에 임할 때 두려움을 느끼지 않는 사람은 없을 것이다. 그러나 두려움이 패배감으로 발전한다면 이야기가 다르다. 전투에서나 스포츠에서나 패배감에 사로잡히는 것처럼 무서운 적은 없다. 그래서 지휘관과 감독들은 자신감을 가지라고 강조한다. 그러나 자신감이란 우긴다고 해서 생겨나는 것이 아니다. 자기 자신이 납득할 수 있는 합리적인 증거나 증험이 필요하다. 임원역 전투는 바로 이 증거를 제공해 주었다.

나중에 고려 정부는 이 날의 공로를 기려 법언에게 수좌(首座) 벼슬을 추증하였다. 고려시대에는 승계라고 하여 국가에서 승려에게만 주는 관계가 있었다. 승계의 명칭은 교종과 선종이 달랐는데, 교종의 최고위직이 승통(僧統)이고 그 다음이 수좌였다.

임원역 전투에서 고려군은 승리를 했지만, 거란군을 격퇴시키지는 못했다. 다음 날 전투가 좀더 남쪽 지점에서 이루어지는 것으로 보아 고려군이 결정적인 승리를 기둔 것은 아니었다. 우세승 정도였고, 거란군은 손실을 입으면서도 계속 밀고 내려왔던 것 같다.

이번에도 지채문이 선봉이 되어 출전했다. 두 번째 대결에서 고려군은 더 큰 승리를 낚았다. 거란군은 패주하여 도주하기 시작했다. 전날 전투가 판정승이었다면 이 날은 완전한 승리였다.

도주하는 거란군은 동쪽으로 도망쳐 마탄(馬灘) 쪽으로 달려갔다. 마탄은 오늘날의 강동군 마탄면이다. 평양성 앞을 흐르는 대동강을 따라 상류로 올라가면 강동현이 나온다. 강동현 경계를 지나면 임진왜란 때 유명한 왕성탄 전투가 벌어진 왕성탄이 있다. 여기에 지류가 하나 있는데, 이 지류에 있는 여울이 마탄이다.

거란군이 도주하기 시작하자 서경성에서 전투를 지켜보던 고려군은 환성을 질렀다. 거란군은 본대가 있는 북쪽이 아닌 동쪽으로 도주하고 있었다. 활로를 찾아 무작정 달아나는 것이 분명했다. 성에 있던 고려군은 성문을 나와 추격에 합세했다. 평양에서 마탄까지의 거리는 40리다.[62] 보병의 경우 속보로 가도 근 2시간 이상은 소요되는 긴 추격이었다.

고려군이 마탄에 도달했을 때 갑자기 거란군이 역습으로 나왔다. 거란군이 무려 40리나 도주한 것으로 보아 계획적인 유인작전이었던 것 같지는 않다. 그렇다면 가능한 상황은 두 가지 경우를 상정할 수 있다. 고려군이 너무 길게 추적하는 바람에 대열이 난잡해지고, 이 틈을 노려 전열을 정비한 거란군이 역습을 가했거나, 이 방면으로 진출한 다른 부대의 공격을 받았을 가능성이다.

거란군은 양동작전에 능하고, 기병의 기동력을 이용하여 부대를 분산해서 주변 도로를 차단하고, 넓게 포위하는 작전을 잘 사용하였다. 더욱이 진군할 때 중앙과 좌우의 세 길로 나누어 진군하는 방식은 병법의 기본인데, 거란 역시 3로로 나누는 방식을 표준적으로 사용했다. 그래서 이번에도 숙주-평양의 한 길로 남하하지 않고, 한 부대는 우회하여 서경의 서문 쪽으로, 좌익은 성천, 강동으로 우회시켜 대동강을 따라 평양성으로 접근시켰을 가능성이 높다.

지채문 부대가 서경에 도달하기 전에 함흥에서 성천으로 이동했던 것을

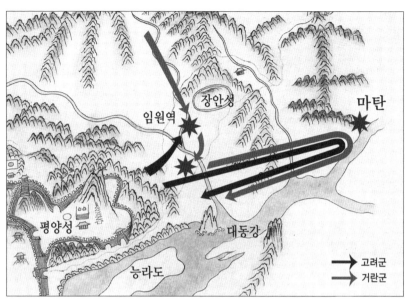

임원역 전투 및 마탄 전투 전황도

상기하자. 이 코스는 동북면에서 서경으로 오는 길이기도 했으므로 동북면
에서 올지 모르는 구원병을 경계한다는 목적도 있었을 것 이다.

세상의 모든 일은 상극이 있다. 철저한 추격과 타격은 전쟁의 원칙이지만
지나친 추격은 역습의 위험이 있고, 소심한 추격은 적을 섬멸할 기회를
놓친다. 이것이 이론이 해줄 수 있는 한계다. 실전에서는 지휘관의 상황
판단과 병사들의 수준이 결과를 결정한다. 거란군의 본대가 건재하고,
적의 병력이 우월한 상황에서 40리에 이르는 추격은 확실히 무모했다.

긴 추격에 지친 고려군은 커다란 타격을 받고 역으로 긴 추격을 당하면서
평양성까지 후퇴해야 했다. 이 과정에서 꽤 큰 희생이 따랐던 것 같다.
고려군은 야전을 포기하고 농성전으로 전환했다. 거란군은 성을 포위했고,
성종은 평양성 서문 앞 어느 사찰에 본영을 설치했다.

이때 평양성 안에는 탁사정과 지채문이 이끄는 동북군과 서경의 향토병,

발해의 수도 상경터에 남아 있는 용머리 조각

그리고 북쪽에서부터 거란군에게 밀려 내려온 여러 부대가 혼재해 있었다. 그 중에서 낯익은 부대가 하나 있었다. 발해의 왕손 대도수가 인솔하는 발해인 부대였다. 18년 전 안융진에서 소손녕의 부대를 격퇴했던 바로 그들이었다. 그들은 이번에도 참전했으나 안주성이 함락되고 청천강 방어선이 붕괴하자 남으로 후퇴하여 평양성으로 들어왔던 것 같다.

탁사정은 발해민으로 구성된 대도수 부대가 용기가 있고 전투에 적극적이라는 사실을 간파하고 장군 대도수에게 대담한 계획을 제의했다. 밤에 대도수의 부대가 동문으로 나가 거란군 본영의 좌측을 야습하고, 거란군이 동쪽으로 몰려가는 사이 자신과 동북군은 서문으로 나가 성종의 군영을 습격한다는 구상이었다.

다소 무모해 보이는 계획이었지만 대도수는 동의했다. 그의 눈앞에 발해 멸망의 원흉인 거란의 황제가 숙영하고 있었다. 그의 부친은 조국을 잃고 천리길을 남하하여 이곳에 정착했다. 이 먼 땅까지 거란의 황제가 스스로 찾아와 줄 줄이야. 황제의 친정이 자주 있는 일도 아니었다. 생각도 못한 기회지만, 다시는 오지 않을 기회라는 사실도 자명했다. 성공해도 손실이 크고, 성공할 확률이 희박하다고 해도 아무것도 하지 않고 이 순간을 보낼 수는 없었다.

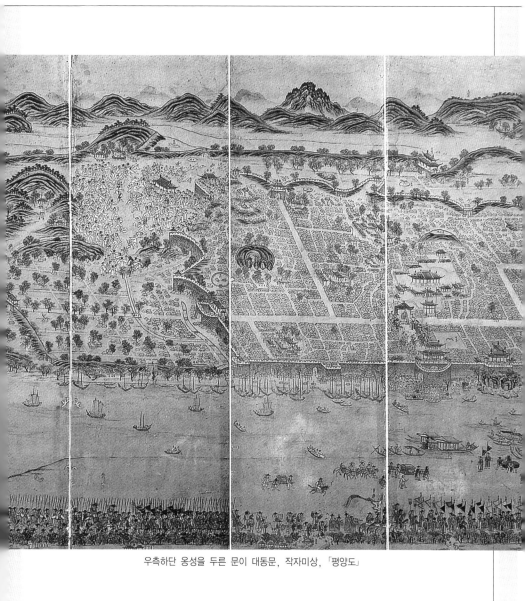

우측하단 옹성을 두른 문이 대동문, 작자미상, 「평양도」

대도수뿐 아니라 그의 부대원 전원에게 그 밤은 특별한 밤이었다. 발해가 멸망한 지도 거의 100년, 그들 중에는 발해의 옛 땅을 본 사람도, 패망의 날을 기억하는 사람도 없었다. 발해를 보지도 못하고, 자신은 고려인이라고 생각하며 살아 왔다고 해도 자신이 발해의 후예라는 것은 지울 수 없는 사실이었다. 그리고 어느 날 그들의 옛 원수라고 하는 거란군이 자신들의 눈앞에 나타났을 때, 과거의 전설과 의무는 현실이 되어 버렸다.

대도수와 병사들은 무기를 손질하고 군장을 꾸렸다. 위험하고 위태로운 작전이지만, 어쩌면 오늘 밤으로 오랫동안 그들의 가슴에 뭉쳐 있던 어떤 응어리를 지울 수 있을지도 몰랐다.

어둠이 덮이자 대도수 부대는 대동문을 나섰다.[63]

대동문은 방위상 평양성의 동쪽 문이지만 실제로는 이 문을 나서면 바로 대동강 나루가 나오고 대동강이 북동에서 남서쪽으로 비스듬히 흐르기 때문에 지형상으로는 남문과 같은 역할을 한다.

거란군이 서경을 포위했다고 하지만 사실은 대동강 북쪽 부분에만 있었을 것이다. 설사 강을 건너 남쪽까지 내려왔다고 해도 남쪽 성벽과 강 사이의 좁은 공간에 포진했을 리는 없으므로 대동문으로 나가 강과 성벽 사이의 좁은 회랑을 돌아가면 부대이동을 숨길 수 있었다.

그러나 아무리 그렇다고 해도 고려의 정예군이 주둔하고 있는 성 앞에서 거란군이 방심하고 있을 리는 없으므로 완전한 기습은 불가능했다. 대노수도 그것까지는 기대하지 않았을 것이다. 이 작전의 진수는 기습보다는 양동에 있었다. 그리고 양동에 성공하기 위해서는 대도수 부대가 최대한 용감하고 화려하게 싸워 적을 끌어모아야 했다.

그 날 밤, 대도수는 자신의 의무를 다했고, 그 결과 거란군에게 겹겹이 포위되었다. 이제 탁사정 부대가 거란의 본영을 칠 차례였다. 그러나 서쪽 방면은 조용하기만 했고, 거란군은 계속해서 증원되었다. 그제서야 대도수

발해의 요람 동모산. 대조영이 처음 발해를 건국한 곳이다.

는 자신이 속았다는 사실을 깨달았다. 탁사정은 성문을 나서기는 했으나 바로 남쪽으로 방향을 돌려 달아났다.

꼼짝없이 고립된 대도수는 거란군에게 항복하고 말았다. 후일담이지만 거란군은 대도수 일행을 포함한 발해인 포로들을 압송하여 옛 발해의 땅인 요양 일대에 주(州)를 세우고 정착시켰다. 아이러니컬하게도 발해민들은 이번에는 고려의 유민이 되어 선조의 땅으로 돌아갔다.

다음 날 아침 서경 주민은 전쟁이 시작된 이래 가장 황당한 순간을 경험해야 했다. 하룻밤 새에 중앙군과 서경의 주력부대 및 지휘부□가 사라져버린 것이다. 주전론의 최고 지휘관이 비겁하게 도주해 버렸으니 강화론자들에게 기회가 온 셈인데, 그러지도 못했다. 그 사이 강화론의 수뇌들이 숙청되었기 때문이다. 강화론자와 주전론자가 다 없어진 서경은 지휘부 공백상태에 빠졌다. 이제 서경의 지도부라고는 중간급 간부들뿐이었다. 공포와 공황이 성안을 휩쓸었다.

이때 그 중간급 간부들이 나섰다.

> 통군 녹사(統軍錄事) 조원(趙元), 애수(隘守) 진장(鎭將) 강민첨(姜民瞻), 낭장(郎將) 홍협, 방휴(方休) 등은 어찌할 바를 몰라하다가 의논 끝에 모두 신사(神祠)로 가서 점을 쳤더니 길한 증조를 얻었다. 여기서 여러 사람들이 조원을 병마사로 추대하고 분산된 병사들을 집합한 후 성문을 닫고 다시 고수하게 되었다.[64]

점을 쳐서 항전을 결정했다는 게 미신적이고 치졸해 보이기도 한다. 그러나 이 기록은 그렇게 해석해서는 안 된다. 서경이 제2의 수도였던 덕분인지 서경에는 우수한 인재들이 많았다. 조원은 목종 10년(1007)에 과거에 급제했다. 녹사(錄事)는 보통은 서리직이지만 고급 지휘관이나 지방관의 보좌관인 경우도 있다. 그는 문관이지만 지도력이 있고 군사에도 밝았다.

강민첨은 진장이었지만, 원래 그는 무장이 아닌 진주 출신 서생으로 무술은 할 줄 몰랐다고 한다. 그러나 의지가 굳고 과감해서 군사지휘에도 탁월한 능력을 보였다.

훗날 이 두 사람은 다음 전쟁 때 강감찬과 함께 종군하여 귀주대첩을 일구어 내는 데 크게 공헌했고, 강민첨은 여진족과의 전투에서도 공을 세웠다.

마침 이런 뛰어난 인물들이 서경에 배치되어 있었다는 것이 큰 다행이었다. 오히려 지휘부가 사라지는 바람에, 이들이 숨은 능력을 발휘할 기회가 주어졌다. 그들은 동요하는 민과 군을 수습했다. 신사에서 점을 친 것도 민심을 다잡기 위한 수단이었을 것이다. 무슨 수단을 썼든지 간에 그들이 성공했다는 것이 중요하다. 믿음직하던 발해군이 궤멸되고, 주력부대가 도망쳐 버린 상황에서 그들은 흩어진 민심을 잡고, 병사들을 모아 서경 방어에 임했다.

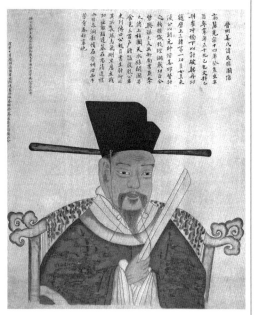

강민첨 영정

서경군민의 단합에는 지채문의 공도 컸다. 탁사정이 도망쳤다는 사실이 알려졌을 때 서경 주민의 분노와 배신감은 상상할 수 없는 수위였을 것이다. 그러나 이전에 지채문이 저질러 버린 벼랑끝 전술 덕분에 항복하기도 쉽지 않은 상황이었다. 서경군은 이미 거란군 사절을 두 번이나 살해하고, 거란군 수천 명을 죽였다. 유목민족은 혈연을 바탕으로 한 부족이 사회와 군대의 기초 단위를 이룬다. 그렇기 때문에 그들은 보복과 복수의 논리에 철저하다. 그들의 심성이 특별히 잔인해서가 아니라 보복과 복수를 무시하면 혈연에 기초한 조직의 결속과 공동체 의식이 와해된다. 그래서 이들은 항복하는 사람에겐 관대하고 저항하는 자, 자신들에게 피해를 입힌 자들에게는 무자비한 보복을 가했다. 그러니 이제 와서 항복한다고 해도 거란의 보복과 약탈을 면하기는 어려운 상황이었다.

12월 11일부터 거란군의 서경 공격이 시작되었다. 서경은 강한 요새였지만, 서경은 완벽한 전략적 목표였고, 대도수군의 항복으로 고려군 주력이 도주했다는 사실도 알아냈을 것이다. 게다가 그 동안 거란군의 희생도 컸다. 서경을 공략하려는 거란군의 의지는 강하고 확고했을 것이다. 조원과 강민첨이 분투하고 있었지만, 거란군의 공세와 의지가 확고하다면 성패는 장담할 수 없는 상황이었다.

그때 거란전쟁을 통해 가장 극적인 사건이 발생했다. 서경이 거란군의 치열한 공격을 받고 있던 12월 16일, 흥화진의 포위망을 무사히 빠져나온 양규와 700명의 결사대가 통주에 도착했다. 이들은 이곳에서 고려군을 수습하여 1천 명을 규합했다.(총 1천 명이 된 것인지, 1천 명을 추가했다는 것인지는 확실하지 않다)

이때까지도 거란군은 그들의 움직임을 까맣게 모르고 있었다. 그러나 정보란 새기 마련이다. 적이 양규군의 움직임을 눈치 채지 못하게 하려면 신속하고 과감하게 움직여야 했다. 양규는 이 병력을 이끌고 당일로 곽주로 진군했다. 그리고 1천 명, 혹은 1천 700명의 병력으로 6천의 수비대가 지키는 곽주성을 공격했다. 정상적인 공격은 아닌 것이 분명하고, 수를 써서 밤에 성 안으로 잠입했을 것이다. 곽주성 안에 있는 주민이나 고려군의 내응을 이용했을 확률이 가장 높다.

잠입에 성공한 고려군은 그 날 밤으로 6천의 거란군을 몰살시키고, 곽주성을 탈환했다. 그리고는 생존 주민 7천 명을 모조리 통주로 이주시켜 통주 방어를 강화했다.[65]

사료가 너무나 척박한 것이 아쉬울 뿐이다. 이런 멋진 기습과 승리는 영화에는 자주 나오지만, 그렇기 때문에 전사에는 흔치 않다. 양규와 700명의 용사들은 혹한기의 북부지방에서 완벽한 기도비익과 야간이동, 그리고 기습으로 곽주성을 탈환했다. 지휘관의 탁월한 사명감과 지도력, 우수한 정예 병사들의 조합만이 이루어낼 수 있는 승리였다. 전황판의 상황이 한순간에 변했다. 하룻밤 사이에 거란군은 압록강에서 대동강 사이에 유일하게 마련해 두었던 중간기지를 상실했다.

12월 17일 곽주성 수비대가 전멸하고 통주의 고려군이 보강되었다는 보고를 받은 성종은 충격에 휩싸였거나 분노로 노발대발 했을 것이다. 유일한 중간 보급기지였던 곽주성이 사라졌다. 이는 자신들이 적진 200km 안쪽에서 고립되었다는 사실을 의미한다.

이 상황에서 기란군이 선택할 수 있는 방안은 세 가지였다. 후퇴하거나 서경을 공략하거나 개경으로 직공하는 것이다. 서경 공략은 확실한 보급기지를 건설하고 전략목표를 장악한다는 장점이 있다. 그러나 고립된 상황에서 승부가 불확실한 공성전에 전력투구하기란 쉽지 않았다. 자고로 공성전에서는 단기승부를 내려 하면 병사들의 희생이 크고, 장기전으로 가면 비용이 많이 든다. 공략에 성공해도 전력손실이 크면 고려군에게 역습을 당할 우려가 있다. 그렇다고 보급로가 끊기고 현지조달에 의존하는 상황에서 장기 포위전으로 갈 수도 없었고, 그들보다 공성전 능력이 탁월했던 수·당군도 실패한 요새에 정면승부를 걸 수도 없었다.

개경으로 직공하는 방법은 어떨까? 12월 중순의 북부지방이면 체감온도가 영하 40도에서 20도를 오르내리는 혹한기다. 압록강에서 여기까지 200km를 진군하는 데 한 달 반이 넘게 걸렸으며, 그 사이에 네 차례의 대규모 공성전과 서너 번의 큰 전투를 치렀다. 개경까지는 앞으로도 200km, 여기서 개경까지 진군하려면 적진 400km의 고립을 감수하고, 한겨울의 추위와 눈길을 오직 현지조달에 의존하면서 행군해야 한다.

결국 가장 합리적인 방안은 철수였다. 그러나 거란군 지휘부는 이 참담한 상황에서 400km의 고립을 감행하기로 결정했다. 소배압의 장점이 결단력이라고 했지만, 정말 대단한 결단력이고, 이런 모험에 도전하는 유목기병의 생존력 역시 경이적이라고 할 수밖에 없다.

통주성에 있던 양규도 아차 싶었을 것이다. 이 정도면 회군해야 하건만 거란군은 서경조차도 무시하고 앞으로 진군하기 시작했다. 중국군 같으면 엄두도 못 낼 무모하기 짝이 없는 결정이었다. 그러나 양규는 거란군의 판단이 옳다는 사실을 인정하지 않을 수 없었다. 서경에서 개경 사이에 고려군이 남아 있지 않았던 것이다.

5장 운명의 주인

1. 버림받은 왕손

1011년 음력 정월, 개경을 탈출한 현종의 어가는 임진강을 건너 적성 땅에 들어섰다. 적당히 굽이쳐 흐르는 강과 강기슭의 산들이 조합해 내는 정경은 아직까지 봉우리를 두텁게 덮고 있는 눈조차 따뜻하게 여겨질 정도로 평온하고 아늑하였다.

이편에서 보나 저편에서 보나 똑같은 땅이건만 강을 건넌다는 것이 이처럼 큰 의미가 있는 줄 예전에는 미처 몰랐다. 더욱이 임진강은 특이하게 하안단구가 발달한 덕에 북편 강안에 바위 절벽이 담장처럼 이어져 있어 국경선을 건너 다른 나라로 들어온 듯한, 혹은 한 세계에서 다른 세계로 건너뛴 듯한 기분이 들었다. 만약 누군가가 옆에서 이런 말을 했다면 현종은 그건 느낌이 아니라 진실이라고 말해주었을 것이다. 현종은 이미 두 번이나 다른 세계로의 인생역전을 경험하였기 때문이다.

현종(992~1031)은 사생아였다. 29명에 이르는 왕건의 부인들 중에서 황해도 황주의 호족 황보 가문 출신인 신정왕후는 아들과 딸을 하나씩 두었다. 딸은 광종과 결혼하여 경종을 낳았다. 아들 대종(戴宗)은 딸 둘과 아들 하나를 두었는데, 딸 둘을 모두 누이의 아들인 경종과 결혼시켰다. 언니가 헌애왕후, 둘째가 헌정왕후였다. 아들은 경종의 뒤를 이어 성종이 되었다.

수창궁 유지에 버려진 용머리 조각. 고려왕실은 자신들을 용의 후손이라고 하여 용을 왕가의 상징으로 사용했다.

　　언니인 헌애왕후는 왕자를 낳았으나 헌정왕후는 자식을 두지 못했다. 경종이 사망한
후 외롭게 지내던 헌정은 숙부뻘인 욱(郁 : 신라가 고려에 투항할 때 왕건과 경순왕의
백부인 김억렴의 딸이 결혼해서 낳은 아들)과 정을 통했다. 당시 왕족과 재상들은 대개
궁성을 빙 둘러 가깝게 살았다. 욱의 집은 왕궁과 가까이 붙어 있었고, 헌정왕후의
집은 왕륜사 근처였는데, 왕륜사도 궁성 동쪽에서 약간 북쪽 송악산 산록 쪽에 있었으므
로, 두 사람의 집은 서로 멀지 않았다.
　　아마 가까운 곳에 살다가 서로 친해져 버렸던 모양이다. 만남은 불륜으로 이어지고,
그 결과 아이가 생겼다. 만삭의 몸이 되었을 때, 우연한 사건으로 두 사람의 관계가
들통났다.

그 해 여름 욱의 집 마당에서 하인들이 나무를 태우다가 뭐가 잘못 되어서 연기가 치솟았다. 왕궁에서는 이 연기를 화재로 오인하고 경보를 울렸다. 그곳이 왕족과 재상, 고위관료가 다 모여 사는 동네고, 궁에 불이 옮겨붙을 수도 있으므로 관료들과 왕궁에 있던 사람들도 모두 뛰쳐나왔다. 국왕이던 성종도 일가의 안위가 걱정이 되어 직접 현장에 나왔다. 이곳에서 성종은 누이의 시녀와 하인들이 우왕좌왕하는 것을 목격하고 이유를 물었다. 종들은 헌정왕후가 이곳에 있다고 실토했다.

아무리 근친혼이 행해지는 세상이라고 해도 간통은 간통이다. 욱은 그 자리에서 체포되었고, 멀리 경상도 사천으로 유배되었다. 충격과 부끄러움으로 몸을 떨던 헌정왕후는 집으로 돌아갔다. 충격 때문이었는지 막 집에 들어가려고 할 때 진통이 시작되었다. 헌정왕후는 문 앞 버드나무 아래서 아이를 낳다가 죽었다. 부친 욱도 유배지에서 돌아오지 못하고, 그곳에서 죽었다.

성종도 누이의 불행에 마음이 편치 않았다. 그는 천애고아가 된 아이를 궁으로 데려와 왕궁에서 길렀다. 이 아이가 현종이다. 덕분에 현종은 혈통상으로는 고려와 신라 왕족의 가계를 한 몸에 이은 유일한 왕자로서, 현실적으로는 부모의 얼굴도 모르고 자란 고아이자 사생아로 성장해야 했다.

현종이 여덟 살이 되었을 때 이모인 헌애왕후(현종의 모친 헌정왕후의 언니)의 아들이 즉위하여 목종이 되고, 헌애왕후는 천추태후가 되었다. 현종도 열두 살 나던 해에 대량원군으로 책봉되었다. 하지만 이모는 이 사생아가 고려와 신라의 혈통을 한 몸에 지녔다는 사실이 싫고 두려웠다. 현종이 10대의 소년으로 성장하자 태후는 그를 강제로 출가시켜 속세에서 격리시켰다.

그가 출가한 절은 삼각산 신혈사였다. 절에 있던 현종의 방 침대 밑에는 땅굴을 파서 만든 은신처가 있었다.

현종은 그곳에 엎드려 있던 생각을 하며 쓴 웃음을 지었다. 그 기억은 지금도 시도 때도 없이 문득문득 떠오르곤 한다. 궁에서 누가 찾아오면 승려들은 그를 그곳에

삼각산 진관사. 현종이 출가해 있던 삼각산 신혈사가 이곳 진관사라는 설이 있다. 현종이 왕이 된 뜻으로 이곳에 절을 크게 지었는데, 그를 보호해 준 스님이 진관조사여서 진관사라고 이름을 붙였다고 한다.

숨겼다. 어느 날 자신을 찾아왔던 궁녀 하나는 밤이 깊도록 끈질기게 방에 앉아 그를 기다렸고, 자신 역시 땅굴 속에 죽은 듯이 엎드려 버텨야 했다. 나중에 그녀가 가져온 음식을 땅에 버리자 그것을 쪼아먹은 새들이 즉시 쓰러져 죽었다. 두 나라 왕족의 피를 잇고 사생아에 승려라는 운명까지 뒤집어 쓴 소년은 자신의 삶에 드리운 고독과 암살의 위협 속에서 사춘기를 보내야 했다.

1009년 2월(목종 12) 현종이 18세가 되었을 때, 궁에서 왔다는 관리와 군인들이 그를 찾았다. 이번에는 승려들도 저항할 수가 없었다. 그들은 현종을 궁으로 데려갔다. 궁은 어수선하고, 낯선 군인들에게 점거되어 있었다. 그 날 서북면 도순검사였던 강조가 반란을 일으켜 목종을 폐위시켰던 것이다. 그들은 현종을 연영전으로 데려가 새 왕으로 등극시켰다. 연영전은 과거급제자에게 환영연을 베푸는 곳이었다.

그렇게 국왕이 된 지 정확히 1년 만에 거란의 대군이 국경을 넘었다. 강조는 무려 30만 대군을 긁어모아 북으로 달려가더니 단 한 번의 싸움으로 궤멸하여 버렸다. 거란군은 거침없이 치고 내려왔고, 지금 현종은 개경을 포기하고 남으로 도주하는 중이었다. 그동안 왕자에서 승려, 승려에서 국왕으로, 국왕에서 다시 도망자로 극적인 인생역전을 몇 번이고 겪었지만, 그 속에는 하나의 공통점이 있었다. 그 어느 때도 자신이 운명의 주인공인 적은 없었다는 사실이다.

등 뒤에서 들려오는 굵직한 호령 소리에 현종은 상념에서 깨어났다. 일행의 경호를 책임진 지 장군이 출발준비를 하라고 병사들을 일으켜 세우고 있었다. 지 장군은 용맹하고 충직한 사람이다. 그러나 오랫동안 격리되어 죽음의 공포 속에 살아온 덕택에 현종에겐 사람을 완전히 믿지 못하는 버릇이 생겼다. 그가 알고 있는 인간이란 이해관계에 따라 언제든지 돌변할 수 있는 존재였다. 지 장군은 현종의 경호를 자원했고, 지금까지 열심히 행렬을 이끌어 왔다. 하지만 그러한 그의 행동이 현종의 눈에는 자꾸만 평양성에서의 실패를 상쇄해 보려는 노력으로 비치는 것을 어찌할 수 없다. 그러나 책임을 추궁하기는커녕 자신이 아무런 보상조차 해줄 수 없는 처지가 된다면 그는 어떻게 나올 것인가?

국왕의 행차라고 하지만, 그들은 겨우 50명의 병사만 이끌고 개경을 떠났다. 고려가 삼한을 새로 통일했다고는 하나 건국 이래 개경을 중심으로 한 황해도 일부 호족가문이 정권을 독단하여 왔다. 현종은 이미 개경을 잃었고, 자신은 막 황해도와 경기도의 경계를 넘었다.

여기서부터 남쪽 지역은 불과 100년 전만 해도 신라와 백제의 영토였던 곳이다. 자신이 내려다보고 있는 바로 이 나루에서도 수많은 병사들이 싸우고 죽었고, 저 앞마을에는 바로 그들의 후손이 살고 있다. 겨우 50명의 병사로 저런 성과 마을들을 지나 자신을 환영하고 보호해줄 지역을 찾아가야 한다.

문득 작년 바로 이곳에서 목종이 살해되었다는 사실이 떠올랐다. 자신에게 왕위를

헌화사 탑. 고아로 자란 현종은 불행한 부모님의 명복을 빌기 위하여 현화사를 세웠다.

내주고 충주로 유배되던 목종은 이곳 적성현에서 강조가 보낸 자객에게 살해당했다.

강조는 자신 앞에 나와 천연덕스럽게 목종이 스스로 목숨을 끊었다고 보고했고, 뻔한 거짓말인 줄 알면서도 현종은 고개를 끄덕여야 했다.

그 사이에 지 장군이 다가와 출발준비가 끝났다고 보고했다. 목적지는 적성현의 역관. 이곳을 지나던 목종의 심정은 어떠했을까? 이제 자신은 죽음의 땅에 들어선 것인가? 새로운 운명의 시작인가?

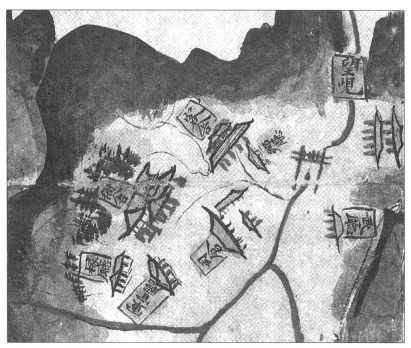

적성현 관아. 조선시대. 『1872년 지방지도』 경기도 적성현

　지채문은 능숙하게 말을 몰아 앞으로 달렸다. 이런 어려운 시기일수록 지휘관은 당당하고 자신에 찬 모습을 과시할 필요가 있다. 그는 병사들이 동요하고 있음을 알고 있었다. 믿을 수 없는 것이 인간의 마음이라지만 막상 현종이 개경을 포기하고 피난하기로 하자 관료와 병사, 하인이 다 달아났다. 심지어 서경에서 자신과 함께 싸웠고 서경에 입성해서 강화파를 제압하고, 항복사절을 살해하는 데 앞장섰던 최창도 달아났다. 기군장군 이원은 김훈과 함께 완항령에서 영웅적인 활약을 보였다. 곽주성 함락 때도 살아났고, 서경에서 벌인 임원역, 마탄 전투에서도 함께 싸웠다. 용감하고 능력 있는 장수라고 여겼는데, 그도 달아나 버렸다.

　신하와 병사들의 동요도 동요지만, 더 큰 걱정은 현종이었다. 지채문은 개인적으로 현종을 좋아했다. 젊은 국왕의 마음 속에 엄청난 불안감이 잠재해 있고, 자신까지 신뢰하지 못하고 있다는 사실을 알고 있었지만, 현종의 불행한 과거를 생각하면 이해할 수도 있는 일이었다. 그 같은 역경과 불안정한 심리에도 불구하고 현종은 이성과 자제력을 유지하고 있었다. 보통 사람이 그런 고생을 하면 성격과 정서가 이상해지기 십상이다. 그러나 현종은 적어도 지금까지는 이겨내고 있었다. 과연 제왕의 혈통은 다르다는 생각이 들었다. 가까이서 보면 현종에겐 늘 그늘이 있었지만, 관료와 병사들 앞에서는 위엄과 확신에 찬 태도를 잃지 않았다. 관료와 병사들을 불신하면서도 그들의 말을 들을 줄 알았고, 합리적이고 정확한 결정을 내리곤 하였다. 그것이면 충분하지 않은가? 지채문은 자신이 제대로 섬길 만한 주군을 만났다고 생각하였다. 그러나 세상의 모든 일에는 한계라는 것이 있는 법이다. 현종의 저 놀라운 자제력도 지금은 한계점에 달해 있었다.

두 달 전에 있었던 강조의 패전은 최악 중의 최악이었다. 고려군 주력 30만을 이끌고 북상한 강조는 통주성에서 거란군과 정면대결을 벌이다가 군대를 몰살시키고, 자신마저 사로잡혔다. 지채문은 도저히 그 상황을 이해할 수 없었다. 농성전으로 나가도 충분한 전쟁에서 성급하게 정면대결을 펼친 것도 그렇지만, 바로 뒤에 통주성이란 요새지를 두고 단 한 번의 전투로 주력군을 궤멸시켜 버린다는 것은 일부러 하려고 해도 쉽지 않은 일이었다.

강조의 패배는 정치적으로도 묘한 상황을 불러왔다. 지채문은 현종이 강조를 좋아하지 않는다는 사실을 알고 있었다. 그러나 어찌 되었든 강조는 현종을 국왕으로 옹립한 인물이었고, 실질적인 후견인이었다. 강조의 죽음으로 현종은 강조로부터 벗어날 기회를 얻었지만, 동시에 그의 왕위를 지탱해 주던 힘도 같이 사라졌다. 거기다 수도마저 버린 자신들은 이제 일개 피난민의 행렬에 불과했다. 누가 스스로 왕이 되겠다고 나설지, 누가 배신을 할지 알 수 없는 상황이었다.

거란군의 추격도 보이지 않는 위험이었다. 그들은 맹렬한 속도로 내려오고 있었지만, 거란군의 동향에 대한 첩보는 끊긴 지 오래였다. 왕비와 시녀까지 데리고 가는

여의나루와 단조역. 여의진은 적성읍에서 20리, 단조역은 10리로 표기되어 있다. 『1872년 지방지도』 경기도 적성현

피난행렬은 느릿느릿했다. 지채문은 서경에서 거란군의 속도와 왕성한 활동력을 이미 체험한 바 있었다. 언제 거란군의 기마가 불쑥 나타나 행렬의 뒤를 덮칠지 알 수 없는 상황이었다.

　마을이 점점 가까워져 오고 있었다. 팽팽한 긴장감과 불안감이 함께 엄습해 왔다. 그렇게 그들은 미지의 운명 속으로 걸어들어 갔다. 서기 1010년 11월, 거란과의 전쟁이 시작된 지 17년째가 되는 해였다.

　임진강을 건넌 현종 일행은 적성현 읍치에서 동쪽으로 10리쯤 떨어진 단조역(丹棗驛)의 역관으로 들어갔다. 임진강 나루에서 제일 유명한 곳이 장단의 여의진과 고량포다. 여의진을 건너면 단조역을 지나 파주로 바로 빠지고, 중류 쪽으로 조금 더 올라가 고량포를 건너면 칠중성이 있는 적성 읍내를 지나 양주와 파주로 가는 갈래길이 나온다. 남쪽으로 내려가려 면 여의진을 거쳐 파주로 내려가는 길이 빠르므로 현종은 이 루트를 택했던 것이다.

현종 일행이 단조역에 들어섰을 때 왕을 맞이해야 할 적성의 군사와 역졸들이 화살을 겨누고 나타났다. 모두가 순간적으로 얼어붙었는데, 지채문이 주저 없이 그들을 향해 돌진하며 말 위에서 연속사격을 가했다.

순식간에 서너 명이 쓰러졌고, 놀란 무리들은 사방으로 도망쳤다. 이들이 왕의 행차를 약탈할 욕심에 자신들끼리만 모여 공격을 감행한 것이 다행이라면 다행이었다. 하지만 그들이 동조자를 끌어 모아 다시 공격할 수도 있었으므로 왕의 행렬은 휴식을 포기하고 길을 재촉했다.

원래 계획대로라면 파주로 가야 했지만, 한 번 공격을 받은 그들은 길을 돌려 양주로 향했다. 적성의 서쪽은 감악산에서 소요산으로 이어지는 산지라 좁고 험한 고개를 지나야 한다. 현종 일행은 이곳에서 또다시 매복공격을 받았다.[66]

이번에도 지채문이 선두에서 활을 쏘며 분전하여 길을 뚫었다. 현종 일행은 임진강을 건너자마자 두 번의 전투를 치르고, 산과 고개를 넘어 근 10km를 행군하여 겨우 양주현에 도달했다. 이때가 오후 4시 쯤이었다.

지친 몸을 이끌고 마을로 들어가는데, 여기서도 낯선 무리들이 나타났다. 이번에는 적성에서보다 병력도 많고 얼핏 보아도 훨씬 조직적이었다. 무리를 이끄는 자는 복장으로 보아 이 지역의 향리고, 병사들은 그 휘하의 사병과 주민들 같았다. 그는 당당하게 왕의 행차 앞으로 나서서 왕은 내가 누구인지 아느냐고 소리쳤다. 현종은 아무런 대답도 하지 않았다. 묻지 않아도 대답은 뻔했다. 백제나 신라의 후예라고 하거나 강조의 정변 때 숙청당한 누구의 일족이라고 하겠지. 어느 쪽이든 그는 현종의 사과나 변명을 유도해 냄으로써 주민들 앞에서 자신을 과시하거나 계략을 걸어보

단조역에서 양주로 가는 고갯길. 그림 좌측의 갈짓자로 그려진 길이다. 현종은 단조역에서 바로 위쪽(남쪽)으로 뻗은 파주길로 가지 못하고 서남쪽으로 우회하여 산을 넘어 양주로 빠졌다. 『1872년 지방지도』 경기도 적성현

려는 의도일 것이다.

대치 상태가 계속되었다. 이번의 적은 만만치 않아 지채문도 돌파를 감행할 수가 없었다. 다행히 적도 공격해 오지는 않았다. 정면공격을 할 때의 희생을 부담스러워하는 것 같았다. 조금 후에 적측에서 향리 복장을 한 사람이 나오더니 하공진이 부대를 이끌고 곧 도착할 것이라고 소리쳤다. 이 한 마디에 현종 일행은 동요하기 시작했다.

하공진이라면 목종이 가장 신임하던 무장으로 목종의 침전을 경호했던 인물이다. 강조가 군대를 이끌고 개경에 입성했을 때 그는 친종장군이던 유방, 유종(柳宗), 동료 중랑장으로 나중에 서경에서 비겁하게 도주하는 탁사정과 함께 강조 편에 붙었다. 그렇게 해서 현종의 옹립에 공을 세우기는 했지만, 현종 측에서는 그의 선력을 늘 껄끄러워하였다.

그러던 차에 강조에게 협력한 대가로 화주(和州 : 함흥)의 수비대장으로 영전한 유종이 이 해 5월에 화주를 방문한 여진인 95명을 제멋대로 학살해

버린 사건이 발생했다.[67] 사건을 조사한 결과 예전에 하공진이 무단으로 동여진을 공격했다가 패한 적이 있다는 사실이 드러났다. 유종도 그 공격에 가담했었고, 그 화풀이를 사절단에게 해버린 것이었다.

정부에서는 이 사건을 빌미 삼아 껄끄러운 하공진과 유종을 섬으로 유배했다. 그런데 사건은 여기서 끝나지 않았다. 유종의 만행에 분노한 여진은 거란에게 복수를 부탁했고, 뜻하지 않게 여진과의 동맹을 성사시킨 거란은 고려를 침공하였다. 거란은 이번 침공에서 강조의 정변을 이유로 내세웠지만, 사실 이 전쟁을 발발시킨 결정적인 계기는 화주에서의 여진족 학살사건이었다.

이처럼 하공진은 목종의 경호대장 출신인데다가 거란 침공의 구실을 제공한 인물이었다. 거란이 고려를 침공하자 현종은 하공진과 유종을 복직시켰지만, 개경까지 함락 일보직전에 몰린 상황에서 전쟁이 끝나면 무슨 추궁을 당할지 알 수 없는 상황이었다. 그런 그가 지금 부대를 끌고 현종이 있는 곳으로 달려오고 있다는 것이다.

"하공진이 무엇 때문에 이리로 오는가?" 그래도 무언가 미심쩍다는 생각을 떨칠 수 없었던 지채문이 반도에게 되물었다. 즉시 대답이 왔다. "채충순과 김응인을 잡으러 오는 중이다." 이 한 마디 말이 일말의 의혹을 확신으로 바꾸었다. 채충순은 현종을 목종의 후계자로 현종을 추천했던 인물이고, 김응인은 강조의 부하로 그 날 신혈사에서 궁으로 호송해 왔던 인물이다.

여기저기서 웅성거리는 소리가 커졌다. 이들은 단순한 폭도가 아니다. 하공진은 역쿠데타를 일으켰고, 이 무리들은 하공진과 미리 공모하고 현종 일행을 묶어 두고 있는 것이다. 하공진의 부대가 도착하면 이들은 바로 공격을 개시할 것이다.

일행 중에 있던 김응인과 그의 부하들은 더 큰 공포에 사로잡혔다. 더 늦기 전에 결단을 내려야 했다. 김응인과 낭장 국근이 순식간에 도주했다. 가뜩이나 50명밖에 안 되는 부대에서 장수와 낭장, 병사 일부가 이탈하여 버렸다.

밤이 되자 반도들은 공격을 시작했다. 공격을 개시했다는 것은 하공진 부대가 도착했다는 의미가 아닐까? 그나마 남아 있던 관원과 시종들도 공세가 시작되자 마구 달아났다. 지채문은 얼마 남지 않은 병사를 이끌고 고군분투하였다. 지채문은 개인적인 용맹도 뛰어났지만 전투경험도 풍부했고, 병사들은 훈련이 잘 된 근위병들이었다. 병력수는 적어도 빠른 판단과 적절한 지휘로 효과적인 대응을 했다. 반면에 공격해 오는 적은 마구잡이고, 전술적이고 절제된 움직임을 보여주지 못했다.

방어전을 성공적으로 수행하면서 지채문은 반도들이 훈련된 군대가 아니라고 확신할 수 있었다. 그러나 그렇다고 안심할 수는 없었다. 이리떼와 약탈자는 시간이 지날수록, 상대가 약해질수록 계속 불어나는 공통점이 있다. 이 자리에서 계속 공격을 받다간 결국엔 지쳐버릴 것이다.

제대로 된 군대라면 예비병력을 두었을 것이고, 탈출을 방지하기 위해 요소요소에 경계병을 배치했을 것이다. 약탈자 집단이라면 약탈물에 눈이 어두워 있을 테니 예비대로 처져 있을 놈도 없고, 내일의 공격을 포기하고 밤새도록 이들을 감시하는 업무에 체력을 낭비하려고 하지 않을 것이다. 그러므로 감시병을 배치했어도 수도 적고, 잠이 들어버릴 가능성도 높았다.

지채문은 적들이 오합지졸이라고 확신하고, 병력을 분산해서 탈출하기로 결심했다. 잠이 들었어도 경계병이 아예 없지는 않을 것이므로 작은 단위로 나누어 일시에 탈출하기로 했다. 집결지는 남쪽 북한산 중턱에 있는 도봉사였다.

두 왕비는 북문으로 보내고, 자신은 직접 왕의 말고삐를 잡고 남쪽으로 빠져나갔다. 현종과 지채문은 무사히 도봉사에 도착할 수 있었다. 조금 후에 채충순과 승지 충필 등도 탈출에 성공하여 도봉사로 모여들었다.

일행이 집결하자 지채문은 현종에게 자신이 보기에 적들은 하공진의 부대가 아닌 듯하니 자신이 양주로 되돌아가서 상황을 보고 오겠다고 하였다. 의외로 현종은 지채문의 요청을 단호하게 거절하였다. 순간 지채문은 현종의 표정에 절망감과 분노가 교차하는 것을 보았다. 현종은 지채문이 드디어 도망치려 한다고 생각했던 것이다. 이것은 정말로 평소의 현종답지 않은 태도였다. 지채문은 왕이 타인에 대한 불신감을 이렇게 노골적으로 드러내는 경우를 본 적이 없었다.

지채문은 엎드리며 머리를 땅에 박았다. "제가 만일 전하를 저버린다면 하늘이 반드시 벌을 내릴 것입니다. 천지신명께 맹세하오니, 제 목숨이 다할 때까지 전하를 모실 것입니다." 현종은 잠시 머뭇거리더니 입을 열었다. "알았소! 아무쪼록 조심해서 다녀오시오." 지채문은 고개를 들었다. 현종의 눈에서 이글거림이 사라졌다. 담담한 표정과 상념에 빠진 듯한 눈빛은 체념한 듯한 혹은 운명이라면 받아들일 수밖에 없다고 말하고 있는 것 같았다. 지채문은 현종이 자신에 대한 의심을 떨구지 못하고 있다는 것을 느낄 수 있었지만 이상하게도 화가 나지는 않았다. 어쨌든 현종은 다시 한 번 자제력을 회복했고, 올바른 결정을 내렸다. 그것으로 충분하지 않은가.

양주로 가는 길을 되짚어가던 지채문은 도중에 길에 쓰러져 있는 국근을 발견했다. 양주에서 하공진이 온다고 그들을 협박했던 무리들은 주변에 매복해 있다가 도망가는 이들을 습격하여 재물을 몽땅 털어갔다. 예상대로 그들은 도둑떼에 불과했다. 협박을 해서 흩어지게 하고는 각개격파를 했던 것이다.

지채문은 계면쩍어하는 국근을 합류시키고 다시 양주로 향했다. 그때 한 무리의 군대가 그들 앞에 나타났다. 일행의 선두에 서 있는 장수는 낯익은 얼굴이었다. 지채문도 그 장수도 서로를 알아보았다. 지채문은 숨이 멎는 것 같았다. 하공진과 유종이었다. "세상에 저들의 말이 진짜였단 말인가?"

지채문을 만난 하공진은 자신이 반란을 선동한 적이 없으며 진심으로 현종을 찾고 있다고 말하였다. 우연치곤 지나친 우연이라 의심스러웠지만, 지채문은 그를 믿기로 했다. 마침 하공진과 유종은 남쪽으로 도주하던 중군 판관 고영기와 패잔병 20명을 만나 함께 데리고 왔으므로, 지채문은 그들을 인솔하고 양주에 들어가 잃어버린 말 15필과 안장 10개를 되찾아 돌아왔다.

현종을 배알한 하공진은 거란에 화친을 제의하자고 건의했다. 거란군도 어려운 상황이니 적당한 명분을 주면 물러날 것이라는 것이 그의 판단이었다. 그리고 자신이 사신이 되어 거란 진영으로 가겠다고 자원하였다. 고영기도 하공진과 함께 가겠다고 자원하였다. 현종으로서는 오랜만에 보는 사나이다운 장군들의 모습이었다.

잔인했던 1010년 12월의 마지막 날 하공진과 고영기는 거란 진영을 향해 출발했고, 현종은 남쪽으로 떠났다. 양주에 들어선 하공진 일행은 양주읍에서 거란군의 선봉부대와 맞부딪혔다. 현종은 빨라야 이제 겨우 한강을 건너고 있을 것이다. 하룻길도 안 되는 거리였다. 하공진의 출발이 하루만 늦었어도 거란군은 현종 일행을 발견했을 것이다.

국왕의 위치를 묻는 거란군에게 하공진은 국왕은 이미 강을 건너 멀리 갔으며, 강 남쪽은 수만리나 되어 간 곳을 모른다고 둘러댔다. 거란군은 추적을 포기하고, 하공진 일행을 데리고 본대로 돌아갔다. 그들이 정말로 하공진의 말을 믿었는지는 알 수 없으나 그들도 내심 강화사절이 반가웠을 것이다.

폐허가 된 만월대. 만월대는 여러 차례 불탔다. 거란군에 의해 불탄 폐허도 이와 같은 모습이었을 것이다.

2. 두 사람의 영웅

현종이 악전고투하며 도주로를 열어 가고 있는 동안 거란군의 본대는 1011년 정월 초하루에 개경에 입성했다. 날짜치고는 공교로운데, 입성날짜를 일부러 맞춘 것 같다. 신년은 온 세계 모든 민족의 명절이고 유목민족도 예외는 아니다. 새로운 통치가 시작되었음을 알리고, 신년과 개경입성을 함께 기념하기 위하여 거란군은 도성의 모든 것을 불사르고 약탈했다. 왕건이 후삼국을 통일하면서 수집해 놓은 삼국의 보물과 고려 전기의 역사, 문적이 한순간에 사라졌다.

하지만 여기까지가 끝이었다. 거란 성종은 고려의 강화제의를 받아들여 철병을 허락했다. 현종을 코앞에서 놓치는 바람에 그들은 마지막 전략적 목표를 상실했다. 더 이상 전쟁을 계속할 여력도 없었다. 이미 그들이 지나온 길은 초토화되어 있었다. 개경에서 약탈한 물자는 그들에게 주어진 마지막 보급품이기도 했다.

현종은 적성과 양주에서의 위기를 무사히 넘겼으나 곤경은 여기서 끝나지 않았다. 나주까지 이어진 현종의 피난길은 악전고투의 연속이었다. 양성(경기도 안성)에 도달하사 현종은 두 왕후를 고향으로 보내려는 생각까지 하였다. 그러나 지채문이 강하게 반대하여 무산되었다.

> 사산현(蛇山縣 : 충청남도 직산)에 이르렀을 때 지채문이 문득 기러기 떼가 논에 내린 것을 보고 왕의 마음을 위안시키자는 생각으로 말을 달려 나가니 기러기떼가 놀라 하늘로 날아올랐다. 지채문이 날아오른 기러기를 조준하여 자기 몸을 제치며 올려 쏘니 활시위 소리와 함께 화살 맞은 기러기가 떨어졌다. 이것을 본 왕은 대단 기뻐하였다. 지채문은 말 등에서 내려 그 기러기를 집어 왕에게 드리면서 "이런 활 잘 쏘는 신하를 두셨으니 도적이 있은들 무슨 걱정이 있으리까"라고 하니 왕도 크게 웃으면서 그를 칭찬하였다.[68]

그러나 웃음은 잠깐이었고, 하루하루 행군의 고통과 불안감은 커져만 갔다. 중간중간에 개경과 궁성이 재로 변했고, 하공진은 거란군에게 체포되어 갔다는 소식이 들려왔다. 불길한 소식이 전해질 때마다 수행하는 관원과 병사와 시종들은 웅성거렸고, 밤이 되면 몇 명씩 도주하곤 하였다.

고을에 도착해도 아전들이 달아나 끼니를 굶는 적도 있었다. 천안을 지나서는 끝내 두 왕후 중 현덕왕후를 고향인 경상도 선산으로 돌려보냈다. 현덕왕후는 그때 만삭의 몸이었다.

여양현(전북 익산 여산면)에서는 수행에 지친 병사들이 반란을 일으키려고 하는 것을 벼슬을 주어 무마했다. 전주 부근의 삼례역에 유숙할 때는 전주 절도사 조영겸이 이 지역에 파견되어 있던 전운사, 순검사와 함께 반란을 일으켜 왕을 납치하려고 하였다.

조영겸이 왕을 그곳에 붙잡아 놓고 왕을 끼고 호령하려는 야심을 품고 전운사(轉運使) 이재(李載)와 순검사(巡檢使) 최즙(崔楫), 전중소감(殿中少監) 유승건(柳僧虔) 들과 공모하고 갓에다 흰 깃발을 표식으로 꽂고 북을 치고 함성을 올리면서 다가오므로 지채문이 사람을 시켜 문을 닫고 단단히 지키니 적들이 감히 들어오지 못하였다.

왕과 왕후는 말을 탄 채로 역(驛)의 청사(廳事)에 있었고 지채문은 지붕으로 올라가서 묻기를 "너희들이 왜 이러느냐? 유승건이 거기 있느냐?"고 외치니 적들이 "왔다"고 대답하였다. 계속하여 "너는 누구냐?"고 다시 물으니 적도 "너야말로 누구냐?"고 반문하는 것을 지채문이 다른 음성으로 꾸며서 대답하였으나 적이 알아차리고 지 장군이라고 지껄였다. 지채문이 그의 음성을 듣더니 "너는 친종마(親從馬) 한조(韓兆)로구나!"하고 지목한 다음에 이어 왕의 명령으로 유승건을 부르니 유승건이 말하기를 "그대가 나오기 전에는 내가 들어갈 수 없다"고 대답하였다. 이에 지채문이 문 밖으로 나가 유승건을 데리고 왕 앞으로 가니 유승건이 울면서 말하기를 "오늘의 일은 조영겸이 꾸민 것이오, 저는 알지 못합니다. 청컨대 왕명을 받들고 조영겸을 불러오겠습니다"라고 하므로 왕이 이를 허락하였더니 유승건이 밖으로 나가서 그만 도망쳤다.

왕이 양협을 시켜 조영겸과 이재를 불렀는데 그가 오자 장병들이 모두들 죽이려 하자 지채문이 소리쳐서 제지하고 그 두 사람을 시켜 대명왕후가 탄 말을 몰고 가게 하다가 얼마 후에 전주로 돌려보냈다.[69]

이 기사는 조금 애매하게 되어 있다. 조영겸 등이 역사를 공격했으나

지채문의 분전으로 방어를 뚫지 못했고, 반군의 사기가 위축된 틈을 타 지채문이 역으로 반군세력의 일부를 회유하여 조영겸 등을 체포하였던 것 같다.

지채문은 조영겸을 반인질로 삼아 전주를 벗어났다. 이렇게 남하에 남하를 거듭한 끝에 옛날 태조의 영지요, 장화왕후의 고향인 나주에 도달했다. 고려 왕실과의 특별한 인연 덕분에 나주민은 고려 왕실에 대해 호의적이었다. 그리고 이곳에서 비로소 현종은 거란군이 물러갔다는 보고를 받았다.

1011년 1월 11일, 개경에서 10일간 휴식을 취한 거란군은 회군을 시작했다. 지치고 힘든 와중에도 고려인 포로 수만 명을 납치해 갔다. 청천강까지는 그럭저럭 무사히 갔던 것 같다. 고려군의 병력이 모조리 청천강 이북에 집중되어 있었기 때문이다.

6일 후인 1월 17일 거란군이 귀주에 나타났다. 개경에서 이곳까지는 도로사정을 고려하면 실거리로는 300km는 족히 되니 하루에 거의 50km의

5 장 운명의 주인

귀주성의 남문 진남루. 현존하는 문은 조선시대에 증축한 것이다.

행군을 한 셈이다. 이미 여러 번 감탄했지만 정말 대단한 기동력이 아닐
수 없다. 그러나 이 수치는 이들이 하루를 편안히 쉴 만한 곳이 없었다는
의미도 된다. 거란군에게 끌려가는 고려인들에겐 참혹한 재앙이었다.

더욱이 이들은 자신들이 내려온 곽주─통주로 거쳐가는 해안길이 아니라
귀주를 통과하는 내륙길을 택했다. 이곳은 산악지형으로 해안길에 비해
몇 배는 더 험한 곳이다. 거란군이 혹한기에 이 통로를 택한 이유는 잘
알 수가 없다. 통주에 있는 고려군 부대가 부담스러웠을 수도 있고, 성을
공략할 여력이 없는 이상 주변의 민가를 약탈하며 지나가야 하는데, 그들이
쓸고 내려온 통로는 이미 초토화되어 있다는 것도 이유의 하나였을 것이다.

1월 17일, 귀주에 주둔하고 있던 별장 김숙흥(金淑興)과 중랑장 보량(保良)
은 거란군이 지쳤음을 알고, 공격을 감행하여 거란군 1만 명을 죽였다.

1만 명 사상이라면 본대는 최소한 3만~5만 이상은 되었다고 보아야 한다. 거란의 1로군 병력이 5만~7만이었는데, 그동안의 전투로 인한 손상을 감안하면 김숙흥은 거란의 1로군 정도를 요격했던 것 같다.

거란의 주력부대가 귀주길을 통해 압록강으로 접근한다는 소식을 듣자 양규도 움직이기 시작했다. 양규와 김숙흥은 사전에 연락이 있었던 모양으로 북쪽과 남쪽에서 동시에 거란군을 강타하기 시작하였다. 흥화진을 나선 그는 무로대(無老代)에서 적을 기습하여 2천여 명을 죽이고, 적에게 납치된 포로 3천어 명을 탈환하였다. 무로대는 처음 거란군이 고려침공을 시작했을 때, 흥화진을 공략하지 못하자 후위대 20만 명을 남겨두었던 지역이다. 말하자면 고려 침공을 위한 베이스 캠프 같은 곳이었다. 거란군으로서는 귀환을 눈앞에 둔 장소에서 고려군의 기습을 받았다.

이때부터 양규는 흥화진에서 귀주로 향하는 길을 거꾸로 따라가며 전투를 전개하고, 김숙흥은 김숙흥대로 귀주에서 흥화진 쪽으로 거란군을 추격했다. 이때 흥화진 주둔부대는 둘로 나뉘었는데, 주력부대는 흥화진사 정성이 인솔했고, 양규는 정성보다 앞서서 거란군을 공격했다. 정황으로 보아 양규는 이때도 기병이 중심이 된 소수 정예의 강습부대를 이끌었던 것 같다. 병력은 알 수 없지만, 곽주성을 공격할 때 거느리고 갔던 700명이 주축을 이루는 부대였을 것이다. 거란군은 후퇴하고 있고, 싸울 의욕도 없었던 만큼, 정예 기병대로 최대한 몰아붙이며 요격하려는 작전이었다.

『손자병법』에 후퇴하는 적은 쫓지 말라는 금언이 있지만, 이 말은 조심해서 적용해야 한다. 실제 전투에서는 적이 후퇴하고 이 적을 추격할 때가 전투의 정점이다. 이때에 가장 많은 살상이 일어나므로 적에게 최대의 타격을 줄 수 있는 순간이기 때문이다. 그리고 이 살상이 기병의 주임무다. 그런데 이때의 고려군으로서는 거란군에 대해 특별히 가혹한 징벌을 내릴 필요가 있었다. 앞으로 거란이 함부로 고려를 침공하지

183

5장 운명의 주인

못하게 하려면, 이 기회에 최대한의 타격을 입혀야 했다. 가장 격렬하게 싸워 최대한의 타격을 입히는 것이 전쟁을 빨리 종식시키고, 인명피해도 최소화하는 길이다.

그런데 이런 목적이었다면 옛날 살수에서 고구려군이 수의 후위군을 전멸시켰듯이 적이 도강하기를 기다리다가 적절한 병력이 강 이편에 남았을 때, 병력을 집중해서 공격하는 방법이 교과서적이며 효과적인 방법이다. 그러나 양규는 그렇게 하지 않고 소수의 기동부대로 쉬지 않고 거란군을 찾아 공격하는 방식을 택했다.

양규는 이수(梨樹)에서 거란군을 공격하고, 석령(石嶺)까지 추격하여 적병 2천 5백여 명을 살해하고 고려인 1천여 명을 탈환했다. 3일 후에는 여리참(余里站)에서 세 번이나 전투를 벌여 적군 1천여 명을 죽이고, 포로 1천여 명을 탈환했다.

이상의 전과에서 양규의 의도가 드러난다. 양규는 거란군을 타격할 뿐만 아니라 그들이 끌고 가는 고려민을 최대한 구해 내려고 했던 것이다. 포로는 값비싼 전리품인 만큼 거란군의 단위 부대별로 배속되어 있었을 것이고, 귀주에서부터 여러 번 패전한 거란군은 여기저기 단위부대별로 흩어져 압록강을 향해 왔을 것이다. 그는 이런 부대들을 최대한 찾아내어 공격하고, 빠르게 추격하여 거란군이 포로를 버리고 도주하게 하였다. 여리참에서 세 번이나 전투를 벌였다는 것도, 귀주에서부터 쫓겨온 거란군 부대를 발견하는 대로 공격했기 때문일 것이다.

양규가 전투를 벌인 지역은 정확하지 않은데, 거란군이 귀주에서 무로대 쪽으로 진군하고 있었으므로 흥화진에서 귀주 쪽으로 가는 길목에서 전투를 벌인 것으로 보인다. 이 부대는 1월 17일 귀주에서 김숙흥 군에게 당한 1로군의 선발대와 본대였을 가능성이 높다. 그리고 이 1로군은 성종이 인솔하는 거란군 본대에 앞서 파견한 선봉부대였을 것이다. 두 장군은 거의 동시에 무로대와 귀주에서 거란군을 치고, 분산하여 도주해 오는 나머지 부대들을 차례로 소탕했던 것이 아닌가 한다. 여리참 전투로 거란군의 선봉대는 거의 궤멸 당했을 것이다. 그리고 이 전투 중에 혹은 이 전투 후에 양규는 귀주에서부터 거란군을 몰아온 김숙흥군과 합류하였다.

1월 28일 새로운 거란군 부대를 발견했다는 보고가 들어왔다. 양규와 김숙흥 부대는 애전(艾田)에서 이 부대를 요격하여 다시 거란군 1천여 명을 살해하였다. 애전의 위치 또한 명확하지 않다. 김정호가 제작한 『동여도』에 의하면, 영변 철옹성 부근과 곽주 북쪽에 애전현이라는 고개가 있다.

그러나 이때의 주 전투지역은 흥화진과 귀주 사이였는데, 영변은 이곳과 너무 떨어져 있다. 다만 여리참 전투와 애전 전투 사이에 3~4일의 간격이 있다면, 곽주 북쪽의 애전현까지의 이동은 가능한 거리다. 만약 전투지가 이곳이라면 고려군의 저항에 직면한 거란군의 본대가 귀주길로 가지 않고 다시 곽주 쪽으로 이동했고, 양규도 그들을 따라 내려왔다는 가정이 성립한다. 그러나 바로 다음 날 거란군이 압록강을 도하해서 회군했다는 내용이 나와서, 아무래도 이곳은 거리 상으로 너무 멀다. 정황으로 보건대, 애전은 귀주에서 흥화진 사이 압록강에 가까운 지역일 가능성이 크다.

양규와 김숙흥 부대가 합류하여 애전에서 한바탕 신나는 전투를 벌인 직후에 성종이 이끄는 거란군 본대가 불쑥 나타나 이들의 앞을 가로막았다.

보통 사람들은 전쟁에서 통신이 얼마나 중요한 것인지를 모른다. 무선통신 장비를 갖추지 않은 군대는 눈을 가리고 장기를 두는 것과 같다. 그렇기 때문에 20세기 이전의 전쟁에서는 아군과 적군의 위치가 늘 오리무중이었다. 이동 중에는 그럭저럭 연락을 취한다고 해도, 막상 전투가 시작되고, 분 단위로 상황이 바뀌는 상황에서 이 같은 불확실성은 수많은 우연과 특별한 승리를 낳았다.

팀웍이나 전술운영능력이 형편없던 1차 십자군이 도릴레움(Dorylaeum)

전투에서 투르크군에게 대승리를 거둔 것도 불멸의 나폴레옹이 워털루에서 어이없이 패하고 말았던 것도 부대 이동상황을 놓쳤던 결과였다. 그래서 전쟁사를 잘못 공부하면 역사는 아이러니 투성이요 사소한 사건과 우연이 인류의 운명을 바꾼다고 생각하기 십상이다. 그러나 그러한 우연도 알고 보면 그 시대의 과학수준이 낮은 필연의 하나다.

전쟁 마지막 날에 양규 부대는 거란의 대군에게 포위되었다. 이곳의 위치와 지형을 알 수 없어 단언할 수는 없지만, 우리 나라는 산이 많고 산줄기가 이어져, 사면으로 완전히 포위할 수 있는 곳이 거의 없다고 보아도 된다. 그러므로 장수가 달아나려고 마음만 먹으면 어떻게든 달아날 수 있다. 대신 적의 전사자보다 아군의 전사자가 월등히 많아지고, 덧없는 손실을 각오해야 한다. 양규와 김숙흥의 부대원들은 그것을 용납할 수 없었던 것 같다. 아니면 구출한 포로들이 도망갈 시간을 벌어주려고 했을지도 모른다. 진정한 정예부대원들만이 가질 수 있는 자부심으로 그들은 전투를 택했고, 화살이 떨어질 때까지 싸우다가 전군이 장렬하게 전사하였다.

거란군은 줄기차게 그들을 괴롭히던 양규 부대를 드디어 제거하였지만, 회군길의 역경은 아직 끝나지 않았다. 압록강을 눈앞에 둔 지점에서 계절에 어울리지 않게 며칠씩 비가 내렸다. 한겨울 북부지방에서 내리는 비는 눈보다도 더 무섭다. 밤이 되면 모든 것이 얼어붙고, 비에 젖은 병사들은 피부까지 얼어버린다. 말과 낙타들도 체력이 한계에 달했다. 도강지점에 거의 다다르자 그들은 모든 장비에 병기까지 버리고 강을 향하여 달리기 시작했다.

그러나 이 도강지점에도 고려군이 대기하고 있었다. 양규 부대의 뒤에 있던 흥화진군 본대였다. 양규 부대의 전멸은 흥화진에 남아 있던 병사들에게 감동과 비애를 함께 안겨주었을 것이다. 흥화진사 정성은 비분에 찬

도릴레움(Dorylaeum) 전투

1097년 7월 콘스탄티노플(이스탄불)을 떠난 십자군은 지금의 터키령인 소아시아에 상륙했다. 십자군은 보헤몽이 지휘하는 북쪽 종대와 고드프리드 부이용이 지휘하는 남쪽 종대로 분리해서 진군했는데, 거칠고 제멋대로였던 이 기사들은 서로 간에 연락이나 위치 파악도 제대로 않고 제각기 부대를 진군시켰다. 7월 1일 도릴레움에서 보헤몽의 부대는 투르크군과 부딪혔다. 보헤몽은 급하게 연락병을 파견하여 고드프리드의 부대에 응원을 청하게 했다. 그러나 전술의 기본 법칙도 모르고, 제멋대로 행군한 관계로 그들은 고드프리드 부대가 어디 있는지 알지 못했다.

십자군보다는 전술적으로 잘 정제되어 있던 투르크 기병들은 덩치만 큰 십자군의 약점을 확실히 파악하고, 십자군의 주변을 돌면서 화살을 날렸다. 그들은 경무장을 해서 빨랐으므로 중무장한 십자군 기사들은 그들을 추격해도 따라잡을 수가 없었다. 십자군은 이러지도 저러지도 못한 채 빗발치는 화살공격에 허무하게 쓰러져 갔다. 승리를 확신한 투르쿠 군은 부대를 나누어 한 부대에게 보급물자와 짐을 지키고 있던 보병대를 공격하게 했다. 이들은 보병을 유린하고 물자를 약탈하고, 비전투원들을 살육하기 시작했다.

십자군의 상황이 절망적이 되어 갈 무렵, 갑자기 고드프리드 부대가 근처 산등성에 나타났다. 사실 그들은 10킬로미터쯤 떨어진 곳에 있었는데, 연락병들이 그들을 찾아내는 데 5시간이나 걸렸던 것이다. 그나마 이들과 연락이 닿았던 것이 기적이었다. 십자군이 제멋대로 움직인 탓에 투르크 군도 고드프리드 부대에 대해서는 전혀 대비가 없었다. 이 기막힌 우연으로 투르크 군은 꼼짝없이 두 부대 사이에 끼어, 더 이상 히트앤드런 전술을 사용할 수 없게 되었다. 경무장의 투르크 전사들은 중무장한 기사들의 칼과 창 앞에 완전히 무력하였다. 이 어처구니없는 승리로 인해 투르크 군은 사기가 크게 떨어졌고, 십자군은 소아시아를 완전히 점령하고, 지금의 이라크와 레바논을 거쳐 예루살렘까지 진군할 수 있었다.70)

눈 덮인 압록강 나루와 의주성 통군정. 이곳에서 거란군은 큰 희생을 치렀다. 필자미상, 「의주통군정 도」, 『관서십경도병』

군대를 이끌고 도주하는 거란군의 후위를 습격했다. 교과서적인 방법대로 정성은 거란군이 반쯤 도강할 때까지 기다렸다가 남은 거란군에 대해 맹공을 가했다. 『고려사』는 이때의 상황을 다음과 같이 묘사하였다.

> 정성이 뒤따라가서 (거란군) 후위를 맹렬히 추격하였다. 거란군이 물에 빠져 죽은 자가 매우 많았다.

『고려사』는 서술방식이 극히 짧고 간결해서 수식어나 부가적인 표현을 거의 하지 않는다. 그러나 그렇다고 감정과 상황 묘사까지 아예 포기한 것은 아니다. 짧고 간결할 뿐이다. 그러므로 이런 역사책을 읽을 때는 수식어 한마디 한마디를 음미할 필요가 있다. 이 기록에서는 "맹렬했다"는 한 마디를 넣었다. 흥화진 부대의 특별하고 맹렬했던 공격, 이 한 마디에서 양규 부대의 전몰이란 비보에 접한, 정성과 흥화진 군민, 그리고 양규에게 구출된 포로들의 비감과 감동을 느껴보자.

이 전투를 끝으로 거란의 2차 침공은 종료되었다. 거란군은 전쟁 초기에 놀라운 기동력과 세련된 부대 운영으로 고려의 수도까지 침공하여, 여러 차례 큰 승리를 거두었다. 그러나 압록강 이남에서 단 한 개의 성도 자신의 영토로 만들지 못했다. 그들이 기대하는 고려 정부의 분열도 발생하지 않았다. 오히려 거란의 침공과 강조의 사망은 현종의 입지를 강화시켜 주는 결과를 낳았다.

거란은 개경을 불사르고 약탈했지만, 그들 자신도 큰 피해를 입었다. 전투 기록에 나타난 손실만도 3만은 되니, 실제 공성전, 동상, 병으로 입은 사상까지 합치면 그 피해는 아무리 적게 잡아도 5만은 상회할 것이다. 20만이던 침공병력의 1/4 이상을 잃는 큰 손실을 치르고도 거란은 단 한 개의 성도 차지하지 못했다.

여기에는 양규와 흥화진 수비대의 공이 제일 컸다. 압록강 교두보의 첫 번째 지점인 흥화진을 점령하지 못함으로써 거란군은 그 후에 점령하거나 항복한 성이나 마을을 하나로 잇는 선, 즉 영역을 확보할 수 없었다.

겨우 하나 확보한 곽주성도 양규가 탈환하는 바람에 거란군은 중간보급 기지를 상실했다. 그들은 개경을 함락했지만 현종을 놓쳤고, 압록강에 도달했을 때는 탈진상태가 되었다. 고려군은 지친 거란군을 요격하여 수만 명을 살상할 수 있었다.

거란과의 전쟁은 이후 근 20년이나 계속되었지만, 이때의 침공군의 규모가 가장 크고 위협적이었다. 그러나 고려는 아슬아슬하게 이 위기를 넘겼다. 아쉽게도 최고의 용장인 양규를 잃었지만, 이때의 전투경험과 실전을 통해

발굴한 젊은 장수들은 이후의 대거란전에서 소중한 자산이 되었다.

3. 그 후의 이야기

지채문은 현종에게 한 맹세를 끝까지 지켰다. 전란이 끝난 후 현종은 그를 표창하며 진심어린 감사를 표했다. 현종의 신뢰를 한 몸에 받은 그는 정2품으로 상서성의 재상인 우복야까지 승진했다가 현종 17년(1026)에 사망했다.

흥화진을 사수하고, 곽주를 탈환하여 거란군을 고립시키고, 회군하는 거란군을 공격하여 무려 3만의 포로를 구출했던 양규는 사후에 공부상서를 추증받았다. 양규의 아내 홍씨에게는 종신토록 매년 벼 100섬을 주게 하고 아들 양대춘은 교서랑으로 임명했다. 양규와 함께 전사한 김숙흥에게 는 장군직을 추증하고 그의 모친에게 매년 벼 50섬을 주게 하였다.

현종 10년에 현종은 두 사람을 공신으로 삼았다. 15년에는 삼한후벽상공 신이라는 공신호를 추증했다.[71] 삼한벽상공신은 고려를 건국한 태조가 건국공신에게 내린 공신호이니, 후벽상공신이라고 한 것은 건국공신과 다름없는 공을 세웠다는 의미였다. 문종은 두 사람의 초상을 공신각에 봉안하게 했다.

양규는 비운의 죽음을 맞았지만, 대신 양규의 아들 양대춘은 크게 출세를 해서 안북대도호부사를 거쳐 재상까지 되었다. 그도 문무를 겸한 인재여서 국가와 신하들의 신뢰를 얻었는데, 그의 일생 동안은 고려가 평화와 안정을 누려 장수로서 활약할 기회는 가지지 못했다.[72]

강화사절이 되어 거란의 진영으로 찾아간 하공진은 강화조약을 성립시 킴으로써 자신의 마음 속에 있던 짐을 덜었다. 그러나 거란의 성종은 하공진과 고영기를 돌려보내지 않고 거란으로 데려갔다. 하공진은 거란에서도 능력을 발휘해서 성종의 총애를 받았고, 거란 귀족의 딸과 결혼까지 하였다. 성종 개인적으로 하공진이 마음에 들었을 수도 있고, 다시 고려를 침공했을 때 친거란 정권을 세우기 위해 고려인 협력자를 양성하려는 의도였을 수도 있다.

신임을 얻은 하공진은 탈출을 기획했다. 그는 비밀리에 말을 사 모아 고려로 가는 길목 요소요소에 배치했다. 말들을 차례로 갈아타며 고려로 탈출하려는 계획이었다. 그러나 너무 서둘렀던 것 같다. 성종의 신임을 받았다고 해도 거란에서 살게 된 지 1년도 되지 않았기 때문이다. 그는 계획이 누설되어 체포되었다. 성종은 그를 아껴 다시 한 번 회유하려 하였으나 하공진은 당당하게 이를 거부하고 처형되었다. 1011년 12월이었다. 그가 죽자 거란병사들이 달려들어 그의 심장과 간을 꺼내 먹었다.[73]

하공진의 동료였던 유종과 양주에서 한 번 도망쳤던 김응인은 다시 현종을 수행하며 남행길에 참여했지만 천안에서 끝내 도망치고 말았다.[74] 그 후 두 사람의 소식은 사료에 전하지 않는다.

현종을 옹립하는 데 공을 세우고, 몽진길에서도 지채문과 함께 현종을 끝까지 호종했던 채충순은 귀경 후에 이부상서와 참지정사를 거쳐, 내사시랑평장사까지 올랐으며, 신하로서 최고의 영예인 유충진절위사공신(惟忠盡節衛社功臣)의 칭호를 받고, 제양현 개국남으로 책봉되어 식읍 300호를 받았다. 현종 12년에는 다시 보국공신이 되고, 제양현(濟陽縣) 개국자(開國子)로 책봉되어 식읍 5백 호를 받았다. 그는 현종이 부모를 위하여 세운 현화사의 비문을 썼고, 판서경유수사를 역임한 후 정종 2년에 사망했다.[75]

대도수를 희생시키고, 서경에서 비겁하게 도망쳤던 탁사정은 전쟁이 끝나자마자 어사중승이 되고, 한 달 후에 우간의대부로 승진했다. 간의대부는 조선시대로 말하면 사간원의 관원으로 임금에게 간쟁을 하는 언관이다. 따라서 무장을 임명하기에는 곤란한 자리인데, 권력기반이 약했던 현종은

현화사비(왼쪽)와 측면 용무늬 부조(오른쪽)

가능한 한 이들을 용서하고 우대하였다. 서경전투에서 활약했지만, 개경에 돌아온 후 현종을 버리고 도망쳤던 최창도 복직했던 것 같다. 그러나 조금 후 현종은 이들을 박승·위종정·강은과 함께 강조의 당이라는 이유로 숙청하여 섬으로 유배하였다.76)

대도수를 위시하여 거란으로 끌려간 발해 유민들은 옛 발해의 영토에 정착하였다. 19년 후인 1029년(현종 20) 동경사리군상온(東京舍利軍詳穩)으로 있던 발해 왕족 대연림(大延琳)이 반란을 일으켜, 흥요국(興遼國)을 세웠다. 여기에는 고려에서 끌려간 발해인들도 분명 참가하였을 것이다. 그들은 여진과 동맹을 맺고, 고려에 사신을 보내 원병을 청하였다. 그러나 이들은 다시 한 번 배신을 경험해야 했다. 현종은 이 부탁을 거절했다. 이후에도 그들은 몇 번이고 사절을 보내 원병을 청하였으나 고려는 끝내 거절하였다. 발해 유민들로서는 고려가 원망스러웠겠지만 고려도 긴 전쟁에 지칠대로 지쳤고, 흥요국의 힘도 신뢰할 수 없었을 것이다. 실제로 다음 해 8월에 흥요국은 요의 침공을 받아 멸망하였다.

현종은 1012년 2월 말에 개경으로 돌아왔다. 하지만 그의 고난은 여기서 끝나지 않았다. 그의 앞에는 아직도 무수한 역경과 전란이 기다리고 있었다. 그러나 한 가지 분명히 달라진 사실이 있었다. 드디어 그가 자기 운명의 주인이 되었다는 것이다. 그는 비로소 진정한 국왕이 되었다. 그것은 이제부터는 그가 자신과 국가의 운명에 대해 책임을 져야 한다는 사실을 의미하는 것이기도 하였다.

6장 최후의 승자

1. 교착되는 전쟁

전투에서 용기가 차지하는 배점은 몇 점이나 될까? 지금 이 순간 이 물음은 소배압에 겐 질문이 아니라 시험이었다. 용기는 그의 장점이었다. 과감한 결정과 신속한 행동으로 그는 여러 차례의 전쟁에서 승리와 명성을 얻어 왔다.

황제는 이번에 그에게 다시 고려 정벌의 책임을 맡겼다. 황제가 그를 부른 이유는 거란과 고려와의 전쟁이 지루한 소모전 양상을 띠기 시작하고 있었기 때문이다. 1010년의 원정 이후로 거란군은 특별한 승리를 거두지 못하고 있었다.

소배압은 그간의 전황을 검토하고는 전쟁이 소모전으로 변한 것은 당연하다는 결론을 내렸다. 거란군은 요새화되어 있고, 병력도 집중되어 있는 북계의 요충들만 골라서 공격하고 있었다. 거란군은 1011년에 당한 공포 때문에 강동6주의 성을 그대로 남겨 둔 채 감히 그 남방으로 진격할 생각은 하지 못하였다. 그래서 지금까지 17년간 흥화진과 통주성을 비롯한 강동6주의 성에만 집착했고, 이 성들을 확보하지 못했기 때문에 청천강 이남으로는 진출해 보지 못하였다.

거란군이 그 이상 남하하지 못하자 고려는 점점 교만해졌다. 휴전기간 동안 거란은 강동6주를 내놓으라고 여러 번 요구했으나 고려는 들은 척도 하지 않았다. 그럴 만도 했다. 1010년 침공 이후 거란은 여러 차례 고려를 침공했지만 딱 한 번 곽주성을 함락시켜 보았을 뿐이다. 그러니 고려가 스스로 물러날 리 만무했다. 마침내 고려는 거란 사신을 억류하기도 하고, 1016년부터는 송의 연호를 다시 사용하기 시작했다.

소배압은 지금 같은 전투방식으로는 상황을 바꿀 수 없다고 단정했다. 새로운 발상이 필요했다. 여기까지 상황을 정리한 소배압은 개경 직공이라는 놀랍고도 대담한 계획을 세웠다. 18년 전 그는 성종과 함께 개경까지 진출하여 그곳을 불태우고 돌아왔다. 하지만 그 원정은 잘못된 점도 많았다. 무려 40만이란 대군을 동원했는데, 40만이란 대군은 고려의 성을 하나 하나 떨구며 영토를 잠식해 가는 작전을 전제로 한 병력이었다. 그러나 당시 거란군은 공성전과 전격전을 어정쩡하게 병행하다가 20만 대군을 전격전으로 전용했다. 그 척박한 땅에서 현지보급으로 전격전을 수행하기에는 병사가 너무 많았고, 전격전과 공성전을 병행하는 통에 성 하나도 떨구지 못하고, 원정기간만 길어져 병사들은 탈진해 버렸다.

그 길고 힘들었던 전역이 다른 장수들로 하여금 전격전 수행을 꺼리게 만들었지만, 소배압은 그때의 경험을 통해 적정수의 병력을 단기간에 운용한다면 현지조달 방식으로도 작전을 수행할 수 있다는 가능성을 보았다.

병사들이 전투력을 보존할 수 있다면 고려군을 두려워할 필요는 없다. 정규전에서 고려군은 거란군의 상대가 되지 못한다. 그 동안에 당한 패배는 병력을 분산, 운용하다가 기습을 당하거나, 성을 차지할 욕심에 적의 계략에 말려들거나, 성을 내버려둔 상태에서 진군하다가 후방기습을 당한 경우였다. 1011년 회군길에 입은 손실은 병사들의 탈진도 탈진이지만, 지리에 익숙치 않아 부대가 심하게 분산되었기 때문이었다.

이젠 거란군도 고려의 지리에 대해서는 훤하였다. 매복과 후방기습은 충분히 경계하고 전술적으로 잘만 대응하면 얼마든지 방지할 수 있다. 1015년의 전역이 좋은 사례다. 이 해의 침공에서 야율세량과 소굴열군은 후위 기습으로 일관하는 고려군을 역공하여 고려군 지휘관을 살해하거나 체포하는 전과를 거두었다.

　적정수의 병력으로 전격전을 편다는 방침을 세운 소배압은 최정예군인 황제의 친위군을 주축으로 한 10만 대군을 동원했다. 기왕에 대담한 기습을 하는 참에 공격시기도 한겨울인 12월로 정하였다. 대규모 원정군은 전통적으로 겨울에 소집하는 것이 상례였지만, 개경 직공이란 의도를 숨기려는 목적도 있었다. 1010년 이후로 거란은 겨울에 고려 땅을 침공하는 것조차도 삼가 왔기 때문이다. 거란이 대대적인 공격을 가할 기세를 보이면 고려는 더더욱 북계에 병력을 집중할 것이고 평남 이남은 무방비 상태가 될 것이다.

　이상이 소배압의 대담한 구상이었다. 그러나 이 구상은 작전 초기에서부터 어긋나 버렸다. 흥화진성을 우회할 때에 소배압의 예상을 깨고, 고려군이 대대적인 공격을 가해 온 것이다. 거란군은 고려군의 매복과 수공작전에 걸려 커다란 피해를 입었다. 소배압의 고민은 여기서 비롯되었다. 피해를 무시하고 진군하자니 위험부담이 더 커졌다. 하지만 좋은 점도 있었다. 예상대로 고려군이 북계에 병력을 집중한 것은 분명했다. 더욱이 이런 상태에서 남하를 감행하리라고는 더더욱 생각지 못할 것이다.

　전황표 상으로만 보면 1012년부터 1017년까지 거란과 고려와의 전쟁은 일진일퇴였다. 물론 거란이 고려를 일방적으로 침공한 것이므로 굳이 따지자면 고려 측이 당하는 입장이었고 패전도 여러 번 당했지만, 거란군도 침공의 성과물은 하나도 거두지 못했다. 예를 들면 1014년 10월 거란군의 상온 소적열(蕭敵烈)은 1010년의 침공을 교훈삼아 흥화진을 우회하여 바로 통주성을 쳤다. 그러나 양규를 대신한 고려군의 장수 정신용(鄭神勇)과 주연(周演)이 흥화진에서 출병하여 거란의 뒤를 공격, 거란군 700명의 머리를 베고, 다수의 병사를 익사시켰다.[77] 현종은 이 승리를 축하하여 정신용을 대장군으로 승진시키고, 장교와 병사 1만 5천 명의 관등을 올려주는 획기적

통주(선천) 전경. 통주는 고려의 방어거점인 동시에 최대의 격전지로 대여섯 차례의 침공을 받았다.

인 포상을 실시했다.[78]

　다음 해인 1015년 9월 거란군은 같은 방법으로 통주를 공격했다. 정신용
도 다시 출동하여 거란군의 배후를 쳤다. 묘하게도 이때도 전과는 거란군
700명이었다. 이전과 똑같은 방식으로 거란군 후위의 부대를 공격했던
것 같다. 하지만 이건 큰 실수였다. 거란군은 이번에는 대비를 해서 대장군
정신용 이하 별장 주연, 산원(散員) 임억(任億), 교위(校尉) 양춘(楊春), 대의승
(大醫丞) 손간(孫簡), 태사승(太史丞) 강승영(康承穎) 등이 전사하는 큰 피해를
입었다.[79]

　흥화진군을 격퇴한 거란군은 통주성을 버려두고 안주성(당시 명칭은 영주)
을 공격했다. 하지만 안주성은 흥화진이나 통주보다도 공략하기가 더
어려운 성이었다.
　거란군은 단지 이틀을 공격하고 발길을 돌렸다. 대장군 고적여(高積餘)가
후퇴하는 거란군을 쫓았다. 그러나 거란군은 이번에도 고려군의 작전을

개경 나성. 사람들에게 양산을 들려 산에 오르게 한 후 이들을 움직여 보며 성 쌓을 자리를 정했다고 한다.

읽었다. 거란군의 역습으로 고려군은, 고적여와 소충현(蘇忠玄), 고연적(高延迪), 산원 김극(金克), 별장 광참(光參) 등 지휘관이 다수 전사하고, 병마판관과 녹사가 포로로 잡혀가는 피해를 입었다.[80]

1016년에는 야율세량(耶律世良)과 소굴렬(蕭屈烈)의 부대에 곽주성이 또다시 함락되어 고려군 수만 명이 살상되었다. 거란전쟁 중 강조군의 패배에 다음 가는 큰 손실이었다.[81] 하지만 거란군의 곽주 점령은 이번에도 잠시로 끝났다. 전체적으로 따지자면 고려군이 좀더 큰 피해를 입었으나 거란도 아무런 소득이 없었다.

전황으로만 보면 고려는 거란의 침공을 그럭저럭 막으며 버텨 가고 있었다 하지만, 고려의 내부를 들여다보면 사정은 힘들고, 버겁고 복잡했다. 첫 번째 걱정은 전비였다. 당시까지도 고려는 전국을 커버할 수 있는 제대로 된 지방행정망도 없었다. 그러니 조세징수나 병사징발 같은 것이 효율적이고 공정하게 이루어질 수가 없었다. 근본적으로 나라를 안정시키려면 국가의 기초를 닦아야 했다. 현종은 집권 초에 전국 75개로에 안무사를 파견하였다. 상주 지방관이 없으니 일단 순회관이라도 파견해서 행정망을 확보하려는 의도였다.

그러나 이처럼 왔다가 목적만 달성하고 가는 관리를 운영하면 결국은 부정이 늘고, 지방민의 불평만 늘어 갈 것이다. 국가를 제대로 운영하려면 먼저 행정망을 갖추어야 한다. 그러나 쉬운 일이 아니다. 요즘도 행정구역을 개편하려면 지방마다 엄청난 반발과 이견이 쏟아진다. 전 국가적으로 지금까지 없던 행정구역을 깔고 정리하는 일은 이보다 몇 십, 몇 백배는 더 많은 반발과 수고를 감수해야 한다.

행정망을 깔려면 재정도 팽창한다. 지방관을 파견하려면 파견하는 관리의 녹봉만 해도 막대한 비용이 든다. 그들을 맞아들이고, 모셔야 하는 지방의 부담도 이만저만이 아니다. 어느 사회든지 전에는 들지 않던 새로운 비용을 갹출한다는 건 만만한 일이 아니다.

현종은 거란과 일진일퇴의 공방전을 계속하면서 이 어려운 일을 수행하였다. 그리하여 거란의 3차 침입이 있던 1018년 무렵에는 전국의 행정망을 경(京) 4개, 목(牧) 8개, 부(府) 15개, 군 129개, 현 335개, 진(鎭) 29개로 편제하고, 이 중 1/3 가량의 군현에 지방관을 파견하였다. 이 행정구역은 나중에 명칭이 변하고 개편되기는 하지만 조선시대까지도 우리 나라 군현제의 기본 골격을 이루었다.

이런 상황에서 고려는 불탄 개경을 복구하고, 궁성을 새로 건축하고, 개경의 성곽을 다시 쌓았다. 1011년에 불탄 궁궐은 현종 5년(1014)에 다시 준공했다. 강감찬의 건의로 개경 방어를 강화하기 위해 외곽을 감싸는 나성의 축성에도 착수했다. 너무 큰 공사여서 거란전쟁이 종결되고 나서야 완성하지만, 어쨌든 현종은 이런 사업을 쉬지 않고 진행 했다.

이 모든 일에는 재정지출이 필요하였는데, 여기에 전비도 계속 증가하였다. 거란의 침공에 대비하기 위해 북계에만 10만 이상의 병사를 상주시켜야 했다. 거란은 거의 2년에 한 번 꼴로 침공해 왔다. 전비 지출도 문제지만 계속되는 전쟁으로 인한 희생과 후유증도 작지 않았다. 북계의 병사들은 전력적으로 열세임에도 불구하고, 성 밖으로 출격하여 기습과 매복, 유격전을 벌이며 필사적인 방어전을 수행하고 있었다. 그러나 전쟁이 계속되면서 유능한 장수와 병사들의 희생도 늘어 갔다.

장군과 병사들의 노고와 공적이 커지는 것과 비례해서 무장들의 불만도 커져 가기 시작했다. 무장들의 입장에서 보면 그들은 나라를 지켜야 할 의무만 있지, 통치에 참여할 자격은 없었다. 무장에 대한 보수와 예우도 열악했다. 정부도 입장이 곤란했다. 전쟁을 수행하는 데도 많은 비용이 들지만, 전몰자와 유공자에 대한 보상과 포상 역시 수도 없이 늘어났다. 현종대에는 최고 1만 5천 명에서 수천 명의 군인을 한꺼번에 포상하곤 했다.

하지만 재정이 부족하니 이들에게 만족스런 보상을 해줄 수가 없다. 관직이나 관등으로 포상하는 방법이 있지만, 포상자가 늘어나면 이것도 인플레가 되어 가치가 떨어지고, 한 번 관직을 얻은 사람은 더 높은 자리를 꿈꾸게 된다. 이런 욕구를 국가가 다 채워줄 수가 없었다.

특별한 공적을 세운 장수들은 자신의 대우에 대해 불만을 품기 시작했다. 유능하고 양심적인 관료라면 이런 문제를 빨리 파악하고 해소하려고 노력

강감찬은 본관이 금주(衿州)로, 금주는 지금 서울 관악구와 광명시로 나뉘어
있다. 강감찬은 현재의 관악구 봉천동에 있는 낙성대에서 태어났다고 하는데,
그가 태어난 날 하늘에서 큰 별이 떨어졌다고 해서 낙성대란 이름이 붙었다.
낙성대는 개경에도 있었다. 강감찬의 집이 있던 동네를 개경 사람들이 낙성대라고
불렀다. 그곳은 궁성 남쪽 양온방으로 태평관 근처였는데, 여기서는 서울의
낙성대와는 반대로 강감찬이 사망할 때 별이 떨어졌다는 전설이 있다.
부친 강궁진(姜弓珍)은 태조를 섬겨 삼한벽상공신(三韓壁上功臣)이 되었다.
성종 때 과거에 장원급제하였다. 거란의 2차 침공 때 강조군이 패하자 고려는
항복을 하려 하였다. 이때 강감찬이 극력 반대하여 현종을 피난하게 했다.
거란은 전쟁을 오래 끌지 못한다는 것이 그의 판단이었는데, 그 판단은 정확했다.
전쟁이 끝난 후 강감찬은 이부상서, 서경유수, 내사문하평장사를 역임했다.

낙성대

이때 임명장에 현종이 친필로 "그때 강공의 전략을 채용하지 않았더라면 온 나라가 모두 호복을 입을 뻔했다."는 글을 적어서 내려주었다

소배압의 침공 때는 서북면 행영도통사가 되어 고려군을 총 지휘하여 귀주대첩을 이끌어 내고, 거란전쟁을 종식시켰다. 전후에 천수현개국남(天水縣開國男)으로 봉해지고, 추충협모안국공신(推忠協謀安國功臣)이 되었다.

현종 21년에 최고 관직인 문하시중이 되었고, 덕종은 그를 개국후로 올리고 기존의 공신호에 봉상(奉上)이란 명칭을 더해 주었다. 1032년에 84세로 사망했다.

강감찬은 체구가 작고 용모도 보잘것없고 평소에는 의복에도 신경을 쓰지 않는 인물이었다. 사람들은 평소에 그를 특별하게 여기지 않았으나 국사를 결정할 때는 태도가 당당하고 의지가 분명하여 범접할 수 없는 위엄과 권위가 있었다고 한다.

현재 낙성대의 그의 출생지에는 비가 세워져 있으며 1974년에 별도로 기념관인 낙성대를 짓고, 그 안에 강감찬을 추모하는 사당인 안국사를 건립했다.

했겠지만, 신하들 중에는 그렇지 못한 사람도 있었다.

정권 기반이 약했던 현종으로서는 신진세력을 등용하거나 유능한 인재를 채용하는 데에도 제약이 있었다. 그래도 이 시대의 인물들을 보면 현종은 전쟁 수행 중에 공을 세운 인재를 알아보고 최대한 등용하고 있었다. 그래도 이 정도로는 불만을 잠재울 수 없었다. 또한 현종으로서는 자신과 관련이 있거나 오래 수행해 온 인물들을 우선적으로 중용할 수밖에 없었다. 정변과 전쟁이 이어져 신하 중에는 유공자도 갈수록 증가했다. 그 중에서도 충성스럽고 양심적이고, 능력 있는 사람은 우선적으로 최전선으로 내보내야 했다. 판단력이 정확하고, 통솔력 있는 재상 강감찬도 현종 집권 초기에

동북면에 파견하여야 했다. 거란도 거란이지만 여진족의 동향도 심상치 않았기 때문이다.

흥화진에서 전사한 대장군 정신용도 사후에 현종이 유족에게 각별히 대접한 것을 보면 현종과 관계가 돈독한 장수였던 것 같다. 그러다 보니 오히려 후방에는 작은 공을 믿고 뻐기거나 완전히 신뢰하기에는 무언가 부족한 사람들이 남았다.

1014년 드디어 대형사고가 터졌다. 오늘날의 청와대 보좌관에 해당하는 중추원일직사로 있던 황보유의는 강조의 쿠데타 때 신혈사로 찾아와 현종을 궁으로 옹위하여 왔던 인물이다. 가계는 유실되어 알 수 없다고 하는데, 성으로 보아 황주 호족인 황보씨 일가일 것이다.

이 해에 고려는 거란의 침입으로 불탄 궁궐을 새로 지었다. 10월에는 소적열의 통주성 침공이 있었다. 가뜩이나 전쟁으로 재정이 부족한 참에, 궁궐 준공이란 대역사까지 수행하느라 관리들에게 줄 녹봉이 부족해졌다. 황보유의는 중추원사 장연우에게 건의하여 군인들에게 나누어준 영업전을 돌려 관료들의 녹봉을 지급하게 하였다. 쉽게 말하면 무관과 군인들의 봉급을 체불하고 이 돈을 문관들의 봉급으로 돌린 것이다.

변명의 여지가 없는 치졸하고 무모한 조치였다. 군인들의 분노가 폭발했다. 소적열군이 물러간 직후인 11월 1일, 거란전쟁의 영웅인 상장군 김훈과 최질이 호위대의 병사를 부추겨 봉기하였다. 김훈은 완항령에서 거란군을 저지한 장군이고, 최질은 강조군이 궤멸된 후 패잔병을 이끌고 통주성을 지켜낸 공적이 있었다. 전적으로 보아 그들은 책임감 있고, 용기와 리더십이 있는 인물들이었음에 틀림없다. 그렇기 때문에 병사들 사이에 인망도 높았을 것이다.

궁 안으로 쳐들어간 병사들은 황보유의와 장연우를 초주검이 되도록 두들겨 팼다. 이어 왕에게 나가 무장들의 처우개선을 요구했다. 그들의 요구조건은 영업전을 돌려주는 것은 물론이고, 6품 이상의 모든 무관들이 문관직을 겸하게 하라는 것이었다. 현종은 그 요구를 들어주고 황보유의 등을 귀양보냈다.

　100년쯤 지난 후에 발생한 무신의 난에 비하면 김훈 등은 대단히 점잖고 순수했다. 그들은 황보유의와 장연우를 살해하지도 않았고, 무신란의 주동자들처럼 기존의 정치세력을 제거하려 들지도 않았다. 김훈과 최질이 아직 자신들이 정권을 주도하기에는 세력이 미약하고 부족하다고 생각했기 때문인지, 아니면 자신들의 요구가 무엇을 의미하는지 미처 알아차리지 못할 정도로 순진했기 때문인지는 알 수 없다. 그러나 무관들로 하여금 문관직을 겸하게 하라는 요구가 가져올 파장과 변화는 엄청난 것이었다.

　역사가 보여주는 아이러니 중의 하나는 요구와 지향이 정당하다고 해서, 내용과 결과까지 아름다워지지는 않는다는 것이다. 요구와 지향이 좋은 결과를 보려면 그만한 환경과 여건이 갖추어져야 한다. 김훈의 봉기가 그런 사례다. 그들의 분노와 요구는 도덕적으로는 정당했고, 김훈 등도 의기 있고 정의로운 인물들이었던 것 같지만 시대와 내용이 받쳐주질 않았다.

　　현종 5년에 상장군 김훈, 최질 등이 반란을 일으킨 후에 무관들이 정권을 잡은 때로부터 사납고 흉악한 무리가 문관 자리까지 다 차지하고 어중이 떠중이가 대신 줄에 들어앉아 정사가 집중적으로 움직이지 못하고 조정 기강이 한없이 문란해졌다.[82]

　이것은 문관들의 편견에 찬 악평일 수도 있다. 그러나 김훈 등이 스스로 관직을 얻고, 이런 식으로 권력을 획득한 데서 만족해 버린 것을 보면 정치와 권력이 무엇인지, 지배층의 생리가 무엇인지 전혀 몰랐던 것임에 틀림이 없다.

그가 개인적 욕심에서 병사들을 선동했든, 양심과 공의에 밀려 시위대의 대장을 맡았든 간에 그는 순박하거나 어리석었다. 그러니 위의 표현에 과장이 있다고 해도 그와 동료들이 국가운영을 제대로 할 수 없었던 것은 분명하다.

이 무렵 동북면 방어사로 화주(함흥)에서 근무하다가 돌아온 이자림이란 인물이 있었다. 방어사였다고 하지만 그는 장원급제 출신의 문관이었다. 조정의 상황을 본 그는 일직(국왕의 비서관, 조선의 승지에 해당) 김맹(金猛)을 통해 현종에게 한 고조 유방이 운몽(雲夢)으로 놀이 가던 고사를 본받으라는 전갈을 보냈다.

현종은 그 뜻을 알아차리고 이자림을 서경판관으로 임명하여 파견했다. 이자림은 이전에 서경에서 서기로 근무한 적이 있었는데, 그때 서경의 토호들에게서 인망을 얻었다. 정치가나 관료가 신뢰를 얻었다는 것은 신세를 지면 보답을 확실하게 하는 사람이라는 인증을 받았다는 의미다. 그런 신망 덕택에 이자림은 서경인들의 협조를 끌어낼 수 있었다.

고려 정부가 쿠데타와 같은 어려운 상황이 있을 때마다 서경 호족들의 도움을 받고, 정권이 안정되면 슬며시 잊곤 하는 것도 하나의 전통이었다. 그러면 서경은 다시는 협조하지 않을 것 같지만, 그렇지 않다. 얄밉기는 하겠지만, 일시적인 혜택이라도 없는 것보다는 얻는 게 낫기 때문이다. 그래서 백성은 속고 또 속는다. 권력과 정치도 맛을 들이면 심한 중독증상을 일으킨다고 하는데, 이렇게 인간들을 가지고 노는 재미도 중독을 유발하는 요소의 하나일 것이다.

현종 6년(1015) 3월에 현종은 서경으로 행차하여 장락궁에서 연회를

개최했다. 개경에서라면 연회장을 경비하는 병사들이 다 김훈의 편이겠지
만 서경은 사정이 달랐다. 북계 방어의 중심지인 만큼 서경에는 많은
수비대가 있었고, 이들은 서경 호족과 향리의 지휘를 받고 있었다.

　잔치가 무르익고 김훈 등이 만취하였을 때 현종은 서경군을 동원하여
김훈과 최질, 이협, 최가정, 석방현, 이섬, 김정열, 효암, 임맹, 박성, 이상,
공문, 최구 등 19명을 체포하여 처형했다. 이자림은 이 공으로 왕씨 성을
받고 이름도 왕가도로 개명했다.[83]

　현종은 뒷수습도 잘했다. 이들 외에 일가는 한 명도 처형하지 않고

구금했다가 다음 해에 석방했다. 아들과 동복형제들은 고향으로 돌려보내, 영원히 등용하지 않고 대사령이 있어도 이 명령을 풀어줄 수 없다는 처벌을 내리기는 했지만, 반란죄에 대한 처벌이 이 정도면 관대한 편이었다.

무관들의 마음을 풀어주기 위해 대대적인 포상도 단행했다. 특히 전몰자에 대한 예우를 높여 전사한 장군들의 관직을 크게 높이고, 유족들에 대한 보상도 늘리고 자손을 등용했으며, 군공자는 병사들까지 1만여 명씩 포상을 했다. 이런 조치가 손쉬워 보이지만 재정, 관료의 증가, 관등의 인플레 등 여러 사정을 감안해야 하고 부작용도 크기 때문에 효과를 보기가 쉽지 않다. 현종은 전쟁이 지속되고 있는 어려운 상황에서 이런 정책을 아슬아슬하게 펼치면서 나라를 꾸려 나갔다.

현종이 뚫어야 했던 또 하나의 난관은 여진족이었다. 앞에서 살펴보았지만, 거란의 1차 침입 때 거란과 서희가 맺은 조약의 핵심은 고려의 정통성이나 고려가 어느 나라를 계승했느냐는 철학적 논제가 아니라 두 나라가 여진을 협공하고, 빼앗은 땅을 나누자는 것이었다. 이 협정의 결과로 여진족은 서북에서 축출되었다. 하지만 동북, 지금의 함경도 지방에는 동여진이 강한 세력을 구축하고 있었다.

고려에 호감을 가질 수 없었던 이들은 동해 연안을 따라 내려와 고을들을 약탈했다. 1012년에는 경남까지 내려와 지금의 포항 근처인 영일, 장기 지역을 약탈했다. 고려는 이 지역에까지 파견할 중앙군이 없었다. 그렇다면 경상도 지역의 무사와 병사를 동원하여 여진족을 격퇴해야 했다.

그러나 지역군을 징발하여 조직하자니 행정망이 엉망이었다. 당시까지만 해도 군현에 지방관이 있는 곳이 없었다. 2년 전에 현종이 나주로 피난하면서 몇 번이고 죽을 위험을 겪어야 했던 이유도 지방에 국왕을 맞이하고, 수행할 지방관이 거의 없었기 때문이다. 그래서 일국의 국왕도 지방의 토호나 백성의 개인적인 충성과 호의에 기댈 수밖에 없었던 시대였다.

외적이 쳐들어 와 있는 상황에서 토호들과 주민으로 구성된 군대는 자기 고장을 떠나고 싶어하지 않는다. 우선 자기 고향을 지켜야 하기 때문이다. 만에 하나 지휘관이 적의 이동로를 잘못 예측한다거나, 전술적 판단이 조금만 질못된디면 그들은 더욱 비협조적이 될 것이다. 결국 이런 상황에서 지방군을 조직하여 여진족을 격퇴하려면 그만한 정치력과 판단력, 리더십과 군사적 재능을 갖춘 인물을 찾아야 했다. 현종은 1010년 12월 서경공방전 때 공을 세운 강민첨을 적임자로 발탁했다.

강민첨은 진주 출신으로 원래는 과거에 급제한 문관이었다. 의지가 굳고 과감한 성품을 지녔으며, 서생 출신이었음에도 군사에 밝았다. 경상도가 그의 본향이라는 점도 장점이었다. 그는 경상도에 내려가 도부서라는 임시 지역 사령부를 구성하고, 경상도 지역의 군대를 징발하고 독려하여 여진족을 격퇴했다.[84] 이후로 이 전란이 있을 때 지역에 도부서를 설치하여 군을 모집하는 방식이 새로운 전통이 되었다.

1013년에는 여진인이 거란의 향도가 되어 거란군을 끌고 압록강을 도하하려다가 고려군에게 격퇴되었고,[85] 그 밖에도 여러 침략이 있었다. 그러나 여진은 부족단위로 분열되어 있어 행동이 일치하지 않았다. 고려는 국내와 국경 부근에 사는 여진족을 지속적으로 회유하였다. 어떤 부족은 고려군에 가담하여 함께 싸웠고, 거란의 간첩을 잡아 넘겨주거나, 동맹을 맺고 토산물을 바치기도 했다. 국제정세가 요동하는 때에 이들의 다양한 요구를 들어주며, 대응한다는 것이 쉬운 일이 아니었다. 그러나 현종 후반부로 갈수록 점차 고려에 귀순하거나 우호관계를 맺는 여진이 늘어갔다. 외교정책에서도 현종은 위기를 넘기고 안정을 찾아갔다.

2. 결정적 타격

고려도 지쳐 가고 있었지만, 거란도 답답했다. 전쟁을 끝내려면 획기적인 전기가 필요했다. 소배압은 지루한 공방전을 끝내기 위해 고려에 결정적 타격을 가할 구상을 하였다. 그가 구상한 결정적 타격을 위한 작전이란 개경 직공이었다. 1018년 9월부터 거란은 대대적인 침공 준비에 착수했다. 이 달에 전국의 말을 징발했으며, 10월 말에는 고려에 정식으로 선전포고를 하고, 국경의 관리들에세 항복을 권유하는 포고문을 보냈다.

분위기가 심상치 않음을 감지한 고려도 최대한의 준비를 했다. 거란의 2차 침공 때부터 정확한 판단력과 지도력을 보여준 강감찬을 서북면의 최고 책임자로 파견하여 군정과 민정을 총괄하게 했다. 10월에 거란의 선전포고가 도달하자 전시체제로 전환하여 강감찬을 상원수로, 강민첨을 부원수로 임명하고, 안주를 거점으로 해서 20만 8천 명을 북계에 배치했다.

한편 고려침공을 기획하는 소배압의 걱정거리는 흥화진이었다. 이 성은 지난 20여 년간의 전쟁에서 한 번도 함락된 적이 없을 뿐 아니라, 침공 때마다 거란군을 괴롭혔다. 바로 전해인 1017년 8월에도 소합탁이 흥화진을 포위하고 9일을 공격하다가 고려의 장군 견일(堅一), 홍광(洪光), 고의(高義)의 공격을 받아 큰 피해를 입었다. 이러한 흥화진을 그대로 둔 상태에서의 남진이란 허망한 결과를 초래할 뿐이라는 진리는 거란군이나 고려군이나 너무나 잘 알고 있었다.

그러나 소배압은 흥화진을 또다시 우회한다는 결단을 내렸다. 대신 흥화진 앞으로 진출하여 먼저 고려군을 묶어 놓았다. 이것도 예전에 성종이 사용했던 방법 그대로였다. 그 방법은 효과가 있었다. 다만 그때는 봉쇄를 허술하게 하여 양규군의 움직임을 놓친 것이 문제였을 뿐이다.

12월 10일, 흥화진을 뒤로 하고 남행길에 오른 거란군은 흥화진의 동쪽으

백마산성과 동쪽의 강. 이곳 어디에서 고려군이 거란군을 습격했다. 『해동지도』 의주

로 흐르는 하천을 건넜다.

　이 하천은 백마산성의 동쪽에서 남쪽으로 흐르는 고진강(古津江)이었다고 생각된다. 우리 나라의 지세로 보아 이런 하천은 하상의 폭이 대개 20~50m 정도다. 이때가 음력 12월이니 하천은 꽁꽁 얼어붙어 있었을 것이다. 거란군이 한참 도하하고 있을 때 상류에서 물이 내려왔다. 기록에는 기병 1만 2천 명을 선발하여 산중에 매복시키고 굵은 밧줄로 소가죽을 꿰어 성의 동편 대천에서 물을 막고 대기하고 있다가 적들이 왔을 때 일시에 물을 터놓고 한편으로 복병이 돌격하여 대승리를 거두었다고 했다.[86]

　실험을 해보지 않아 알 수 없지만, 소가죽을 엮은 물막이는 물을 막는 데는 성공할 수 있다고 해도 수압을 견디는 데는 한계가 있다. 일단 막고

나서 돌과 나무로 보강을 했다고 해도 작은 보 정도의 물막이 공사라면 모를까, 물이 고이면 터져 버리거나 옆으로 흘러 버리고 말 것이다.

그러므로 이런 공사로 막았다가 내려보낼 수 있는 수량은 한계가 있다. 게다가 타격지점에 도달하는 데도 시간이 필요하다. 이 타이밍까지 맞추면서 물을 내려보내기란 쉽지 않다. 다만 근거리에서 약간만 물을 가두었다가 터뜨리는 경우라 해도, 그 위력은 가볍게 볼 수 없다. 강원도나 충청도의 작은 강가로 캠핑을 가본 사람은 무릎까지만 오는 물에서도 서 있기 어렵다는 사실을 알 것이다. 산악지대의 하천은 경사가 심하지 않고, 수심이 얕아 보여도 물살의 힘은 굉장하다. 그러므로 수량이 적다고 해도 일단 흘러내리는 물에 부딪히면 견뎌내기 힘들다.

그러나 이 같은 수공 자체가 수많은 병사를 익사시키지는 못한다. 하천변에 모래밭이 있다고 해도 우리 나라는 길이 좁아서 병사들이 수십 열 종대로 하천을 건너지는 않았을 것이고, 막았던 물의 수량이 적어서 물이 흘러내리는 시간도 잠시였을 것이다. 기록에도 거란군이 익사했다는 내용은 없다.

따라서 이 수공작전이 사실이었다고 해도, 수공의 목적은 수공에 의한 타격이 아니라 거란군의 분열에 있었을 것이다. 전통적으로 도하지점은 늘 적의 공격목표가 된다. 도강하는 중에는 군대가 물에 의해 분리되기 때문에 공격군은 자신들의 전력 수준에 맞는 병사가 강 이편에 남는 시점을 택하여 적을 공격할 수 있다. 그런데 하천이 얼어버리면 물이 주는 이 장점이 사라진다. 고려군은 하천에 물을 내려보냄으로써 도로로 변한 하천의 기능을 회복시킬 수 있었다.

강감찬은 거란군이 흥화진을 우회할 것을 예상하고 안주에 주둔시킨 고려군의 주력에서 기병을 뽑아 하천변에 매복시켰다. 그리고 짧은 시간이지만 거란군이 분열된 틈을 타서 1만 2천의 고려 기병이 거란군을 덮쳤다.

강감찬 동상

고려군의 의표를 찌르는 빠른 기동에, 빠른 기동과 기습이 장기인 거란군이 거꾸로 당했다. 소배압은 고려의 주력은 남쪽에 있고, 성에 웅크리고 있을 것으로 예상하여 흥화진군의 동향에만 신경을 썼던 것 같다.

거란군의 피해규모는 알 수 없으나 전황으로 보아 거란군은 전력에 상당한 손실을 입었음이 분명하다. 그럼에도 불구하고 소배압은 배짱 좋게 남하를 계속했다. 이건 고려군도 예상치 못한 행동이었다. 거란군은 초전에서 당하기는 했지만 2라운드에서는 멋지게 성공했다. 안주성 이북에 쳐 놓은 고려군의 봉쇄망을 모조리 따돌리고 청천강을 건넌 것이다.

무전도 공중정찰도 없던 시대였기 때문에 군대가 기동할 때는 양동과 기만전술이 필수였다. 적을 발견하고 전령을 보냈다고 해도, 사령부에서는 적이 출현한 지역과 날짜를 계산해서 적의 진출지점을 추산하고, 다시 전령이 도달하는 시간, 전령을 받은 부대가 이동하는 시간을 고려해서 차단점을 정하고, 대응전략을 짜야 한다. 그러므로 적의 진격로를 조금만 오판하게 되면 적을 놓친다.

소배압은 실전경험이 풍부하고 유능한 장군이었고, 그의 부대는 세계 최고의 기동력을 보유한 군대였다. 그는 이 장점들을 최대로 활용하여 2라운드의 승리를 이끌어 냈다. 고려군 사령부가 그의 작전을 알아차렸을 때, 거란군은 벌써 한참 앞서서 남쪽으로 달려가고 있었다. 다급해진 고려군 은 맹추격에 나섰다.

고려군은 부대를 나누어 추격을 개시했다. 부원수 강민첨이 이끄는 부대는 안주에서 하룻길 정도 더 내려간 자주(순천)에서 거란군 한 부대를 따라 잡아 격파했다. 거란군은 서경도 우회하여 서경 동쪽의 강동으로 내려갔다. 그들이 구상한 진격로는 강동-연산-수안-평산-금천-개성 에 이르는 경로가 분명하다.

1010년 서경공방전 때 서경의 병마사로 추대되어 서경을 지켜냈던 조원 은 이때 시랑으로 승진해 있었다. 그는 강동에서 서경을 우회해 가던 거란군을 요격했다. 장소는 1010년 서경전투에서 고려군이 거란군의 역습 에 걸려 패배한 마탄이었다. 당시에도 참전했던 조위는 이곳에서 거란군 1만 명을 사살하여 통쾌하게 그때의 복수를 했다.

1018년의 전쟁에서 거란군은 고려군과 교전할 때마다 패했다. 이것은 지금까지의 전투 양상과는 너무나 다르다. 더욱이 이때의 거란군은 최정예 군이었다. 거란이 최정예군을 동원한 때는 1010년 성종의 친정 때뿐이다. 그 후에는 2진급인 동경군이나 북부의 부족군, 최하급의 한병, 여진족

지친 모습으로 행군하는 거란 기병

혼성부대를 사용했다.

고려군의 선전을 칭찬해 주어야 하지만, 갑자기 거란군이 이처럼 허약해진 이유도 생각해 보아야 한다. 가능한 이유는 두 가지밖에 없다. 흥화진전투에서 큰 손실을 입었다는 것과 그런 상태에서 고려군을 피해 남하하다보니 체력손실이 너무나 컸다는 것이다. 1010년의 침입 때는 무로대에 20만의 후위군을 두었다. 그때도 중간거점을 확보하는 데 자꾸 실패했지만보급이 전적으로 끊어지지는 않았을 것이다.

그러나 이때는 그런 보급기지 하나 없이 자체의 수송부대와 현지조달에의지하며 진군했다. 거란군의 자생력과 현지조달 능력이 아무리 뛰어나다고 해도, 조달을 하려면 시간이 필요하다. 고려군의 추격을 받으며 진군했던거란군에게는 이런 시간이 절대적으로 부족했다. 이런 상태로 혹한기에 행군해야 한다면 병사들의 피로도는 급격히 높아진다.

예상보다 지치고 힘들고, 이미 세 번이나 큰 손실을 입었지만, 소배압은 중단하지 않았다. 희생이 클수록 그것을 만회해야 한다는 강박은 더 커지고, 여기서 그만둘 수 없다는 결심은 더욱 확고해졌다. 도박이고 주식이고 손해를 본 사람이 더 끊기 어려운 법이다.

소배압의 무모하고 저돌적인 진격에 고려군은 또 한 번 당황했다. 강감찬이 마지막으로 거란군의 위치에 대한 보고를 받았을 때는 이미 개경에 접근하기 전에 거란군을 저시할 방법이 없는 상황이었다. 강감찬은 병마판관 김종현(金宗鉉)에게 1만 명을 주고, 무슨 수를 써서라도 거란군을 따라잡으라는 특명을 내렸다.

김종현은 낮과 밤을 가리지 않고 필사적으로 거란군을 추격했으나 거란군은 빠르게 남진했다. 1019년의 설날에 개경 주민들은 신년 축하는커녕 악몽과 노이로제에 시달려야 했다. 거란군이 신년 기념으로 개경을 불태운 지 9년, 겨우 궁을 복원한 지 3년 만에 다시 거란군이 개경에 육박하고 있었다.

1019년 1월 3일 개경 북방 40km 지점인 신은현(신계)에 거란군이 나타났다. 40km라면 거란 기병에겐 하루 여정에 불과한 거리다.

거란의 2차 침입 때 현종은 거란군이 개경 근처에 오기도 전에 도주했었다. 그러나 이번은 그러지 않았다. 현종은 청야전술을 써서 개경 주변을 비우고, 주민을 성 안으로 집결시켰다. 거란군의 전력이 이전에 비해 현저히 약화되어 있었고, 전격전으로 밀고 내려와야 했으므로 이동에 장애가 되는 공성기구도 제대로 운반하지 못했을 터다.

게다가 고려의 구원병이 거란군의 뒤로 바싹 접근하고 있었다. 김종현은 밤낮을 가리지 않고 강행군을 해서 거란군의 후미에 붙는 데는 성공했다. 여기에 천만다행으로 동북면의 증원군 3천 300명이 때맞춰 도달했다.

시가 안쪽에서 본 개경의 정경. 앞에 보이는 성문이 남대문. 현종 당시 외성은 수축하다가 중단된 미완성 상태였다.

거란과의 오랜 전쟁 덕에 고려군의 장수들도 상당히 노련해져 있었다. 거란군이 개경을 목표로 내려간다는 첩보에 접하자마자 고려는 동북면의 병력을 빼내 개경을 구원하게 했다. 이들이 적절한 시기에 도달했다. 현종으로서는 거란군이 쳐들어와도 하루 이틀만 버티면 개경을 사수할 수 있다는 계산이 섰을 것이다.

사실 하루이틀만 버티면 된다고 했지만, 하루이틀을 버티기도 쉽지 않은 상황이었다. 그러나 버티기로 했다. 현종은 지금 다시 개경을 버리고, 이곳이 약탈 당하고 불타게 되면 그 후유증은 걷잡을 수 없다고 판단했던 것 같다. 그리고 지난번 피난길의 기억도 끔찍했을 것이다. 그때는 행운도 여러 번 따랐지만, 이번에도 그런 운이 따라주리라는 법은 없다. 그래서 그는 우리 나라 군주들에게서는 찾아보기 힘든 용기로 최후의 시련에 맞섰다.

이 배짱이 소배압의 결단을 꺾었다. 마지막 날을 하루 남겨 놓은 지점에서 소배압의 용기가 마침내 꺾였다. 예전에 개경에 입성해 본 적이 있던 그는 개경은 전투 없이 점령할 수 있다고 생각했을지도 모른다. 그래서

통덕문. 황성의 서문으로 도찰현에 있었다. 『1872년 지방지도』 경기도 송도

여러 차례의 손실과 혹한으로 인한 전력약화를 감수하면서도 개경으로
일로매진했을 가능성도 있다.

　그러나 현종은 도주하지 않았다. 개경은 항전태세를 갖추었고, 잘못하면
앞뒤로 적을 맞아야 할 상황이었다. 개경 공략에 성공한다고 해도, 병사들의
희생이 크다면 배후에 있는 고려군을 뚫고 귀환하기는 불가능하다. 흥화진
이나 내구산, 마탄에서의 패배가 없었더라면 혹은 그 중 한 개만 없었더라도
소배압은 희생을 감수하고 결전을 택했을 것이다. 그러나 이미 그들은
더 이상의 손실은 감당할 수 없는 전력의 한계점에 도달해 있었다.

　그렇다고 그냥 물러설 수도 없었다. 소배압은 최후의 도박을 했다. 그는
야율호덕(耶律好德)을 개경 통덕문에 파견해 철군하겠다고 통보했다.

그리고 몰래 척후기병 300명을 금교역까지 파견했다. 『고려사』 기록에는 이렇게 되어 있는데, 척후기병 300기로 할 수 있는 일이 무엇이었을까? 거란군의 장기는 기습과 교란이다. 철수하는 척 등을 보여 적을 끌어내서 공격하는 작전도 자주 썼다. 소배압의 친절한 철군통고는 유도작전이었던 것 같다. 척후기병의 임무는 후퇴하는 적을 타격하기 위해 출동하는 고려군을 정탐하거나 개경에서 출동하는 군대를 보고, 개경의 병력규모를 알아볼 심산이었다고 생각된다.

그런데 사실 더 섬찟한 내용은 그 다음의 기사다.

우리가 군대 백 명을 출동시켜 밤을 타서 습격하여 그들을 죽여 버렸다.[87]

이 기사는 승전보지만 내용을 뜯어보면 적병 300기가 접근하자 100기를 내보내 야간기습으로 전멸시켰다는 내용이다. 앞에서도 말했지만 거란의 선봉군은 최정예의 용사로 뽑았다. 특히 이 중대한 시기에 선발한 척후기병이라면 정예병으로 선발하는 선봉군 중에서도 정예를 엄선했을 것이다. 고려는 이들을 상대하기 위해 겨우 100기를 출동시켰다. 당시 개경의 수비 병력이 얼마나 부족했는가를 알 수 있다. 서긍의 『고려도경』에 의하면 전성기의 개경에는 늘 3만 명 정도의 수비대가 있었다고 한다.[88] 그러나 이때의 고려는 수도에 3만이나 병력을 남겨둘만큼 여유가 없었.

개경에서는 거란군의 의도를 눈치채거나 의심했을 것이고, 적의 척후대가 접근할 것도 예상했던 것 같다. 병력이 부족한 상태에서 부대를 편성해서 내보낼 수도 없고, 그렇다고 적이 철군한다는데도 성문을 굳게 잠그고 들어앉아 있으면, 우리가 이 정도로 약하다고 스스로 자인하는 일이 될 것이다.

여건이 어려우면 모험을 해야 한다. 개경은 고심 끝에 특전대를 뽑았다.

개경에는 최소한 국왕의 경호대와 근위병은 있었을 것이다. 조선시대도 그렇지만 국왕과 궁궐을 경호하는 무사는 적어도 일선부대의 중견장교나 군관이 될 수 있는 용사들을 뽑았다. 그래서 수도의 무사들은 수는 적어도 질은 높았다. 고려정부는 이들로 특전대를 구성했고, 그들은 특전대답게 정예의 척후기병을 야간기습 작전으로 궤멸시켰다. 한두 명의 생존자야 있었겠지만, 야간기습으로 당했으니 병력규모를 제대로 파악할 수도 없었을 것이다. 아무튼 거란군으로서는 척후대가 전멸했으니 아무것도 알아낼 수 없었고, 다시 무언가를 시도해 보기에는 시간도 없었다.

소배압은 회군을 결정했다. 코앞까지 육박했던 거란군이 단 한 번의 공격도 없이 스스로 물러서자 개경 주민들은 환호하면서 개경의 수호신인 송악의 산신에게 감사를 드렸다. 이 감격 덕분에 그 날 밤 송악의 신이 밤에 수만 그루 소나무로 변하여 사람소리를 내니 거란군이 지원군이 있는 것으로 의심하여 병력을 이끌고 퇴각했다는 전설이 생겨났다.[89]

작전은 총체적인 실패로 돌아갔지만, 그래도 소배압은 노련한 지휘관이었다. 그는 회군길에서도 능력을 발휘해서 북에서 남으로 추격해 오던 김종현의 부대를 다시 피해서 올라갔다. 이때 거란군은 안주-정주-곽주-통주-의주로 이어지는 통상적인 서로를 택하지 않고, 서경에서 개천으로 올라가 영변-태천을 거쳐 귀주로 올라갔다. 곽주-정주길을 따라 내려오고 있는 고려군을 피하기 위해서였을 것이다. 이 기동은 성공을 거두어서 거란군은 절묘하게 고려군을 피했는데, 마지막 순간에 고려군에게 꼬리가 밟혔다. 고려군의 주력을 끌고 남하하던 강감찬이 개천과 영변 부근에서 거란군을 탐지하여 500여 명을 베었다. 전과로 보아 후미의 작은 부대나 후방 척후병과 조우한 것 같다. 그러나 드디어 거란군을 따라잡았다는 사실이 중요했다.

고려와 거란군의 달리기 시합이 시작되었다. 거란군은 영변에서 귀주로

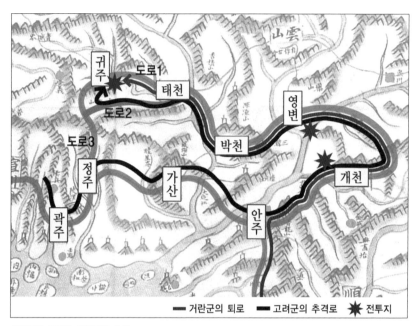

소배압의 퇴로와 고려군의 추격

이동했고, 꼬리를 잡은 고려군은 추적했다. 영변에서 귀주로 가는 가장 빠른 길은 영변에서 태천을 지나 귀주로 가는 길이다.

이때 태천에서 길이 두 갈래로 갈린다. 하나는 귀주로 곧장 올라가는 ①번 길이고, 또 하나는 서쪽으로 나가 정주, 곽산 쪽으로 빠지는 ②번 길이다. 이 길로 가다 보면 중간에 정주에서 귀주로 가는 ③번 길과 만나게 되는데, 여기서 북쪽으로 가면 귀주성이고 남쪽으로 가면 정주, 곽주가 나온다. 그러므로 ②번 길은 의주−귀주로 이어지는 동로에서 의주−통주−곽산으로 이어지는 서로를 연결하는 도로가 된다.

나중에 거란군은 ①번 귀주성 동쪽에서 ②번 길 쪽을 향해 진을 쳤다. 이 형세로 볼 때 강감찬 군은 ①번 길이 아닌 ②번 길로 돌아서 귀주로 올라온 것이 분명하다. 왜 이런 기동을 했을까?

먼저 거란군도 ①번 길을 버리고, ②번 길로 행군했을 가능성이 있다. 소배압은 고려군을 피해 계속 지그재그로 행군했다. 그러므로 태천에서 이들은 바로 귀주로 가지 않고 다시 서쪽으로 방향을 틀어 ③번 길을 따라 내려가 정주−통주로 빠져 해안길로 탈출하는 움직임을 보였던 것 같다. 그런 것이 아니라면 고려군이 거란군의 행로를 짐작하고 미리 귀주성으로 병력을 올려서 거란군을 귀주에서 차단했거나, 거란군이 귀주성 앞에서 남쪽으로 돌아 정주, 곽산으로 탈출하는 것을 막기 위해 혹은 매복과 역습을 우려해서 ②번 길로 돌아서 추격했을 가능성도 있겠다.

소배압이 자신의 명성을 쌓았던 중국의 화북평원이나 만주의 초원지대였다면 거란군의 전격전 내지는 히트앤드런 작전은 충분한 위력을 발휘했을 것이다. 최악의 경우, 이처럼 적군을 피해 달아나게 되더라도 전투를 회피하기는 보다 쉬웠을 것이다. 그러나 고려에서는 사정이 달라진다. 우선 이곳은 산악지형이다. 그래서 부대가 행군할 수 있는 도로가 많지 않다. 그 결과 진로를 쉽게 예측할 수 있고, 교란과 기만작전도 효과가 떨어진다. 이것이 거란군에겐 불행이었다.

1019년 2월 2일 거란군이 귀주성 앞에 이르렀을 때, 드디어 고려군이 거란군을 따라잡았다. 소배압도 더 이상의 도주는 위험하다고 생각하고 결전을 결심했다. 양군은 귀주성 앞 동쪽 들에서 대치하였다.

귀주성 동편에 두 개의 하천이 교차하는 들판이 있다. 『요사』에 다하(茶河)와 사하(蛇河)로 기록된 이 하천은 동문천과 백석천일 것이다. 귀주성 남문 앞에서 왼쪽으로 흐르는 하천이 백석천, 우측 위로 흐르는 천이 동문천이다.

거란군이 이 두 하천을 건널 때에 고려군이 나타났다.[90] 그러니까 거란군이 귀주성을 좌측으로 끼고 들판을 가로질러 북상 하는 중에 고려군이 귀주 들판에 나타난 것이다. 거란군은 부대를 모아 Y자로 갈라지는 하천을 앞에 두고 진을 펼쳤고, 뒤쫓아 온 고려군은 맞은편에 정돈했다.

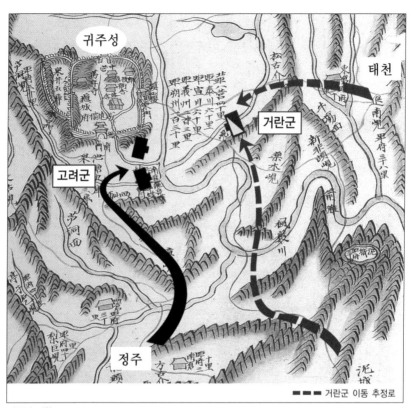

귀주성 전황도 1

팽팽한 긴장이 흘렀다. 1010년 강조와 소배압이 부딪힌 통주성 전투에
다음 가는 양국 군대의 대회전이었다.

여느 때와 달리 고려군은 공격적으로 나왔다. 거란군이 그만큼 지쳐
있었고 손실도 컸기 때문이다. 고려군이 공세로 나올 것으로 짐작한 거란군
은 하천의 교차점을 앞에 두고 진을 쳐서 고려군이 거란군을 공격하려면
두 개의 하천을 건너도록 만들었다.

거란군 진영에서 작전회의가 벌어졌다. 장군들은 고려군이 두 하천을
다 건넌 후에 공격하자고 하였다. 지도상으로 보면 하천 동편으로 좁은

구릉이 형성되어 있다. 이 지점에 진을 치면 귀주성 쪽은 하천이 막고 있고, 동쪽 즉 뒤편은 다시 하강하여 경사면이 형성되어 있다. 야전 상황에서는 수비 측에게 그럭저럭 괜찮은 지점이라고 하겠다.

하천 두 개를 건너고 하천 양편의 사면을 오르내리는 동안 고려군의 움직임은 느려질 것이고 좌우로 벌려 거란군을 포위한다고 해도 하천과 비탈이 장애가 되어 밑에서 위로 공격하는 형상이 된다. 만약 거란군이 고려군을 밀어붙인다면 뒤에 두 개의 하천이 있으니 후퇴도 쉽지 않고, 후위 부대의 기동도 자유롭지 못할 것이다. 여기서 고려군의 주력에 결정적 타격을 가하면 거란군은 보다 안전하게 회군할 수 있다는 계산이었다.

모든 장군들이 이 작전을 지지하는데, 도감(都鑑) 야율팔가만이 홀로 반론을 폈다. 고려군이 도하하면 배수진을 친 격이 되고, 그렇게 되면 고려군은 결사적으로 싸우게 된다. 그러니 차라리 고려군이 두 하천 사이에 있을 때 공격하는 것이 낫다. 즉 양쪽 다 배수진을 치고 싸우자는 것이다.

야율팔가는 상경과 동경유수를 역임한 적이 있는 문신이다. 청년 장수 소배압을 영웅으로 만든 대송전쟁 때 야율팔가는 성종을 따라 참전하여 공을 세웠다. 두 사람이 대송전쟁 때 함께 일했거나 안면이 있었던 것인지는 알 수 없으나 성종은 이번 원정을 추진하면서 당시 추밀원시어(樞密院侍御)로 있던 야율팔가를 도감으로 임명하여 동행시켰다. 문신이지만 재상급의 인물이므로 그의 권위는 높았다.

최고 사령관은 야율팔가의 손을 들어주었다. 이 작전의 잘잘못을 따지기 선에 소배압이 왜 이런 결정을 내려야 했는가를 생각해 볼 필요가 있다. 먼저 배수진을 치면 병사들이 목숨을 걸고 싸우게 된다는 생각은 그야말로 단순한 생각이다. 정말 그렇다면 장군마다 다투어 배수진을 쳤을 것이다.

배수진의 진정한 단점은 대형을 유지한 채 물러설 수 없게 한다는 점이다.

초전에 좀 밀리더라도 훈련이 잘된 군대라면 대형을 유지하며 물러나거나 2선에서 결집하여 방어대형을 새로 편성할 수도 있다. 초전에 좀 밀린다고 반드시 지는 것도 아니다.

더욱이 백병전은 전원 공격, 전원 수비가 아니다. 공세를 취하는 부대가 있고, 수비 위주의 부대가 있다. 예를 들어 수비를 맡은 좌군과 중군이 2선, 3선으로 물러나더라도 버텨준다면, 그 사이에 공격을 담당한 우군이 적의 중군을 무너뜨릴 수도 있고, 공격하던 적이 희생이 커서 공격을 중단할 수도 있다. 전투가 이렇게 끝나면 아군의 희생자 수가 좀더 많다고 해도 패전은 아니며, 패전이라고 해도 최소한의 피해를 본 것이 된다.

그러나 배후에 하천을 두면 이 같은 정연한 후퇴나 이동수비가 방해를 받는다. 더욱이 배수진을 치면 사기가 오르는 것이 아니라 더 떨어진다. 보통의 경우 물러날 곳이 없다는 생각은 병사들에게 더 큰 공포와 불안감을 준다. 병사가 신병이거나 상대편이 주는 위압감이 크다면 그 불안감은 더 빨리 확산된다. 이러한 불안감은 전세가 불리해지거나 어딘가 밀린다 싶을 때 병사들을 더 쉽게 무너지게 만든다. 그리고 배수진을 쳤다고 해서 달아날 곳이 정말 없는 것도 아니다. 뒤는 큰 강도 아니고 수량도 제일 적은 한겨울의 하천이다. 옆으로 달아날 수도 있고, 하천을 건널 수 없으면 얕은 곳을 따라 하천이 흐르는 방향으로 뛸 수도 있다.

병사들이 와르르 무너지기 시작하면 지휘관이 검을 빼어들고, "그렇게 하면 더 많이 죽는다. 진으로 돌아와라"라고 아무리 크게 외쳐도 소용없다. 마이크도 없는 시대에 장군의 절규를 몇 명이나 들을 수 있겠는가? 임진왜란 때 유명한 탄금대 전투가 딱 이런 양상이었다. 조선군이 밀리자 병사들은 대형을 허물고 뒤로 돌아 강물로 뛰어들었고, 조선군이 무너져 등을 보이자 그 뒤는 살육전이었다.

그렇다면 역사적으로 배수진을 쳐서 성공한 사례는 무엇인가? 그건 지휘관의 예술적 판단의 결과다. 배수진만 치면 무조건 병사들이 죽기살기로 싸우게 되지는 않는다. 그 지휘관이 배수진을 통해 병사들의 전의를 극도로 끌어올렸다면 그 자체가 절묘한 작품이다. 배수진 성공사례의 원조격인 한나라 장수 한신이 위대한 이유가 여기에 있다.

한신의 경우도 나는 그의 부대가 5천 명이었다는데 주목하고 싶다. 옛날 기록의 숫자는 믿을 수가 없으므로 실제는 더 적었을 것이다. 밀집대형이 전사에 처음 등장한 청동기 시대부터 보병들의 최대의 미덕은 '자기 위치를 고수하라'였다. 그런데 실제 전투에서 병사들이 동요하지 않고 위치를 지키기 위해서는 동료에 대한 신뢰가 필요하다. 이런 신뢰는 대체로 개인이 아니라 부대 단위로 형성된다. 강력한 훈련은 병사들의 체력과 기능 향상에도 도움을 주지만 부대와 부대원들에 대한 신뢰감을 준다. 특별한 휘장을 부착한 부대, 전투 경험이 있는 부대가 전투도 잘하는 이유는 기능과 능력이 뛰어나기도 하지만, 특수한 혹은 최고의 부대라는 자부심과 명예심, 같이 싸워본 경험이 동료와 부대에 대한 신뢰감으로 연결되기 때문이다.

그런데 이질적인 부대가 함께 전투선에 편성되면 이런 신뢰가 깨진다. 베테랑으로 구성한 분대의 좌측면에 전부가 신병인 분대를 배치했다고 하자. 베테랑 분대도 왼쪽이 불안해서 견딜 수 없을 것이다. 반드시 그렇다고는 할 수 없지만, 전투가 시작되었을 때 왼쪽이 조금만 동요하면 이들도 예전 같은 투지와 용기를 보여주기가 쉽지 않다.

군의 규모가 커졌을 때 휘하의 모든 부대를 베테랑 부대로 편성하기는 불가능하다. 신뢰에 균열이 생긴다. 전사를 보면 몇 십만이니 백만이니 하는 군대가 의외로 쉽게 허물어지는 사례를 곧잘 찾아볼 수 있다. 한신이 5천이 아닌 5만의 부대를 이끌고, 5만의 적과 맞부딪힌 상황이었다면 배수진이 성공할 수 있었을까?

다시 소배압에게로 돌아오자. 야율팔가는 고려군이 배수진을 치게 되면 결사적으로 싸우게 될 것이라고 보았다. 그런 판단을 내린 이유는 현재의 고려군에게는 거란군과 싸워 이길 수 있다는 자신감이 있다고 보았기 때문이다. 이런 자신감은 말로써 만들어 낼 수 없다. 강조군이 대패한 1010년이었다면 소수의 특별한 부대를 제외하고, 고려군이 이런 확신을 가질 수는 없었을 것이다.

그러나 지금은 사정이 달랐다. 그간의 전쟁에서 고려군이 좀 밀렸던 이유는 병력과 병참에서 밀렸고, 늘 먼저 공격을 당해야 하는 입장이었기 때문이다. 양측이 같은 조건이라면 고려군은 군대의 편제도 거란군과 유사했고, 질적으로도 거란에 뒤지지 않는 실력을 갖추고 있었다. 고려 - 거란 전쟁의 초기에는 전투 경험의 부족도 패전의 원인이 되었다. 하지만 지금은 고려군도 거의 20년째 전쟁을 치르면서 베테랑이 되어 있었다. 거란은 여러 지역의 군대를 동원했지만, 고려는 같은 지역에서 싸우고 또 싸웠다. 흥화진, 통주, 곽주 지역의 병사들은 2년에 한 번 꼴로 전쟁을 겪었다. 그들 중엔 17년 전 소배압 군과 싸워보았던 병사도 있었을 것이다.

무엇보다도 이번 원정에서 거란군이 계속 패했다는 사실이 중요했다. 게다가 과도한 행군으로 거란군은 지칠 대로 지쳐 있었다. 이런 상황에서는 고려군의 배수진이 위력을 발휘할 수 있다.

만약 고려의 배수진이 위력을 발휘한다면 거란군은 싸움에 이겨도 손실이 커진다. 체력과 전투력이 한계에 달한 상태에서 이것은 거란군에게 치명타가 될 수 있다. 첫 번째 전투에서 고려군을 격퇴한다고 해도 고려군이 소모전으로 나와 2차, 3차 공격을 해온다면 어찌할 것인가?

소배압은 거란과 고려의 전력이 팽팽한 균형을 이룬다고 보았던 것 같다. 그는 두 메뉴 중 한 가지를 선택해야 했는데, 하나는 지형에 이점이 있는 대신 정신력과 투지에서 손해를 보는 방식이었고, 하나는 정신력과 투지, 지형 모두를 공평하게 해서 싸우는 방법이었다.

　이런 저런 고민 끝에 소배압은 야율팔가의 의견을 따르기로 했다. 양측이 백중세임을 인정하고, 같이 배수진을 치고 싸우자는 것이다. 여기에는 거란군에 대한 소배압의 신뢰도 포함되어 있다. 배수진은 위험한 모험이다. 그러나 거란군도 황제의 친위군이라는 자부심과 실력을 갖춘 거란의 최정예부대가 주축을 이루고 있었다. 정황으로 보아 이들은 전투경험도 풍부했다. 사령관으로서 소배압의 명성도 높았다. 하루만 더 가면 국경에 도달한다. 이 전투는 마지막 전투이자 피할 수도 없는 전투다. 베테랑들은 이럴 때 어떻게 처신해야 하는 지 안다. 배수진은 이들을 공포로 몰아가지 않을 것이다.

　거란군에게 진격 명령이 떨어졌다. 서로를 향해 진격한 군대는 공평하게 하천 하나씩을 건너 두 하천 사이의 개활지에 마주보고 도열했다. 하늘에서 도열한 광경을 볼 수 있다면 사나이 세계의 당당함이 느껴지는 장면이었을 것이다.

　소배압과 야율팔가의 판단이 잘못된 결정은 아니었다. 전투는 그야말로 팽팽했기 때문이다. 양측 다 우세를 점하거나 돌격의 전기를 잡지 못했다. 사격전을 하고, 양군 다 기병 돌격을 해 보았지만, 수비대형은 동요하지 않았다는 말이겠다. 옛날 전쟁에서는 가끔 서로 한 부대씩 내보내 탐색전을 겸한 전투를 벌이다가 한쪽이 밀리거나 도주하면 구원부대가 출동하고, 그러면 저쪽에서도 한 부대가 나오고, 이러다가 난전이 되어버리는 수도 있다. 그러나 전투가 벌어졌지만 승부를 내지 못하고 대치했다는 기록으로 보아 양쪽 다 신중하게 병력을 운영해서 그런 경우도 발생하지 않았던 것 같다.

　양쪽 다 승기를 잡지 못하고 있는데, 갑자기 김종현 부대가 나타났다. 김종현 부대는 작년 12월부터 소배압 때문에 고생을 했다. 이 부대는

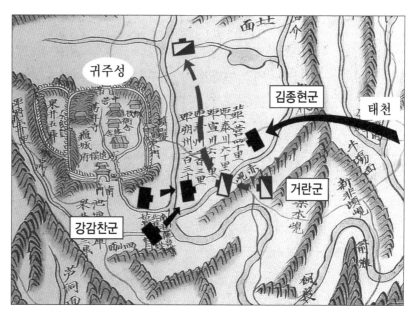

귀주성 전황도 2

밤을 새워 강행군을 하며 한 달 이상 소배압을 추적했지만 번번이 허탕을 쳤다. 어쩌면 그것이 다행이었는지도 모른다. 개경 근처에서 소배압군과 단독으로 조우했더라면 무리하게 강행군을 한데다가 병력의 부족으로 소배압군에게 당했을 가능성도 있었다. 그러나 그들은 소배압군을 압박하는 데는 성공했지만 조우하지는 않았고, 거란군이 고려군 주력과 팽팽하게 대치하고 있는 상황에서 전쟁터에 도달한 것이다.

김종현 부대의 병력은 1만이었다. 균형이 팽팽할 때는 사소한 차이도 균열을 만든다. 그런데 1만이라면 적지도 않은 병력이다. 게다가 이들은 강감찬으로부터 이들보다 병력이 월등하게 우월한 소배압군을 따라잡아 개경을 구하라는 특명을 받았던 부대다. 당연히 기병 비율도 높고, 전력과 사명감도 투철한 에이스급 부대였을 것이다.

더욱이 중요한 것은 이때 김종현 사단이 출현한 방향이다. 김종현이 정상적으로 거란군을 추격해 왔다면 이 부대는 틀림없이 태천-귀주를 잇는 ①번 길을 따라왔을 것이다. 이것은 거란군으로서는 상상도 못한 의외의 상황이었다. 거란군이 진을 친 위치나 결전을 택한 장소를 보면 그들은 자신들의 등 뒤로 연결되는 ①번 도로상에 대한 방비를 전혀 하지 않고 있었던 것이 분명하기 때문이다.

등 뒤에서 고려의 정예부대를 맞은 거란군은 당황했고, 고려군은 환호했다. 전세가 일거에 역전되는 순간에 갑자기 바람의 방향이 남풍으로 바뀌었다. 계절로 따지면 북풍이 정상인데, 강한 바람이 남에서 북으로 불기 시작했다. 그것도 보통 바람이 아니라 비를 수반한 돌풍이었다. 거센 바람은 남녘 들을 쓸며 다가와 북으로 휘몰아쳤다. 화살은 바람의 영향을 많이 받는다. 구체적으로 어느 정도로 위력을 감소시키는지는 실험을 해보아야 알겠지만, 상식적으로 생각해도 그 여파는 매우 크다. 단거리에서 사격하는 직사라면 영향을 좀 덜받는다고 볼 수도 있겠지만, 화망을 구성하는 원거리 사격이라면 얘기가 달라진다.

공격은 기병에 의해 시작된다. 중장기병이 돌격해 올 때 수비군은 적군이 20~50m 안쪽으로 들어오기 전까지는 원거리 사격으로 화망을 구성해서 이들을 저지한다. 원거리 사격은 당연히 곡사다. 빗방울까지 수반한 강한 맞바람을 받는다면 관성과 화살추의 무게에 의지해서 포물선의 정점에서 아래로 떨어지는 화살은 심각한 영향을 받을 것이다.

혹 실험을 해 보았더니 아무리 강풍이 몰아쳐도 살상률의 감소가 10% 미만이더라는 결과가 나온다고 해도 10%가 주는 영향을 무시할 수 없다. 돌격선에 선 기병이라면 10%라 할지라도 지금이 최소의 희생을 낼 수 있는 때라는 사실을 알 테니까 말이다. 『고려사』는 이 순간을 다음과 같이 묘사했다.

때마침 갑자기 비바람이 남녘으로부터 휩쓸어 와서 깃발이 북으로 나부꼈다. 아군(고려군)이 이 기세를 타서 맹렬히 공격하니 용기가 스스로 배나 더해졌다.[91]

천재일우의 기회라는 사실을 포착한 고려의 병사들은 20년을 지속한 긴 전쟁과 고통의 종식을 위해 달리기 시작했다. 처음에는 가늘고 높은 호가(胡笳) 소리가 여기저기서 이어지더니 이어 북소리와 방패 두들기는 소리가 퍼지고, 거란군을 향하여 고려군의 깃발과 함성이 일렬로 이어졌다.

내가 이 장면을 연출하는 영화의 감독이라면 17년 전 통주전투에서 살아남은 노병, 곽주성의 패전 때 부모를 잃은 병사, 양규에 의해 압록강에서 구출되었던 소년, 그 날 밤 소년을 두고, 어둠 속으로 떠나가던 양규 부대의 모습을 오버랩으로 그려넣고 싶다.

거란군의 전위에서는 천운군과 우피실군이 고려군을 맞았다. 『요사』에서는 천운군이라는 부대 이름을 찾을 수 없는데, 동경이나 상경 부근의 지역군일 것이다. 우피실군은 황제군 5위 중의 하나로 총병력이 6만이다. 공교롭게도 예전에 통주에서 강조군을 격멸할 때 선봉에 섰던 부대이기도 하다. 세월이 많이 흘렀지만 장수나 베테랑 노병 중에는 그 전투에 참전했던 자들도 있었을 것이다.

고려군의 돌격에 거란군의 전열이 무너졌다. 전열이 무너졌다고 해도 후위부대가 전열을 정비하고, 퇴각로를 확보하면 병사들의 희생은 줄일 수 있다. 그러나 배수의 진이 초래한 좁고 단절된 공간이 이를 방해했다. 대형이 무너지고, 퇴로를 잃은 천운군과 우피실군은 강으로 뛰어들었고, 이곳에서 쫓아온 고려군에 의해 수많은 병사가 살해되었다.[92] 고위장수들의 피해도 커서 천운군의 지휘관급인 천운군 상온인 해리, 발해상온 고청명과 요련 상온 아과달, 객상사 작고 등이 전사했다.

고려군의 투구. 귀주성 출토

　살아남은 병사들은 북으로 도주했다. 고려군이 이들을 놓칠 리 없었다. 이때까지 부원수 강민첨은 기군(奇軍)을 거느리고 후위에 있었던 모양이다. 기군은 기동성 확보를 위해 보통 중간 양쪽이나 후위의 양쪽에 둔다. 기군을 흔히 유격부대로 이해하는데, 원 의미는 상황변화에 따라 다양하게 운영하는 부대라는 뜻이 강하다. 아군이 불리하면 그 쪽을 구원하거나 후퇴하는 아군을 엄호하고, 전황에 따라 요격하기도 한다. 가장 신나는 임무는 전위가 승리하여 적을 밀어냈을 때다. 이때는 적을 추격하여 등을 보인 적을 섬멸한다.

　거란군이 동문천으로 뛰어들기 시작하자 강민첨은 돌격명령을 내렸다. 기병부대는 석천(백석천으로 추정됨)을 건너 전투의 중심부로 내달았다. 섬멸전을 펴기에 가장 좋은 곳은 평원이다. 거란군은 귀주성 앞 평지의 강변에서 전투를 했기 때문에 산으로 도주하기가 쉽지 않았다. 대참살이 일어난 곳은 반령벌판이었다고 하는데, 귀주성 앞에서 멀지 않은 곳일 것이다.[93]

　결정적인 타격을 가하기 위해 출동한 소배압군은 반대로 고려군에게 결정적인 타격을 입고 돌아섰다. 거란군 사상자와 포로가 수만 명이고, 살아서 돌아간 자는 겨우 수천 명이었다. 포로와 노획물자도 엄청났다.

거란과의 전쟁이 시작된 이래 거란군이 이처럼 처참한 패배를 당한 사례가 없었다. 그것도 황제의 친위군이 전멸하다시피했다.

거란의 성종은 격노하여 소배압의 얼굴가죽을 벗겨버리겠노라고 극언을 했다.[94] 그러나 차마 그렇게까지는 하지 못했다. 소배압은 관직을 삭탈당했다가 복원되었지만, 1023년에 사망했다. 야율팔가도 귀주전투에서의 판단 실수의 책임을 물어 재상에서 강등 당해 서북로도감으로 있다가 죽었다.

1019년 2월 2일, 기나긴 거란과의 전쟁이 종료되었다. 거란은 먼저 고려와 여진을 평정하고 중원을 침공한다는 전략을 수정하여 동진과 중원 진출 모두를 포기하고, 지금까지의 승리에 만족하기로 했다. 고려와도 우호를 회복하여 당장 그 해부터 사신을 교환하기 시작하였다.

그러나 현실에 안주하기 시작한 그 순간부터 거란은 제국을 형성해 온 목표와 에너지를 잃어버리더니, 1122년에 허무하게 멸망하고 말았다.

개경으로 귀환한 강감찬과 고려 병사들은 거국적인 환영과 환대를 받았다.

강감찬이 3군을 거느리고 개선하여 포로와 노획 물자를 바치니 왕이 친히 영파역(迎波驛)까지 나가서 맞이하는데 채붕(綵棚)을 설치하고 풍악을 치며 장병들을 위하여 연회를 배설하였다. 왕이 금으로 만든 여덟 가지의 꽃을 손수 강감찬의 머리에 꽂아준 후 왼손으로는 강감찬의 손을 잡고 오른손으로는 축배를 들어 그를 위로하고 찬양하여 마지 않으니 강감찬은 분에 넘치는 우대에 감당하기 어렵다는 뜻으로 사의를 표시하였다.[95]

현종은 거란전쟁의 종식과 마지막 대승을 기념하여 개선군을 맞이한 영파역을 흥의역(興義驛)으로 고치고 이 역의 역리들에게는 일반 군현의

흥국사탑. 몸체에 강감찬이 거란전쟁의 종식을 기념하여 1021년에 세웠다는 글이 쓰여져 있다.

아전들이 쓰는 것과 같은 갓과 띠를 착용하게 하였다.

　거란전쟁이 끝난 1019년에 현종은 겨우 27세의 청년이었다. 사생아로 태어나 죽음의 공포를 넘나들던 젊은 국왕은 비로소 자신의 위치와 인생을 되찾았다. 이후로 현종은 큰 사건이나 잘못 없이 무난하게 국가를 통치하여 고려가 국가체제를 정비하고, 중흥기로 들어설 수 있는 기틀을 마련하였다.
　『고려사』는 현종에 대해 총명해서 한 번 들은 것은 잊어버리는 법이 없고, 장년에도 공부와 서예를 연습하고 시짓기를 좋아했다고 묘사했다. 전쟁이 끝나자 그는 자기 자신에게 있어 아쉽고 미진했던 일을 마무리하며 살았다.
　1020년 현종은 얼굴도 보지 못한 부모를 위하여 현화사를 창건했다.

현종의 능

현화사는 개경 성균관 부근에 있었는데, 현화사의 탑과 비, 현화사로 가는 돌다리 등은 구성이 아름답고, 섬세한 조각으로 유명하다.

국정도 소홀히 하지 않아 내정을 정비하고, 복잡한 거란과 여진과의 관계를 실리적으로 극복해 갔다. 전후에도 군사제도를 정비했고, 거란전쟁 동안 개경의 나약한 방이력으로 고생했던 그는 1020년 강감찬의 건의를 받아 개경을 감싸는 나성을 축조했다. 이 사업은 9년이나 소요되었다. 완성된 성은 둘레가 23km로 18km인 한양 도성보다도 크다. 이 성이 완성되자 사람들은 금강석처럼 굳건한 성이라는 의미로 금강성이란 노래를 지어 성의 완공을 자축했다(몽골의 난 때 강화로 천도했다가 개경으로 돌아온 것을 기념해서 이 노래를 지었다는 설도 있다).[96]

그러나 어려서부터 너무 큰 고생을 했기 때문인지, 천수를 누리지는 못했다. 현종은 1031년 5월에 사망하였는데, 왕위에 있은 지 22년째 되는 해였지만 그때 나이가 겨우 40세였다. 현종의 삶과 승리는 그를 따르던 신하들에게도 많은 감동을 주었던 것 같다. 현종의 신임을 받아 중용되었던 문헌공도 최충은 현종의 죽음을 맞이하여 다음과 같은 글을 남겼다.

이제현

국사를 바로잡은 뒤에는 거란과 화친을 맺어 군사들을 쉬게 하고 문학에 힘쓰며 부세와 요역을 경감하며 재주 있고 우수한 인재를 등용하여 정사를 공평하게 하였으며 백성들을 편안하게 하여 안팎이 무사하였으며 해마다 농사가 잘 되었으니 그(현종)를 주나라의 성왕, 강왕(成康)과 한나라의 문제, 경제(文景)에 비기더라도 손색이 없을 것이다.[97]

후세의 대유학자 이제현은 최충의 글에 뒤이어서 보다 간결하게 자신의 감동을 이렇게 표현했다.

나는 현종에게서 아무런 흠집도 찾을 수가 없노라.[98]

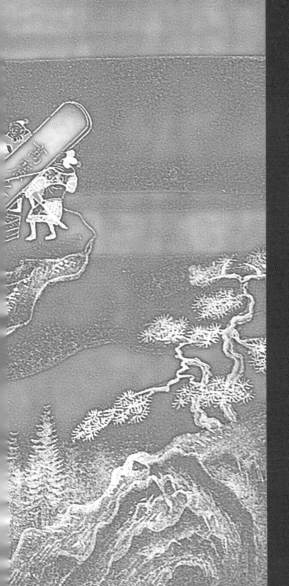

2부

•

여진전쟁

선춘령을 향하여

1장 아지고촌의 고려인

1. 성장

초창기의 서부극에서 인디언은 개척자들의 포장마차와 오두막을 터는 약탈자로 묘사되었다. 1970년대부터 몇몇 양심적 감독들이 백인들의 인디언 학살을 다루기 시작했다. 그때부터 순박한 인디언 마을이 백인이 가져다 준 문명과 술에 절고, 전염병과 화폐로 인해 자신들의 삶을 잃어버리는 모습들, 약삭빠른 문명인들이 인디언을 이용하고, 약탈하는 드라마도 등장하였다.

그러나 이것도 지나치게 나가더니 백인과 인디언이 문명과 반문명, 순수와 거짓으로 양분되고, 인디언들은 자연 속에서 살며, 나무와 바람과 동물의 소리를 들으며, 거짓과 속임수를 알지 못하는 순수하고 순결한 인간으로 변했다.

최근의 역사가들은 그것도 진실이 아니라고 이야기한다. 인디언 사회 내부에도 수많은 갈등과 약탈이 있었다. 백인들의 침공은 이 갈등과 욕망을 증폭시켰다. 백인들이 이런 약점을 이용한 탓도 있지만, 어찌되었든 전쟁이 시작되자 인디언들이 더 많은 인디언들을 죽였다.

마야 문명과 잉카 문명을 세운 남아메리카의 인디오 사회도 마찬가지였다. 누군가가 일어서서 우리들이 하얀 악마들의 농간에 놀아나고 이용당하고 있다고 소리쳤겠지만, 씨족별로 부족별로 흩어진 사회는 문명의 습격 앞에서 배신과 농간과 자기 분열을 감당해 낼 수 없었다. 그들은 서로를 비방하고, 죽이고, 저항파, 친백인파, 문명론자, 전통주의자, 고립주의자, 회의론자 등 생각하고 행동할 수 있는 모든 방향으로 갈라졌고, 그렇게 상쟁하고 이용당하며 몰락해 갔다.

마침내 추장들이 서로 손을 맞잡고, 씨족, 부족 단위를 넘어선 사회와 조직체를 구성하려고 할 무렵 종말이 다가왔다. 아메리카 인디언의 경우, 최초이자 최후의 대추장이었던 제로니모는 같은 부족민으로 구성된 인디안 추적대에 의해 사로잡혔다. 상황이 종료되자 항복한 제로니모 일행과 그를 체포한 추적대는 백인들로부터 똑같이 배신을 당해 같은 인디언 보호구역에 함께 수용되었다.

아메리카 인디언들만이 이런 비극을 겪은 것은 아니다. 카이사르의 로마군과 싸웠던 게르만족, 중국의 동서남북 외곽에 거주했던 모든 소수민족들, 동서 문명의 사이에 끼었던 발칸과 중동의 여러 민족 등, 강대국 주변에 살았던 모든 변방 부족들은 하나같이 눈치보고, 분열하고, 섬기고, 배신하고, 채이고, 약탈하는 이합집산의 역사를 겪었다. 여진족도 그러한 변방민족 중 하나였다.

사실 여진족은 우리 민족과 가장 오랫동안 그리고 가까이 지내온 민족이다. 삼국시대에는 숙신, 말갈 등의 이름으로 불리다가 고려시대부터는 여진족으로 명칭이 굳어졌다. 하지만 가까이 있는 사람이 늘 그렇듯, 애증 관계도 복잡했다.

여진족은 고구려, 발해와는 함께 나라를 이루었고, 수·당과 거란과의 전쟁 때는 함께 싸웠다. 그러나 10세기에서 11세기에 걸친 전란의 시대에

여진 무사

그들은 거란과 고려의 양쪽에 끼여 철저히 유린당하고 흩어졌다. 원래 여진족은 만주 일대에 넓게 분포하고 있어서 문화와 사회 수준도 지역에 따라 크게 차이가 났다.

그 중 발해지역에 거주하는 여진족은 개화된 민족이라고 하여 중국에서는 이들을 숙여진(熟女眞)이라고 불렀고, 두만강 북쪽에서 멀리 송화강, 흑룡강을 따라 현재의 길림성, 흑룡강성에 거주하는 여진족은 미개하다고 하여 생여진(生女眞)이라고 불렀다. 고려는 이들을 그냥 지역으로 분류하여 서여진과 동여진이라고 불렀다.

그런데 발해의 멸망으로 여진은 숙여진(서여진) 지역 즉 국가조직과 문명의 중심지를 잃었다. 고려의 분전 덕분에 동여진은 살아남았지만, 동만주

지역의 여진족 사회와 문화수준은 상당히 뒤떨어졌다.

> 그들의 풍속이 흉노(匈奴)와 같아서 모든 부락에는 성책이 없고 산과 들에
> 분산되어 살며 문자가 없이 언어나 노끈 매듭으로 언약과 증표를 삼았다.
> 그 지방에는 돼지, 양, 소, 말 들이 흔하며 말은 우량한 것이 많고 어떤
> 것은 하루 천리를 달리는 것도 있었다.
> 사람들은 사납고 날쌔었다. 아이 적부터 활을 잘 다루어 그것으로 새와
> 쥐를 쏘고 장년이 되면서 활을 잡고 말을 달려 전투를 연습함으로써
> 강병으로 되지 못하는 자가 없으며, 모든 부락이 제각기 힘을 뽐내어
> 그들을 통일시킬 수가 없었다. 그 지역이 서로는 거란에 닿고 남으로는
> 우리 나라와 인접되어 있으므로 일찍이 거란과 우리 나라를 섬겨 왔다.
> 우리 나라를 예방할 때마다 부금, 초피(貂皮), 우량마 등등을 예물로 삼았으
> 며 우리 나라에서도 은(銀)과 예폐를 후히 주었는데 해마다 이렇게 하였다.
> (『고려사』)[99]

간도 지방의 말. 몽골말은 아랍종 말에 비해 머리가 작고, 체구도 작으며 뒷다리가 약간 짧다. 체격과 순발력은 뒤지지만 힘이 세고, 인내력과 지구력이 뛰어나다. 군마로는 최고의 품종이라고 평가된다.

수·당시대에는 이 지역에 사는 종족을 흑수말갈이라고 불렀다. 흑수는 곧 흑룡강으로, 이 지역의 말갈족은 여러 말갈족 중에서도 가장 용맹스러운 대신 무식하고 거친 종족으로 알려졌다. 수당시대까지도 그들은 돌로 만든 화살촉을 사용했다고 하는데,[100] 더 이전 고조선과 삼한시대의 기록으로 올라가면 옷도 없고, 겨울에는 돼지기름을 몸에 바르고 동굴 속에서 산다고 했다.[101]

고려와 동여진의 국경은 지금의 함경남도 지역이었다. 정확한 국경선은 분명하지 않은데, 이들이 국가를 이루지 못하고 부족 내지는 소집단으로 생활하고, 고려인과 뒤섞여 살기도 했으므로 오늘날과 같이 선으로 된 국경이 아니라 거점별로 흩어지고 추장과 세력권에 따라 구분되었던 것 같다.

11세기에서 12세기에 걸쳐 고려의 동북계에 있는 여진족의 모습은 변화무쌍하고 지리멸렬했다. 같은 부족 간의 관계도 복잡했고, 고려 및 주변국과의 관계도 오늘날의 표현으로 빌면 친고려파, 친거란파, 여진민족주의자 등 성향도 다양했다.

고려에 우호적이거나 기대어야 하는 부족들은 고려 편에 서서 다른 부족을 치고, 정보를 제공했고, 만만찮은 선물과 공물을 바쳤다. 거란과 전쟁을 할 때는 여진의 특산품인 호시(楛矢 : 광대싸리나무로 만든 화살, 함경도 이북지역에서 자란다. 대나무 화살보다도 상등품으로 이성계도 이 화살을 사용했다)를 5만 개, 10만 개씩 바치고 병선을 만들어 상납하기도 했다.

고려는 우호적인 여진인들에게 관직을 주어 우대했다. 그 중에는 아예 고려로 귀화하여 성을 받은 사람도 있었다. 대신 고려는 저항하는 세력에 대해서는 무력 사용도 주저하지 않았다. 그러나 우호적인 부족과 그렇지 않은 부족의 구분이 분명하지 않고 자주 변하는 것이 문제였다. 한순간에 그들은 약탈자로 변했고, 때로는 보다 북쪽에 살던 부족이 원정을 와서 고려를 침공하기도 했다.

여진의 입장에서 보면 믿을 수 없기는 고려도 마찬가지였다. 어느 시대나 약자의 운명은 서글프다. 강자는 언제나 변덕스럽고, 자기중심적이다. 협정과 약속은 파괴되기 일쑤였다. 잘 지내다가도 어떤 오해나 불상사가 생기면 사신과 상인을 제멋대로 구금하고 살해했다. 간혹 거만하고 사나운 관리가 오면 그들을 핍박하고 괴롭혔다.

시간은 그렇게 흘러갔다. 그러나 오랜 전쟁 끝에 찾아온 평화에 취했기 때문일까? 고려와 거란 모두 한 세기 전에 체험했고 자신들이 이루었던 교훈, 초원의 부족들이 결집하기 시작하면 무섭게 빠른 속도로 성장한다는 사실을 잊어버렸다.

거란은 선왕들이 왜 그렇게 큰 희생을 치르며 집요하게 고려와 여진

완안부 무사. 완안부의 근거지인 아지고촌(아성시) 부근 석벽에 새긴 무사상.

땅으로 원정했던가를 잊어버렸다. 고려는 이합집산을 반복하는 국경의 여진족을 보면서 그들의 가능성에 대한 신경을 끊었다. 고려는 천리장성을 중심으로 여진과 교역하는 길은 열어 두었으나 여진 땅의 안쪽으로 사신을 파견하지도 않았고, 정보를 수집하려는 노력도 하지 않았다.

여기서 시간과 공간을 잠깐 거슬러 올라가야 하겠다. 백두산 천지를 넘어 계속 북으로 올라가면 백두산에서 발원한 송화강과 송화강의 지류인 아십하(阿什河)가 만나는 지점에 유명한 하얼빈 시가 있다. 안중근 의사가 이토 히로부미를 저격했고, 동만주 지역 독립운동의 중심지이기도 했던 그 하얼빈이다. 하얼빈은 만주어로 '그물 말리는 곳'이란 뜻이다. 한적한 어촌을 연상시키는 지명인데, 1000년 전 이 일대에는 흑수말갈의 후예인 완안이란 부족이 살고 있었다.

지도상으로 보면 좀 멀지만 송화강은 백두산에서 발원하므로 백두산에서 송화강을 따라 죽 올라가면 이 지역에 도달한다.

대략 10세기 중·후반 무렵 완안부의 아지고촌(阿之古村)이란 마을에 고려인 승려 한 명이 흘러 들어왔다. 아지고촌은 하얼빈에서 송화강을 따라

남쪽으로 조금 내려온 지역에 위치한 지금의 아성시(阿城市)라고 생각된다. 나중에 금의 수도인 상경이 바로 이곳에 세워졌다.

그는 황해도 평산 출생으로 이름이 김준(金俊)이었다고도 하고, 김행지(金幸之)의 아들 김극수(金克守)였다고도 한다. 어떤 사연으로 고려인인 그가 이 먼 곳까지 흘러 들어왔는지는 알 수 없다. 그가 김씨여서 신라인이었다는 설도 있고, 아예 더 확대해서 그가 바로 마의태자였다는 과감한 추측을 하는 분도 있다. 그러나 이 기록 이상의 내용은 알 수 없다.

그는 이 마을에서 여진 여인과 결혼하여 정착했다. 그간에 어떤 사연과 로맨스가 있었는지는 알 수 없으나 평범한 사연은 아니었고 그와 결혼한 여진 여인도 평범한 여인은 아니었던 것 같다. 그의 손자가 완안부의 수장이 되기 때문이다.

김준은 고을(古乙)을 낳았고 고을은 활라(活羅)를 낳았다.[102] 이 활라가 나중에 금의 경조로 추존된 인물로, 원래 이름은 오고내(烏古迺)다.

오고내는 성장하면서 이 부족의 리더가 되었다. 전형적인 부족의 지도자이자 용사였던 그는 평소에는 엄청난 호색가에 대주가였고, 전쟁터에서는 야성적인 투사였다. 54세 때에 행한 마지막 원정에서도 중장기갑군의 선두에 서서 전투를 이끌었다.[103]

그는 완안부의 전사를 이끌고 주변의 5개 부족을 정복하여 완안부를 여진의 유력 부족의 하나로 등록시켰다. 호색한답게 아들도 9명이나 두었는데, 아들 하나하나를 독립시켜 부족의 리더로 키웠다.

아들들은 그의 기대를 버리지 않았다. 그 중에서도 둘째 핵리발(세조로 추존), 넷째 피라숙(頗剌淑 : 숙종), 다섯 째 영가(盈哥 : 목종)가 출중하여 차례로 완안부의 추장이 되었다.

영가는 1085년(선종 2)에 형인 피라숙의 뒤를 이어 추장이 되었는데, 그의 치세에 완안부는 고려 접경지역의 여진부족을 압박하기 시작했고,

사망하기 전해인 1102년부터는 고려와도 통교를 맺었다.

그러나 이때까지도 고려는 여진을 무시했고, 특별히 정보를 수집하거나 그들의 동향에 주의를 기울이지도 않았는데, 우연한 사건이 고려의 분위기를 바꿔놓았다.

> 어떤 의원이 있었는데, 병을 잘 고쳤다. 그는 본래 고려인인데, 어디에서 왔는지 알지 못하고, 그의 성명도 뚜렷하지 않다. 여진의 완안부에 살았는데, 목종(영가) 때 목종의 친척이 병이 들어 이 의원에게 맡겼다. 그리고 목종은 이 사람을 고쳐주면 너를 고향에 돌려보내 주겠노라고 약속하였다. 의원이 과연 그 친척의 병을 고쳤다. 목종은 약속을 지켜 그를 돌려보내 주었다.[104)

이 이야기는 『고려사』에도 수록되어 있다.[105) 의원은 고려에 돌아오자 바로 완안부의 동향이 심상치 않다고 보고하였다. 놀란 고려는 이때부터 여진의 동향에 주의를 기울이게 되었다.

하지만 이미 늦은 감이 있었다. 완안부 세력은 간도지방을 거쳐 벌써 지금의 두만강 북부에서 함경도 지역의 명칭으로 추정되는 갈라전(曷懶甸)까지 미치고 있었다. 그러자 이 지역의 여진인들이 심하게 동요하였다. 고려의 위세에 복종은 하고 있었지만 전부터 사이가 좋지 않던 부족은 이 참에 완안부에 붙어 고려와의 관계도 재조정하려고 하였다. 반면에 친고려파는 완안부에의 복속을 거부하면서 고려와 동맹을 맺거나 고려에 의탁하려는 세력도 있었다.

고려는 적극적인 대응으로 나서서 1102년에는 국내에 들어온 여진 추장 허정(許貞)과 나불(那弗)을 억류하기도 했다.[106) 나불은 함경도 일대의 여진 족 중에서도 고려에 가장 적대적이고 반고려파의 리더에 속하는 부족이었

다.107)

하지만 아직도 고려는 본격적인 대응방안을 놓고서는 우물쭈물했다. 친고려파 여진인들을 적극적으로 받아들이자니 고려와 완안부 간의 전면 전으로 확대될 우려가 있었다. 그렇다고 친고려파를 배척하면 완안부는 함경도 지역까지 깊숙하게 뿌리를 내릴 것이고, 그렇게 해서 전 여진부족이 결속이라도 하면 과거 거란이 그랬듯이 더 큰 위험이 될 수도 있었다.

그러나 당시 고려 조정에서는 완안부의 세력이 커지더라도 그때까지는 시간이 걸릴 것이라고 생각했던 것 같다. 어느 시대, 어느 곳에나 있는 근시안적이고 자기중심적인 관료들은 이 기회에 아예 여진과의 국경을 폐쇄해서 골치 아픈 외교문제에서 벗어나자고 주장하는 이도 있었다. 반면에 함경도에 근무하면서 국경 주변의 여진인들의 모습에 익숙해진 군관들은 "여진족은 허약해서 두려울 것이 없다. 이런 시기를 잃고 정복하지 않으면 후에 반드시 우환거리로 될 것이다"라고 하며 강공책을 주장하기도 하였다.

어느 쪽이나 사태의 전체를 보지 못하고 있었다. 고려 조정에서도 이런 주장들이 성급한 단견이라는 감은 잡았던 모양이다. 그러나 마땅한 대응책도 떠오르지 않았다. 그러는 사이에 여진 쪽의 상황은 급박하게 돌아갔다.

2. 만남

영가는 고려와는 우호관계를 유지하면서 갈라전 침공을 준비했다. 그는 침공의 책임자로 유능한 장군이고 지도력과 통치력을 갖추었던 석적탄(石適歡)을 임명했다. 그러나 1103년 석적탄이 막 출발하려던 참에 영가가 사망하였다.

완안부의 수장자리는 영가의 형이며(영가는 오고내의 5자) 오고내의 둘째 아들인 핵리발(세조)의 장자 우야소(烏雅束 : 강종)에게 넘어갔다. 이미 완안부의 가능성에 확신을 가졌고 아골타(阿骨打)라는 걸출한 동생의 보좌까지 받던 그는 영가의 정책을 계승하여 석적탄을 갈라전으로 파견했다.

석적탄은 1103년에서 1104년에 걸친 원정에서 상당한 성과를 거두었다. 그는 무력시위를 통해 이 지역 부락들을 복속시키는 한편, 저항하는 부족은 공격하여 정복했다.

석적탄에게 패한 여진족 중 일부는 고려의 국경 안으로 도주했다. 특히 오수(五水 : 함북 일대로 추정됨) 지역의 여진인들은 모두 고려에 붙었고, 이 지역에 임명해 놓은 여진 족장 14명이 고려로 도주했다.[108] 고려 측 기록에는 1104년 봄에만 1,753명이 귀순했다고 기록되어 있다.[109] 그들 중에는 오랫동안 고려와 우호관계를 맺은 부내로(夫乃老) 부족도 있었다.[110]

석적탄은 유능한 인물이었다. 그는 부족체제란 들불과도 같아서 당장은 도주하고 항복하지만, 적당히 진압하고 돌아간다면 반완안부 세력이 다시 결집할 것이라는 사실을 알았다. 원정의 목적을 이루려면 불씨를 남겨서는 안 되었다. 석적탄은 악착같이 이들을 추격하며 남진했다. 마침내 석적탄의 기병대는 함흥을 지나 정평(당시 지명은 정주)의 관문 앞까지 진출했다. 이 관문이란 천리장성의 관문으로 보인다.

고려의 북쪽 방벽이던 천리장성은 1033년(덕종 2)에 시작하여 1044년(정종 10)에 완공한 장성으로 흥화진에서 시작하여 동해의 도련포까지 이어졌다. 도련포는 지금의 정평의 해안가인 광포의 끝부분이다.[111] 그런데 천리장성은 정평 서쪽 부근에서 두 줄기로 갈라져 하나는 정평 북쪽에서 광포로 나가고, 남쪽 성벽은 정평과 영흥 사이의 산맥을 타고 지나간다. 따라서 정평은 천리장성을 방어하는 최첨단 요충지 였다.

여진족들은 부내로 인들을 쫓다가 우연히 국경 안으로 들어선 것이 아니었다. 관문 앞에 정식으로 군대를 주둔시키고, 고려 국내로 망명한 여진인을 내놓으라고 요구했다. 이제까지 여진인들에게서는 볼 수 없었던 당돌한 태도였다.

이 상황에서야 다른 대책이 있을 수 없었다. 고려는 석적탄에게 화의를 제의하여 시간을 끌었다. 여진 측에서는 사신을 보냈는데, 고려는 이들을 억류하고, 그 사이에 군을 편성했다. 1104년(숙종 9) 1월에 고려군은 동북면을 향해 출발했다. 문하시랑 평장사 임간(林幹)을 판동북면행영병마사로, 위위경(衛尉卿) 김덕진(金德珍)을 동북면 행영 병마사로, 좌복야 황유현(黃兪顯)을 병마사, 대장군 송충(宋忠)을 부사로 임명했다.

이때까지 고려가 싸워 본 여진족은 부족단위의 집단이었다. 완안부가 새로운 패자로 등장하였다고는 하지만, 아직 맹주 정도의 수준으로 국가를 이룬 상태는 아니었다. 그러므로 석적탄의 여진군도 병력상으로는 그리 많지는 않았을 것이다.

임간의 고려군이 정평에 도달한 때는 2월이었다. 고려군이 도착하자 여진군은 천리장성의 관문에서는 물러났던 것 같다. 아니면 고려군을 보자 달아나는 모습을 보였을 가능성도 있다. 기병이 주축이 된 부대는 기동력이 있기 때문에 소부대로 분할하여 움직이는 경우가 종종 있다. 소단위로 움직이면 교란, 양동, 기습 등에 유리하지만, 적군을 유인하기도 유리하다. 갑주도 제대로 걸치지 않고, 대열도 어지러운 소규모 경기병대를 보면 경험 없는 장수는 적군은 별 것 아니라는 생각이 들기 십상이다.

임간도 이 유혹에 빠져 도주하는 여진족을 추격하기로 했다. 임간의 입장에서도 방어만 할 수는 없는 입장이었다. 고려로 도주해 온 친고려파 여진족의 땅도 되찾아주고, 북쪽의 여진족들이 다시는 함부로 쳐내려오지 못하도록 본때를 보여주어야 했다.

임간이 정평의 관문을 나서 함흥 쪽으로 진군하자 여진군은 고려군을 역습했다. 이 전투에서 고려군은 대패하였다. 구체적인 내역은 서술하지

천리장성(정평 부근)

않았지만, 『고려사』의 기록에도 태반을 잃었다고 했고,[112] 『금사』에서도 석적탄이 고려군을 대파하여 살상한 자가 심히 많았다고 했다.[113] 이후 고려와 여진 간에 수차례의 전쟁이 벌어지지만 이런 표현은 없는 것으로 보아 고려군은 충격적인 패배를 당했던 것 같다.

　『고려사』에서는 임간이 적을 얕보고 깊이 들어간 것이 패인이었다고 하였다.[114] 그러나 『고려사절요』에서는 임간이 공을 탐내서 훈련되지 않은 군대를 거느리고 나갔다가 대패했다고 하였다.[115]

　전황을 보면 고려군의 훈련부족이란 말에 수긍이 간다. 고려군 태반의 전몰이란 참사는 한 장소에서 발생한 사건이 아니다. 옛날 강조의 통주성 패전 때와 마찬가지로 여진 땅으로 깊숙이 들어간 고려군은 초전에서 패하고 정평으로 후퇴하는 과정에서 큰 피해를 입었던 것이다. 우수한 기병을 보유했던 여진군은 고려군의 뒤에 바짝 붙어 고려군이 진형을 정비할 틈을 주지 않고 몰아쳤다.

전통적으로 군을 삼군으로 나누고, 전위, 중위, 후위로 구성하는 이유는 전술운영의 효율을 높이고, 전쟁터에서 발생하는 수많은 돌발상황에 대처하기 위해서다. 적을 공격, 추격할 때도 좌우면으로 나누어 치면 일렬로 뒤를 따라가는 것보다 접전 면적이 넓어진다. 퇴로를 차단하고 중간을 자르면, 적은 분해되고 느려져 역시 접전 면적이 넓어진다. 좀 잔인한 비유지만 고기를 통으로 삶을 때와 잘게 썰어서 넣을 때의 차이와 같다.

그 밖의 경우도 좌군이 곤경에 처하면 우위가 도와주고, 퇴각할 때는 전위가 후퇴하면 중위가, 중위가 후퇴하면 후위가 단계적으로 적을 저지하며 시간을 벌어줘야 한다. 용기 있는 장교와 군인정신이 필요한 이유다.

이 날 전투에서 고려군은 이런 식의 전투를 수행하지 못했다. 간신히 정평성까지 도달했지만 이곳에서도 여진군을 저지하는 데 실패했다. 여진군이 고려군과 뒤엉켜 몰려왔기 때문에 성문을 차단할 수 없었거나 성을 지켜야 할 고려군 후위마저 달아나 버렸기 때문일 것이다. 그 결과 고려는 전투부대의 희생에 이어 민간인의 희생까지도 치러야 했다. 여진군이 관문을 통과하여 정평 성내로 진입했기 때문이다.

쫓기는 고려군으로서는 학살을 끝내려면 빨리 가까운 요새로 들어가는 수밖에 없었다. 고려군은 정평성도 포기하고, 남쪽에 있는 선덕관(宣德關)으로 달아났다.

선덕관의 위치는 미상이다. 그런데 이 날 전투에 참전했던 척준경의 일화에 그가 이 날 장주(長州)에서 싸웠다는 이야기가 있다.[116] 장주는 정평의 서남쪽 35리에서 50리 지점에 위치한 장곡현(長谷縣)인데, 조선시대에는 정평에 통합되어 장곡사(장곡면)가 되었다.[117] 장주에서는 천리장성이 두 갈래로 갈라져 깔때기 모양이 된다. 따라서 선덕관은 이 지점에서 천리장성을 방어하기 위해 축조한 관문의 하나라고 생각된다. 즉 고려군은 정평이 함락 당하자 천리장성이 갈라지는 부분이며 중부에서 동북면으로

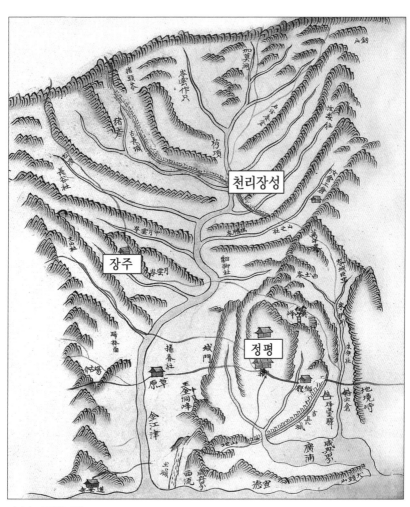

정평과 장주(선덕관)

오는 출구 쪽으로 후퇴했던 것이다.

고려군은 간신히 선덕관 성 앞까지 도달했으나 여진군이 바짝 붙어 추격해 온 탓에 성문을 열 수가 없었다. 고려군이 여진군과 최초에 접전한 장소는 알 수 없지만 정평읍에서 장주까지만 해도 최소 15km 정도는 되는데, 여기서도 성에 들어갈 수 없을 정도로 여진군을 꼬리에 달고 쫓겨 왔으니 고려군의 희생이 얼마나 컸겠는지 짐작할 수 있다.

고려군은 진퇴양난의 곤경에 빠졌다. 선덕관의 문은 닫혀 있고, 추격해 온 여진군은 총사령관 임간이 있는 고려의 중군까지 압박해 들어왔다. 이들을 저지하는 고려군부대는 열세로 몰리고 있었다. 다급한 상황에서 젊은 관원 한 명이 임간에게 다가오더니 자신에게 병기와 중갑기마 한 필을 주면 나가 싸우겠노라고 소리쳤다. 그 젊은이는 중추원의 별가(別駕)로 있다가 이번 전생에 따라온 척준경이었다.

별가는 품계도 없는 하급 서리로, 서리까지 포함한 전체 관리 중에서 밑에서 두 번째 급에 해당하는 낮은 관리였다. 봉급으로 받는 전시과도 제일 낮은 급이었다. 임무도 시설관리나 행사준비 같은 잡무였던 것 같다.

평소 같으면 건방지다고 처벌받기 딱 좋은 행동이었지만 상황이 상황이 니 만큼 임간은 척준경의 요구를 들어주었다. 그런데 이때 척준경이 기록 그대로 자신에게 무기와 중기마 한 필을 주면 단신으로 돌격하겠다고 한 것인지, 중장기병 부대 하나를 내달라고 한 것인지가 애매하다. 전투편제 로서 고려군 부대의 최하단위는 200명이었고, 50명이나 25명을 지휘하는 교위나 대정도 9품관이었다. 그러나 척준경은 품외관인 별가여서 단위부대 를 이끌 자격이 없었으므로 임간에게 한 부대를 달라고 한 것인지도 모르겠 다.

이렇게 해서 갑작스레 전쟁터에 등장한 척준경은 접전지역으로 돌격해 들어가 단숨에 적장을 살해하고 여진군에게 몰리고 있던 병사 두 명을 구출했다. 교위(校尉) 준민(俊旻)과 덕린(德麟)도 척준경과 함께 적병을 한 명씩 사살했다. 이들은 척준경의 인솔을 받아 함께 돌격한 고려군 부대의 지휘관이었거나, 후위에서 여진군과 싸우던 고려군 부대의 지휘관이었을 것이다.

지휘관을 잃고 당황한 적군은 물러섰고, 그 틈에 후위의 고려군은 잠깐 숨을 돌릴 수 있었다. 짧은 공백을 이용하여 척준경이 고려군을 수습하고 돌아오는데, 100여 명의 여진 기병이 추격해 왔다. 척준경은 되돌아서 맞서 싸워 대상(大相) 인점(仁占)과 함께 다시 적장 두 명을 사살했다.

여진군은 여진군대로 고려군을 길게 추격해 왔고, 중간에 약탈까지 감행하는 바람에 전열이 많이 흩어지고 분산되었던 것 같다. 척준경의 분전으로 순식간에 지휘관이 사살되고 고려군이 강습으로 나오자 여진군은 물러섰다. 전열을 정비하기 위해서는 시간이 필요했으므로 그들은 고려군에 대한 공격을 중단했다. 여진군이 물러가고 후위가 안정되자 고려군은 비로소 선덕관으로 입성할 수 있었다.

선덕관에 들어간 고려군은 수성 태세를 갖추었다. 여진족은 더 이상 공격하지 못하고 철군하였다. 대신 그들은 정평을 확실하게 약탈하고 불태웠다.

패전 소식을 들은 조정은 임간과 황유하, 대장군 송충과 호부시랑 왕공윤(王公胤), 우승선 조규(趙珪)를 파면하고, 추밀원사 윤관과 김한충 등을 새로 파견했다. 새로운 지휘관과 보충병력을 받은 고려군은 3월 4일에 재차 출격하여 여진군과 싸웠다. 불행하게도 이번에도 패전이었다. 『고려사』에서는 이때의 전황을 이렇게 설명했다.

윤관이 적과 접전하여 적병 30여 명을 죽였으나 사상당한 고려군도 반수 이상이나 되었으므로 사기가 떨치지 못하였다. 그래서 겸손한 언사로 강화를 청하여 적과 맹약을 맺고 돌아왔다. 이 때문에 왕이 분노하여 천지신명에게 고하기를 "원컨대 신명은 은근한 도움을 내리시어 적을 소탕하게 하여 주시면 그곳에 절을 창건 하오리다!"라고 하였다.118)

여진 쪽 기록에 의하면 석적탄이 기병 500여 명을 거느리고, 고려군을 벽등수에서 막아 대파하고 벽등수까지 추격하니 고려군이 국경 너머로 도주했다고 하였다.[119] 벽등수는 정평의 출구에서 멀지 않은 곳이고 지명으로 보아 하천일 것이다. 정평~함흥 부근에는 동해안으로 흘러내리는 작은 하천들이 상당히 많은데, 그 중의 하나일 것이다.

석적탄의 전 병력이 500명에 불과했을 리는 없다. 이 묘사는 전체 전투 중 핵심적인 일부분만 묘사한 것이라고 생각된다. 석적탄은 정예 기병 500명을 동원해 도강중이던 고려군을 습격했고, 이미 자신감을 잃고 있던 고려군은 진이 무너지면서 다시 도주했던 것 같다.

윤관은 할수없이 여진에게 화친을 제의하고, 그 대가로 14명의 추장(『금사』에는 단련사라고 관직이 기록되었는데, 이는 실제 관직이라기보다는 부족 지도자에게 적당히 가져다붙인 관직이다)을 비롯하여 고려로 망명한 여진족 지도자들을 석적탄의 손에 넘겨주었다. 여진족도 아직 국내 통합을 이루지 않은 상태에서 고려와 전면전을 벌리고 싶지는 않았으므로 화친에 응하고, 을리골수와 갈라전활탑수(위치 불명)를 고려와 여진의 국경으로 정했다. 고려는 많은 병사와 영토를 잃었고, 일부 병사는 포로가 되었다. 그 중 몇 명은 거란으로 탈출해서 수년 후에 고려로 귀환하기도 하였다.[120]

임간이 패전했을 때만 해도 조정에서는 『고려사』에 기록된 대로 적을 얕보다가 당했다고 생각했던 것 같다. 그러나 벽등수 전투에서도 패하자 고려 조정도 여진의 승전이 우연이 아니라는 진실을 인정하지 않을 수 없었다.

전쟁과 스포츠에서 패배는 언제나 있을 수 있다. 국가와 기업을 운영하다 보면 예측을 잘못하거나 변화에 미처 대비하지 못할 수도 있다. 진정한 잘못은 잘못을 인정하지 않거나 원인과 결과를 호도해서 제대로 된 대책을 수립하지 않는 것이다.

다행히 이때의 고려는 그렇게 하지 않았다. 동북면에서의 패전 소식을 듣고 숙종은 분노하여 천지신명에게 적을 소탕하게 해 달라고 기원했다. 그렇지만 숙종은 문을 닫아걸고 기도만 하지는 않았다. 그는 사태가 예상외로 심각하다는 사실을 깨달았고, 현재의 해이해진 군 전력으로는 여진족을 당할 수 없다는 사실도 인정했다.

동북면에서 돌아온 윤관도 여진족의 위험을 지적하면서, 여진과 싸우려면 대대적이고 철저한 준비를 해야 한다고 건의하였다.

> "제가 보기에는 적의 세력이 완강하여 무슨 변을 일으킬지 예측하기 어려우니 마땅히 병졸과 군관을 휴식시켜 후일에 대비해야 하겠습니다. 또한 제가 전일에 패전당한 원인은 적들은 말을 탔고 우리는 보행으로 전투한 까닭에 대적할 수가 없었던 것입니다"라고 하였다.[121]

3. 준비없는 승리는 없다

고려는 새로운 적이 된 여진과 싸우기 위해서는 새로운 전술과 편제가 필요하다는 사실을 깨달았다. 그렇다면 당시 고려군의 문제는 무엇이었으며, 이 새로운 적은 예전의 거란과는 어떻게 달랐던 것일까?

거란이나 후일의 몽골과 마찬가지로 여진도 전시에는 부락조직을 그대로 군사조직으로 전환하는 방법을 사용했다. 여진에서는 이를 맹안모극제도라고 했다. 300호를 모극으로 하고, 10모극을 1맹안이라고 하는데, 이 조직의 수장의 명칭도 모극과 맹안이었다. 맹안과 모극은 실제로 부락의 추장들로서 이 직위는 세습되며, 평시에는 민간지도자고, 전시에는 그대로 군사단위로 전환했다. 무기와 식량은 모두 자비였다.[122]

이런 체제는 장점과 단점이 분명하다. 전투원 간의 유대와 조직력이 뛰어나고, 평소의 생활이 곧 군사훈련이기도 해서 전반적으로 부대와 병사들의 수준이 높다. 대신에 한 번 단결해서 일어설 때는 무섭지만, 부족단위의 체제라 곧잘 분열하고, 싸우고 약탈할 때는 강하지만, 통치하고 조직하는데에 약점을 보인다.

이런 점은 거란, 여진, 몽골족 모두에게 공통된 특징이다. 그러나 이들 간에는 차이도 있다.

우리는 북방민족은 하나같이 초원에 사는 유목민족이라고 생각한다. 그러나 위 지도를 자세히 보면 초원과 산지라도 비교적 평탄한 고원지대로 구성된 거란이나 몽골족의 거주지에 비해, 여진족의 거주지는 지형적 특징이 다양하다. 완안부의 서쪽과 북쪽은 초원에 걸쳐 있지만, 산곡간의 평야는 우리나라보다 훨씬 넓다. 토질도 비옥하고 수량도 넉넉해서 넓은 경작지와 풍부한 토지를 형성한다. 그러므로 농경지역이면서도 소와 말을 기르기에 적합했다. 지금도 이 지역을 여행하면 평원과 구릉에 경작지와 토지가 뒤섞여 있고 소와 말을 넓게 방목하여 키우고 있다.

사료상으로 보면 여진족은 때로는 유목민족의 특성을 보이고, 때로는 우리와 같은 농경민족 같은 모습으로 나타나기도 하는 것도 이런 사정 때문이라고 생각된다.

그런데 정작 무서운 곳은 완안부 남쪽에서 백두산 두만강 유역으로 이어지는 간도지방이다. 간도지방은 해발 150~300내리의 산과 얕은 구릉, 그 사이에 펼쳐진 평야 등 우리의 중·남부 지방과 너무나 닮았다.

완안부 동북의 흑룡강 지역은 늪지와 수목지대, 산악지대가 혼합되어 있다. 흑수라는 말도 흑수백산(黑水白山)의 줄임말이다. 백산은 흰 눈이 덮인 높은 산, 흑수는 검은 물이니 깊은 혹은 깊은 숲속을 흐르는 물을 의미한다. 고산준령과 삼림, 강과 벌판이 어우러지는 이 지역의 특성을 묘사한 표현이다.

흑수(흑룡강 유역)

　이처럼 여진족은 다양한 지역에 살면서 농경, 수렵, 유목 등 다양한 생활방식과 문화를 지닌 부족으로 구성되어 있었다.

　이런 문화적 특징은 군사전술에도 그대로 반영되었다. 거란군은 현란한 기동력이라는 초원 기병의 특장점을 최대한 살리는 전술체제를 지녔다.

　반면 다양한 지형에 거주하며 농경의 비중이 높았던 여진군은 좀더 정공법적인 전술을 택해서 중장기병과 경기병의 균형과 협력전술에 더 높은 비중을 두었다.

　여진군의 체제를 보면 500~700기를 1대로 한 거란군에 비해, 50기를 1대로 하고, 앞의 20기는 돌파용 타격무기를 장착한 중장기병으로, 뒤의 30기는 활로 무장한 경기병으로 구성했다. 적과 조우하면 후위에 있는 경기병 한두 명이 나가 적진 앞으로 움직이며 적의 약한 고리를 찾았다.

전위의 중기병과 후위의 경기병

적의 약점을 찾으면, 중기병이 돌진하고, 경기병은 뒤에서 엄호사격을 했다. 그렇게 해서 적진에 균열이 생기면 전군이 총돌격을 하였다.123)

50기 소부대의 혼합 편성 방식은 거란군에 비해 부족한 기병의 수를 전술적으로 커버하고, 산악지형과 삼림지대 등 기동력을 살리기 힘든 지대에서 기병의 효용을 높이기 위한 방식이라고 볼 수 있다. 그렇기 때문에 이런 지역에 사는 여진족은 게릴라전에도 능숙했던 것 같다.

그러나 50기 단위의 병력운용은 전면전, 특히 평원지대에서의 전면전에서는 아무래도 규모가 너무 작다는 느낌을 지울 수 없다. 물론 50기를 몇 개 묶어서 보다 큰 편제로 만들면 해결할 수 있을 것이다. 그러나

마갑의 구조

중·경기병의 혼합체제라는 것이 껄끄럽다. 전쟁과 경영에는 집중의 원리라는 것이 있다. 여러 체제를 섞고 종합하는 방식이 항상 좋은 것은 아니다. 대규모 전면전이 아니라도 힘의 집중과 강타가 필요할 때에 혼합체제는 힘을 떨어뜨린다.

이 약점을 메우려면 중장기병 하나하나의 위력을 증가시키는 수밖에 없다. 그래서 여진군은 두 가지의 전술적 개량을 행했다.

첫째는 중장갑의 강화. 여진의 중장기병은 말과 사람이 갑옷을 최대 세 벌까지도 껴입었다.

두 번째는 더욱 독창적인 전술로 괴자마(拐子馬)라는 새로운 중장기병제도를 고안해 냈다. 괴자마는 기마 세 필을 하나로 묶어 돌격시키는 방식이다. 괴자마의 뒤에는 보병이 거마창(拒馬)을 들고 따라갔다. 한 번 돌격하면 후퇴할 수 없게 하기 위해서였다.

하지만 거마가 없다고 해도 세 필을 하나로 묶었기 때문에 뒤로 돌아서기도 쉽지 않았다. 이렇게 하면 속도와 기동력은 떨어지지만 장갑력과 충격력 하나는 확실했다.

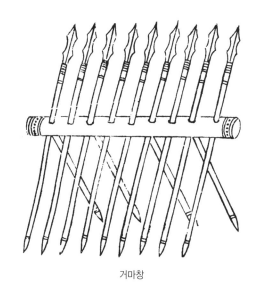

거마창

괴자마는 전투부대의 전면에 배치하지 않고 양익에 배치했다. 전통적으로 중장기병이 부족했던 중국에서는 중장기병을 양익에 배치하는 방식을 사용했다. 적군의 측면에서 모서리를 공격함으로써 사격에 의한 피해를 줄이고, 적의 약한 부분을 최단거리로 타격하기 위해서였다.

중장기병이 풍부하다고 해서 일부러 적의 정면으로 돌격할 필요는 없지만 기병자원이 풍부한 부대는 전면에 경기병대를 내보내고 여러 개의 중장기병대를 동시에 출동시켜 적을 혼란시킬 수 있으므로 반드시 양익이란 위치를 고집할 필요는 없다. 그러나 여진군은 거란이나 몽골에 비해서는 기병자원이 부족하고, 괴자마는 직선이나 크게 선회하는 기동만이 가능하므로 양익에 배치했던 것 같다.

이 제도가 중국 본토에 침공하여 송나라와 싸울 때에 고안한 것인지 이전부터 있었던 것인지는 분명하지 않다. 그러나 괴자마를 고안했다는

매사냥을 하는 거란인(回獵圖)

것 자체가 여진군의 형편과 특성을 보여주는 좋은 사례다.

12세기의 여진군의 전력을 이야기할 때 빼놓을 수 없는 요소가 하나 더 있다. 거란의 압제로부터의 해방과 국가건설에 대한 그들의 투지와 결의다. 거란이 성장할 때에 여진족은 거란과 고려의 틈에 끼여 양쪽에서 협공을 당했다. 거란제국이 성립하고, 동여진만 남자 그들은 힘없고 분열된 국가의 설움을 톡톡히 당하며 살았다. 거란은 유달리 이들에게 가혹한 통치를 했다. 특히 마지막 황제인 천조제(天祚帝 : 야율연희)의 사치와 수탈은 유명해서 전 여진인을 분노하게 만들었다.

두 민족은 비슷한 출생성분을 지녔으면서도 거란인은 동여진을 야만족으로 취급했고, 한겨울에 강을 깨고 채취한 진주와 진귀한 흰발톱을 가진 회색빛 매(해동청)를 바치라고 닦달을 했다. 그게 뭐가 대단하냐고 생각할지 모르지만, 조선 초기에도 이 해동청 진상요구 때문에 국왕이 다른 일을 못할 정도로 고생을 했다. 전국을 뒤져도 일 년에 한두 마리도 잡기가 쉽지 않았기 때문이다.

오만한 거란의 관리들은 지나는 곳마다 여자를 요구했다. 처녀와 유부녀를 가리지 않았고, 여진 지배층의 부녀자도 예외가 아니었다.

이 같은 거란의 학정은 여진인들을 자각시키고, 단합시켰다. 여진인들은 타도 거란이라는 성전을 위해 모이기 시작했다. 그렇기 때문에 초기의 여진군과 지도자들은 상당히 순수하고, 헌신적이었으며, 이런 정열과 단결심으로 부족체제가 지닌 치명적 약점인 자기분열과 갈등을 상당히 극복할 수 있었다.

유명한 괴자마 제도도 전술적 천재의 고안품이 아니라 여진장병들의 헌신적 동기에서 유래하였다. 여진의 중장기사들은 숫적으로 자신들을 압도하는 거란이나 송군과 대면하면, 절대 물러서지 않겠다는 필사의 각오로 서로 몸을 묶고 적진을 향해 돌격했다. 이것이 괴자마 제도의 기원이다. 이제부터 고려가 싸워야 하는 여진군은 이러한 군대였다.

1104년 최초의 완안여진과의 전투에서 고려군은 참혹한 패배를 당했다. 그것도 상대는 아직 제국군으로 조직되지 못한 부족연합적인 군대였다. 이 참담한 사태에 대해 『고려사』는 두 가지 해석을 내리고 있다. 하나는 고려군이 준비 안 된 부대였다는 것이고, 하나는 윤관의 분석으로서 적은 기병이고, 우리는 보병이기 때문이라는 것이다.[124]

이 한 마디 말 때문에 우리는 상당한 혼란을 겪는다. 삼국시대부터 우리는 기병의 비중과 수준이 높았다. 그런데 이때 왜 갑자기 기병이 없다는 이야기가 나오는가?

그래서 이런 해석을 내린다. 거란전쟁이 끝난 이후로 평화를 누리면서 고려의 군비가 해이해졌다. 군인에 대한 대우도 나빠져 군인전이 지급되지 않고, 전문 무사계층이며, 고려의 군제를 지탱했던 군반씨족 제도가 무너졌다.[125]

여러 기록으로 미루어 볼 때 고려의 군제가 해이해진 것은 사실인 듯하다. 그러나 우리는 준비부족이란 말을 남용하는 경향이 있다. 세계 어떤 나라도 평상시에 전시체제에 준하여 군사조직을 유지하지는 않는다. 예기치 않은 전쟁이 벌어지고 나면 항상 군제는 어딘가 해이해져 있고, 준비는 태부족 상황이다. 따지고 보면 거란전쟁이 발발했을 때 고려의 상황도 준비부족이긴 마찬가지였다.

그러므로 준비부족이라는 말을 군사제도의 해이 내지는 와해와 동일시해서는 안 된다. 군사제도 자체가 속 빈 강정이 된 경우와 준비 없이 전쟁을 시작한 경우는 다르다. 1104년의 사례는 복합적이지만, 후자 쪽에 가까웠다.

그렇다면 무엇이 문제였을까?

그런데 이 시기 고려의 군제 관련 기록을 보면 보승의 병진을 사열했다거나 노반을 사열했다는 등의 보병과 노 부대에 관한 기록이 다수를 차지한다는 점이 눈에 띈다.

또 고려는 노의 개량에도 힘을 쏟았다.

> 덕종 원년 3월에 상사 봉어(尚舍奉御) 박원작(朴元綽)이 해당 관리를 시켜 혁차(革車), 수질노(繡質弩), 뇌등석포(雷騰石砲)를 만들 것을 청하였고 또 우노(牛弩) 8개와 24종의 병기를 국경 성에 차려 놓을 것을 청하니 왕이 이 제의를 좇았다.[126]

박원작은 수질노 혹은 수질구궁노라는 것을 만들었는데, 그 성능이

우수해서 매년 교외에서 사격연습을 했다. 수질구궁노가 어떤 것인지는
알 수 없다. 송나라 때에 발명한 신벽궁과 같은 것일 수도 있고, 구궁이라는
명칭으로 봐서는 중국의 삼궁노와 같이 여러 개의 활을 합쳐서 발사하거나
연속사격이 가능한 노였을 수도 있다.

　그러나 활을 아홉 개씩이나 장착했을 리는 없을 것 같다. 구궁이란
활이 아홉 개가 아니라 그만큼 강력한 노라는 의미였다고 생각된다.

　우노는 소가 당겨서 쏘는 노라는 설도 있는데, 소를 부려 시위를 당기다간
지휘관이 분통이 터져 죽을 것이다. 그냥 사람 여럿이 당기는게 낫다.
원래 대형의 차노에는 병사 여러 명이 붙어서 당긴다. 따라서 우노란
소가 끄는 수레에 실어서 끌고 다니는 대형노 즉 차노(車弩 : 수레에 싣고

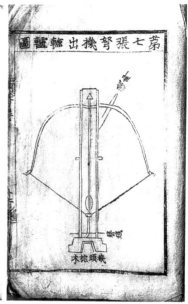

다연발 노

쏘는 대형노)일 가능성이 더 높다고 생각된다. 중국에서는 차노 중에서도 제일 강력한 삼궁노를 팔우노(八牛弩)라고도 불렀는데, 8마리의 소가 끌어야 할 만큼 크고 무겁다는 의미였을 것이다.

거란전쟁 후 고려는 노의 효용성에 대해 상당히 높게 평가했다. 문종 2년에는 서북면에 개인용 노화살 6만 개와 차노 화살 3만 개를 만들어 보냈다는 기록도 있다.

앞서 거란전쟁 편에서 살펴보았듯이 고려는 거란전쟁을 치르는 동안 기병을 앞세운 거란군을 저지하기 위해 보병전술, 그 중에서도 궁수와 노수의 증원과 양성에 많은 노력을 기울였고, 그것이 효과가 있었기 때문에 그 후로도 이러한 전술체제를 발전시켰다고 보인다.

그런데 여진전쟁에서는 이 같은 체제가 문제를 일으켰다. 공격과 방어라는 입장이 바뀌었기 때문이다. 공격과 수비의 조건은 다르다. 공격군을 형성하려면 불리한 지형에서도 적을 제압할 수 있고, 다양한 상황에서 능동적으로 대처할 수 있는 전력과 파괴력을 갖추어야 한다.

그런데 궁노수의 비율이 많아지면 느리고, 백병전에 약하다는 약점이 생긴다. 수성전이거나 야전에서도 수비 측이라면 좋은 위치를 선점하거나 고정진지 안에서 싸울 수 있으므로 이 약점을 어느 정도 커버할 수 있다.

그러나 공격이라면 공격 측이 움직여야 하고, 불리한 지형에서의 전투를 감수해야 한다. 이때 기동력이 떨어지고 단병접전에 약하며, 훈련에 실전경험까지 부족하다는 약점은 치명적이다.

더욱이 함경도 지역은 산지가 많고, 해안평야나 하천가도 대개가 좁고, 구불구불하며 가파른 비탈을 형성한다. 궁병대와 노수대가 위력을 발휘하려면 시야가 넓고, 방진이나 원진을 구성할 수 있는 충분한 공간이 있어야 한다. 그러나 좁은 공간, 길고 구불구불한 산길과 골짜기에서 적의 기병에게 습격을 당한다면? 병사들의 행렬이 2열이나 4열 종대로 길게 이어져 있고, 길은 산을 감아 오르고 내려 시야가 200미터 이상 이어지지 않는다면 그 대열에 끊긴 곳 없이 이어져 있다고 해도 실질적으로는 사분오열되어 있는 것과 마찬가지다.

기병은 평지에서 강하고, 보병은 산악지형에서 강하다는 생각은 참으로 단순한 생각이다. 게릴라전과 기습에서 기동력만큼 중요한 요소가 어디 있겠는가?

이 같은 분열 아닌 분열과 백병전의 취약점을 보완하려면 빠르고 헌신적이며 강한 기병부대가 필요하다. 부대가 공격을 받을 때 신속하게 지원해야 하며, 일반적으로 전문 무사들이 기병이 되므로 기병 개개인의 전투력이 월등하기 때문이다. 그러나 임간이나 윤관의 부대는 예전에 비해 기병의 양과 질 모두 떨어졌던 것 같다.

더욱이 공격을 위해서는 병사 개개인이 수비군보다 월등한 실력을 갖추어야 하는데, 고려군은 오랜 평화로 인한 훈련 및 실전경험의 부족, 전문무사와 기병의 부족과 자질하락이라는 이중고를 겪고 있는 반면, 석적탄의 부대는 완안부의 세력 확대 과정에서 양성한 실전 경험이 풍부한 우수한 전력을 보유하고 있었다.

한 마디로 말하면 당시 고려는 침공과 정복전이라는 새로운 전쟁을 수행할 만한 전술과 편제를 갖추지 못했다. 『고려사』에 기록된 "적은 기병이고 우리는 보병이다"라는 윤관의 말은 우리는 기병이 없다는 단순한 논지가 아니라 이 같은 총체적인 분석의 극히 일부분이었을 것이다.

실제로 여진정벌의 준비과정을 보아도 윤관은 기병양성에만 매달리지 않았다.

여진정벌을 위해 고려는 별무반(別武班)이라는 새로운 부대를 만들었다. 별무반을 만든 목적은 공격부대의 구성이었다. 공격을 담당하려면 병사 하나하나의 무용이 뛰어난 특별히 강력한 부대가 필요하였다. 그래서 기존의 소속과 신분을 가리지 않고 전 군에서 우수한 무사와 병사를 징발하여, 그 중 말이 있는 자는 신기군, 말이 없는 자는 신보군으로 편성했다.

신기군은 중세 유럽에 비유하면 기사단과 같은 부대였다. 단 유럽의 기사단은 자립성이 강했지만, 고려의 기사단은 국가의 관리와 통제 하에 있었다. 전마와 병기는 스스로 준비해야 했고, 말도 한 필이 아니라 최소한 두 필 이상을 보유해야 했으므로, 신기군이 되려면 상당한 재력을 갖추고 있어야 했다. 그래서 아무래도 신기군에는 양반, 토호의 자제들이 많이 들어갔다.[127] 이 중에는 자원하여 신기군에 들어오는 사람도 있었다.

군(민영)은 사람됨이 호방하고 의협심이 있었으며, 어려서부터 매와 개를

데리고 사냥하는 일과 말을 달려 격구하는 것을 좋아하여, 벼슬을 구하지
않았다. 아버지 민효후가 동계병마판관이 되어 여진과 싸우다 사망하자,
이를 한스럽게 여겨 복수를 하여 아버지의 욕됨을 갚으려고 하였다.
마침 예종이 동쪽 오랑캐를 정벌하는 기회를 만나자, 간청하여 신기군이
되었다.[128]

신기군은 정규전에서는 중장기병으로 유격전과 기습전을 벌이거나 적의
유격전이나 기습공격에 대항해서는 백병전을 담당하는 용사로 맹활약을
했다.

우수하고 뛰어난 전사들이 기병을 선호한다고 해도, 기병만으로 전투를
수행할 수는 없다. 그래서 신보군을 편성했다. 이들의 주임무는 특히 산악지
형에서 기습과 돌파력이 뛰어난 여진군의 기습으로부터 궁노수와 일반
보병, 수송대를 보호하는 것이었을 것이다. 그러기 위해서는 백병전 능력을
갖추어야 했고, 사격과 전술운영 능력도 뛰어나야 했다.

전투능력의 극대화를 위해 보병 안에 조탕(跳蕩 : 돌격대), 경궁(梗弓 : 활
쏘는 병종), 정노(精弩), 발화(發火 : 화공 부대) 등의 병종을 마련하고 이들을
육성했다.[129] 이 밖에 고려인의 장기인 돌팔매 부대(石投), 강노(剛弩), 철수(鐵
水), 대각(大角 : 나팔수인 듯) 등의 병종도 있었다.

이런 병종들은 이때 처음 생긴 것이 아니고, 보병의 전통적인 병종들이다.
따라서 이들의 육성은 신보군에게만 해당하는 것은 아니고 전체 보병부대
에 해당하는 내용일 것이다. 그러나 신보군에 속한 병사들은 이런 능력에서
도 보다 탁월한 기능과 전술운영 능력을 보여주었을 것이다.

군대말고도 고려시대에는 지극히 우수한 무사들을 보유한 특별한 집단
이 하나 있었다. 바로 사원이다. 중국의 소림사가 무술의 종주로 유명하지
만, 원래 소림사는 무승의 양성을 위해 위해 세운 절이 아니라 선종의

유점사(미상 「금강산도권」)

본산이다. 절이 크고 번창하면 자체 경호요원이 필요하다. 사원에는 금으로
만든 불상과 보물들도 많다. 우리 나라의 사원도 대찰은 승려가 수천
명씩 되었다. 창고도 크고 비축한 식량도 많았다. 당연히 도적의 표적이
되었다. 명찰들은 깊은 산중에 위치한 곳도 많아서 관가의 보호를 받기도
쉽지 않다.

　그래서 사원에서는 자체 방어를 위해 소림사 승려 같은 무승을 키웠다.
그렇기 때문에 고려시대에 사원의 무력은 상당한 수준을 이루었다. 고려시
대에는 외관을 파견한 지역도 많지 않고, 지방통치가 느슨해서 국가권력이
세세하게 미치지 않았다. 이런 지역에서는 사원이 지방의 치안유지와
경제, 상업활동에도 크게 기여를 했다.

　특히 관이 없는 지역, 으슥한 산길의 치안유지에는 사원의 역할이 매우

컸다. 오늘날로 치면 여관에 해당하는 숙박시설을 이 시대에는 원(院)이라고 했다. 원은 왕래가 많은 주요 길목에도 있었지만, 고개나 산길같이 하루에 지나기에는 멀고, 주변에 민가는 없는 그런 곳에도 세웠다. 고려시대에는 이 원을 사원에서 승려를 파견하여 관리했는데, 이런 곳을 관리하려면 웬만한 건달과 도적을 제압할 수 있는 무술실력도 필요했다. 몽골전쟁 때 영웅이 된 승려 출신 장군 김윤후도 본래 직업은 원을 관리하던 무승이었다.

세상의 모든 법과 제도란 다 폐단이 있다. 이런 무승 중에는 간혹 전혀 승려답지 않은 인물도 있었겠지만, 신앙심과 계율 아래 생활하는 무승들 중에는 실력이 뛰어나고 헌신적이며 희생적인 성품을 지닌, 군인으로서 뛰어난 자질을 갖춘 인물들도 많았을 것이다. 그래서 고려시대 내내 전쟁이나 내란이 발생할 때마다 승려들은 뛰어난 활약을 펼쳤다.

그래서 고려정부는 이런 무승을 징발하여 별무반의 세 번째 부대인 항마군을 편성했다. 항마군의 구성과 활약에 대해서는 사료가 전무하다. 그러나 병사들의 능력과 조직력, 헌신도에서는 가장 우수한 부대가 이들이었을 것이다.

별무반의 또 하나의 특징은 총력체제였다는 사실이다. 고려는 가용자원은 신분과 개인사정에 구애받지 않고 빠짐없이 징발했다. 노부모가 있는 외아들도 징집했고, 한 집에서 부친과 형제 전부가 징집되어 3, 4명이 한 번에 징집된 경우도 있었다. 너무 심하다는 생각도 들지만 힘없는 백성들만 강제로 징발한 것이 아니라 대신과 관료의 아들들도 특별한 직무가 없는 자들은 모두 편성해서 별무반에 소속시켰다.[130)]

숙종과 윤관은 여진족의 성장을 국가적 비상사태로 규정하고 있었던 것 같다. 고려는 과거 거란의 동태를 소홀히 하였다가 참혹한 30년 전쟁을 경험한 적이 있었다. 아마도 그때의 교훈을 최소한 두 사람은 잊지 않고

무사들의 훈련 모습(「성시도」)

있었던 것으로 보인다. 이 점은 분명히 높이 평가해 주어야 할 대목이다.

별무반의 편성 목적은 공격부대의 양성이었다. 그러므로 이들이 여진정벌군의 전부는 아니었다. 전쟁의 상당 부분은 기간부대가 맡아주어야 한다. 그래서 이들의 전력 향상을 위해 모든 무관과 전국의 진과 부에 속한 모든 군사들에게 일년 내내 쉴 새 없이 강훈련을 시켰다.

4. 망설임

고달팠던 시간이 단숨에 흘렀다. 1년이 지나자 고려군은 자신감을 되찾았다. 병기와 군량도 충분하게 축적하였다. 그리하여 1105년 별무반의

일부는 동북면으로 이동하여 실전배치 되기에 이른다.[131]

일반적으로 전쟁은 추수철이 지난 겨울에 진행된다. 즉 음력 10월 이후가 적정기다. 대망의 설욕전이 코앞에 다가온 그 해 10월, 의욕적으로 대업을 추진하던 숙종이 갑자기 쓰러졌다. 여진정벌 계획이 시작되기 전부터 숙종은 모든 정무를 스스로 처리했다고 할 정도로 부지런하고 사명감이 투철한 국왕이었다. 여기에 여진정벌이란 국가의 운명을 건 사태가 발생하자 지나치게 무리했던 모양이다.

이때도 서경까지 행차하여 무사들을 사열했다가 돌아오는 길에 과로로 쓰러졌다. 왕의 행차는 서둘러 개경으로 향했는데, 궁성의 북쪽문인 장평문으로 들어오려는 참에 사망하였다.

숙종이 사망하자 태자가 즉위하였다. 그가 예종이다. 국상이 나고 새 임금이 즉위하는 바람에 여진정복은 연기되었다.

예종이 즉위할 무렵 이미 동북면 국경에서는 긴장관계가 조성되고 있었다. 별무반의 배치가 언제 이루어졌는지는 분명하지 않지만, 여진도 고려가 군사력을 강화하고 있다는 사실을 알았던 것 같다. 예종이 즉위한 직후, 혹은 숙종이 사망할 무렵에 여진족은 여진족대로 군을 증강하여 약 2천의 기병을 국경에 배치하였고, 고려는 다시 이에 대비하여 김덕진(金德珍)과 임신행(任申幸)을 파견하여 동북면에서 임시로 병사를 징발하게 하였다.[132]

양측의 대치가 폭발 직전의 상황에 이르렀던 1106년 정월, 예전에 임간군을 패주시켰던 여진족 장수 지훈(之訓)이 고려에 사절을 보내왔다.

『금사』에 의하면 당시 갈라전 지역의 책임자는 석적탄이었다(석적탄과 지훈이 동일 인물인지는 분명하지 않다). 1104년 고려군을 격퇴하고 이 지역을 평정한 후에 우야소는 일가인 사갈(斜葛)을 이 지역의 통치 책임자로 파견했다. 사갈은 고려에 사신으로 온 적도 있는 인물인데, 거만하고 재판을 경시했다고 한다. 아마도 옥석과 사정을 가리지 않고 완안부에 대항했던 친고려파 인사들을 가혹하게 처벌했던 것 같다. 이 소문이 들어가자 우야소는 즉시 사갈을 석적탄으로 교체했다.

다시 이 지방에 부임한 석적탄은 재판을 엄정하게 하고, 친고려파에 대해서도 수장들만 숙청하고, 나머지는 불문에 붙여 인심을 진정시키고 있는 중이었다. 그러나 이건 일시적인 효과고 그 간에 쌓인 앙금이 쉽게 사라질 리 없었다. 완안부의 입장에서 보면 갈라전의 상황은 불투명했다.

게다가 완안부에서는 전체 여진을 통합하여 거란과 같은 제국을 건설한다는 야심찬 계획을 진행시키고 있는 중이었다. 그들은 거란이 고려와 전쟁을 치르다 성장 에너지를 다 소모해 버렸다는 사실을 알고 있었으므로 가능한 한 고려와는 분쟁을 일으키고 싶어하지 않았다.

고려는 고려대로 새 임금이 즉위한 만큼 일단 내정을 안정시킬 필요가 있었고, 만만치 않은 여진족과 일전을 겨룬다는 것도 부담스러워서 전쟁에 반대하는 관료들도 꽤 있었던 것 같다. 예종도 이제 막 즉위하여 통치기반이 약한 처지라 반대와 위험부담을 무릅쓰고 여진공격을 감행하기는 곤란하였다.

게다가 부친 숙종과 달리 예종의 관심사는 국내정치 쪽에 더 쏠려 있었다. 그는 즉위하자마자 서경에 궁을 건축하는 계획을 수립했다. 『고려사』에서는 예종이 도침서의 말을 믿고 서경에 새 궁을 세우려고 하였다[133]고 하나 실제로는 왕이 개경과 남경(한양), 서경을 주기적으로 순행하면서 왕의 세력과 국가의 권력을 신장시키려는 의도였던 것 같다.

예종으로서는 즉위 초에 성과도 불확실한 대외전쟁을 감행하기보다는 내부의 권력을 신장하고, 안정시키는 사업을 추진하고 싶었을 것이다. 더욱이 예종은 전처럼 서경을 그냥 순행하는 것이 아니라 서경에 주기적으로 행차하여 머물면서 정사도 보고, 법령도 반포하면서 두 개의 수도를 운영하는 체제를 구상하고 있었다.

두 개의 수도를 운영하면 국왕은 더 많은 관리와 군인과 백성과 직할지를 소유하게 된다. 지배층도 개경 귀족과 서경 귀족으로 양분될 것이므로, 국왕은 어부지리를 얻어 권력도 신장될 것이다. 그러니 여진정벌이란 험악한 사업보다는 구미가 당길 수밖에 없었다.

기회가 너무 좋았다. 예종이 서경의 궁궐신축계획을 어전회의에 붙이자 형부상서로 있던 오연총(吳延寵)만이 반대하고, 대부분의 대신이 동의하였다.

개경과 황해도 일대에 기반을 둔 전통적인 명문귀족들이라면 이 계획에 팔을 걷어붙이고 반대해야 하는 것이 정상이다. 바로 한 세대 후에 일어나는 묘청의 난이 서경 천도론 때문에 발생한다. 그러나 이때는 귀족들이 반대하기는커녕 찬성하고 나섰다. 유일하게 반대했다는 오연총은 개경 귀족과는 거리가 먼 해주 사람으로 당시 지배층에게서는 미천한 가문 출신이란 평을 받는 사람이었다.[134]

어째서 이런 불가사의한 일이 벌어졌을까? 이유는 간단하다. 관리들의 입장에서는 정치적 손실을 조금 보는 게 전쟁보다는 낫기 때문이다. 전쟁과 궁궐건축은 동시에 진행할 수 없다. 대규모 토목공사를 벌이려면 장정을 징발하고, 군도 동원해야 한다. 즉 전쟁과 궁궐건축은 똑같은 자원을 필요로 하며, 재정부담도 엄청나다. 그러므로 궁을 건축하려면 전쟁계획은 유보시켜야 한다.

그러면 그들은 왜 여진정벌에 반대했을까? 여러 가지 이유를 생각해 볼 수 있다.

거국적으로 군사를 징발했기 때문에 당장 동북 국경에는 그들의 아들과 조카들도 파견되어 있었다. 화살에는 눈이 없지만, 공사판에는 눈과 법도가 있다. 화살에 맞을 위험도 없고, 양반자제들이 공사판에서 등짐을 질 일도 없다.

회경전 터

　보다 이성적이고 합리적이고 정치적인 이유도 있다. 정치판의 구성을 바꾸는 데 군사력만큼 확실하고, 강력한 변수도 없다. 군이 장부상으로 관리될 때는 큰 위험이 없다. 전쟁이 나면 그들이 동원되어 사단이 형성된다. 그들을 지휘하는 지휘관이 생기고, 전쟁을 통해 상하 간에 끈끈한 연대가 생긴다. 전쟁이 끝나면 그들은 바로 가장 강력하고 새롭고, 군대까지 거느린 신흥 세력으로 등장할 것이다. 전통 귀족들에게 이것은 직접적인 위협이다. 정치적으로 보아도 차라리 서경을 제2의 수도로 삼는 게 손해가 적다.

　그러나 가장 근본적인 원인은 불과 100년 전에 발생했던 거란전쟁의 교훈을 잊었기 때문이라고 해야 할 것이다. 아니 말을 수정해야겠다. 100년

이면 노아의 홍수라고 해도 잊기에 충분한 시간이다.

그들이 잊지 않았다고 해도 인간은 보이지 않는 큰 위험보다는 눈앞에 보이는 이익과 손실에 집착하는 경향이 있다. 숙종과 윤관이 여진정벌을 기획했던 이유는 여진족의 움직임이 심상치 않으니 이를 방치해서는 안 되겠다는 위기감이었다. 하지만 그런 지적에 공감하는 것과 당장 행동으로 옮기는 것은 별개의 문제다. 일단 여진의 침공은 보이지 않는 위험이었다. 거란전쟁의 교훈을 그들이 기억은 하고 알고 있다고 스스로들 말하겠지만, 아는 것과 느끼는 것은 다르다. 그들은 알아도 느끼지 못하고 있었다. 보이지 않는, 내일 현실이 된다고 해도 아직은 형체가 없는 위험이기 때문이다. 그래서 근시안들은 언제나 용감하고, 당당하며, 선각자는 불안하고, 외로울 수밖에 없는 것도 역사의 진실이다.

예종은 계산이 빠르고 이기적이고, 욕심도 많은 타고난 정치가였던 것 같다. 즉위하자마자 그는 빠르게 상황을 계산했다. 아무래도 당장에 자신에게 이익이 되는 쪽으로 마음이 끌렸다. 이때가 아니면 언제 저들이 양경체제와 서경의 궁궐건축, 제2, 제3수도의 건설에 동의하겠는가?

두 장의 카드를 쥔 예종으로서는 지금의 상황이 양경체제를 수립할 수 있는 절호의 기회였고, 이를 놓치고 싶지 않았을 것이다. 일이 되느라고 마침 이런 상황에 여진족도 화해의 사절을 파견하여 왔다. 반드시 화해를 성립시키고 싶었던 예종은 전례를 깨고, 정전인 회경전에서 여진사절을 접견하고 환영식을 베풀겠다고 선포하였다.

회경전은 경복궁의 근정전과 같은 곳으로 고려 왕궁의 중심부인데, 보통 만월대로 알려져 있는 고려 왕궁터의 중심 부분이 바로 이 곳이다. 지금은 건물은 간데 없고, 회경전으로 오르는 계단과 축대, 주춧돌만이 남아 있다.

옛날에는 매사에 등급과 격식이 있어서 대국으로 인정하는 중국 사신만을 회경전에서 접견하고, 기타 나라의 사신은 장소를 한 등급 낮추어 편전인 선정전에서 맞이했는데, 여진 사신을 중국 사신과 동급으로 대우하겠다는 것이었다. 신하들이 그럴 수는 없다고 반대하는 바람에 여진 사절은 회경전을 밟아볼 기회를 놓쳤지만,[135] 화친에 대한 예종의 바람이 어느 정도였는가를 보여주는 대목이다.

예종의 노력은 보답을 받았다. 회경전 구경은 못했지만, 푸짐한 선물과 후대를 안고 돌아간 부하의 보고를 받은 지훈은 지난 전쟁은 전 임금 대에 일이었으니 옛 일은 잊고, 잘 지내보자는 말을 남기고 국경에서 철군하였다.[136]

1106년의 위기는 이렇게 해소되었고, 숙종이 추진해 온 여진정벌 계획은 백지로 돌아가는 듯하였다. 그러나 1107년 국경에서 여진의 동태를 살피던 군관 한 명이 보내온 한 장의 보고서가 상황을 급변시켰다. 보고서의 내용은 "여진이 강해져서 우리 국경 도시에 자주 침입하고 있으며 그 추장이 한 개의 바가지(胡蘆)를 갈가마귀 꼬리(雅尾)에 달아서 각 부락으로 돌리면서 대사를 의논하고 있는데, 그들의 심중을 알 수 없다"는 것이었다.

> 왕은 이 보고를 듣고 중광전(重光殿)의 불감(佛龕) 속에 두었던 숙종의 발원 문을 가져다가 양부의 대신들에게 보이니 대신들이 그 글을 읽고 모두 눈물을 흘리면서 "선대 임금께서 남기신 뜻이 이 같이 심절하신데 어찌 적에 대한 복수를 잊을 수 있으리까?"라고 결의를 표명하고 이어 "선왕의 뜻을 계승하여 여진을 토벌할 것을 청원한다."는 상소를 올렸다. 그러나 왕은 일단 이를 계류시켰다. 왕이 결정을 내리지 못하다가 평장사 최홍사 (崔弘嗣)를 태묘로 보내 길흉을 점치게 하였더니 감지기제(坎之旣濟) 괘가 나왔으므로 드디어 출병할 것을 결정하였다.[137]

이때가 예종 2년 윤10월이었다.[138] 예종은 여진정벌을 결심하고, 중서시 랑평장사 윤관을 행영 대원수, 지추밀원사 겸 한림학사이며 승지였던 오연 총을 부원수로 임명하였다. 임명을 받는 날 윤관은 "제가 일찍이 선왕(聖考) 의 밀지(密旨 : 음밀한 명령)를 받았고 이제 또 전하의 엄명(嚴命)을 받았으니 어찌 감히 3군을 통솔하고 적의 보루를 격파하여 우리 강토를 개척하고 지난날의 국치(國恥)를 씻지 않겠습니까?"라고 말하며 결의를 다지었다.

그러나 신중하고 조심스러운 성격이었던 오연총[139]은 윤관에게 슬며시 다가가 귓속말로 무어라고 속삭였다. 아마도 성패를 함부로 속단할 수 없으니 신중해야 하지 않겠느냐는 의견이었을 것이다. 그러자 윤관이 정색을 하고 오연총을 힐책하였다. "당신이나 내가 아니면 그 누가 능히 죽음의 땅으로 가서 국가의 치욕을 씻을 수 있단 말이오? 국책이 이미 결정되었는데 무엇을 의아 하고 있는가?" 오연총은 더 이상 아무말도 하지 못하고 물러섰다.

전쟁은 결정되었고, 별무반과 원정군은 동북면으로 이동하기 시작했다. 차후 4년간에 걸친 대전역의 시작이었다.

2장 대원정

1. 실전 배치

전쟁은 결정되었다. 예종은 순천관(송나라 사신을 접대하던 곳)[140] 남문에서 소집한 병사들을 사열하고, 병사들의 사기 진작을 위하여 은과 포를 분배하고, 잔치를 벌였다.[141] 그러나 이들이 바로 동북면으로 출발한 것은 아니었다. 국왕과 백관, 원정군은 함께 서경으로 행군해서 다시 서경 위봉루에서 윤관과 오연총에게 부월을 사여하는 정식 파병의식을 치렀다. 천문관에서 여진을 치려면 서경에서 장수를 파견해야 한다고 했기 때문이라고 하는데,[142] 꼭 그런 이유만이 아니라 서경에 대한 예종의 애착도 있고, 동북면의 상황에 조응하기 위해서는 개경보다는 서경이 가깝다는 지리적 요인, 서경과 서북계의 군대도 소집하고, 그들의 사기도 다시 진작시킬 필요도 있었기 때문일 것이다. 실제로 예종은 원정군을 파견한 후 개경으로 귀환하지 않고 서경에 체류하였다.

원정군의 병력은 17만이었는데, 반올림해서 20만이라고 선전했고, 원정이 끝난 후에 세운 기념비에는 30만이라고 적었다. 원정군의 최고 책임자는 윤관과 오연총이었고, 좌군병마사는 문관(文冠), 중군병마사는 김한충(金漢

개경 천문대. 천문관에서 사용하던 천문관측 기구를 놓았던 자리다.

忠), 우군병마사는 김덕진(金德珍)이었다.

고려시대는 사료가 부족하여 지휘부 개개인의 프로필도 부족하다. 윤관마저도 출생연대도 모르고 그의 전기도 대부분 여진정벌 기사로 채워져 있어 정작 그의 성품이나 개성, 일화는 거의 알 수 없다.

윤관은 명문가 출신으로 그의 고조 윤신달(尹莘達)은 태조를 보좌하여 삼한공신으로 책봉되었다고 한다. 그러나 그의 선조들은 『고려사』에 전혀 등장하지 않고 부친 윤집형(尹執衡)도 검교소부소감(檢校少府少監)이란 별로 높지도 않고 실권도 없는 관직을 역임한 것으로 보아 당시 고려 정가에서

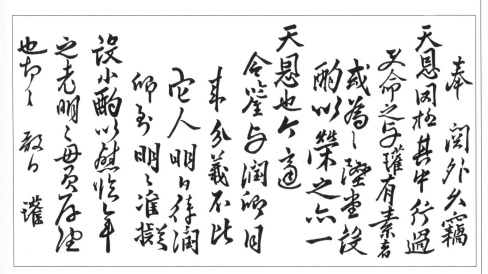

奉 闕外久竊

天恩同松其中行過
天命之与璀有素者
咸爲～陛堂後
酬以榮之六一

天恩也々追
今塗与潤畛日
車多義不比

㥁人明々律潤
師弓明々淮撮

設小酌以慰怍年
之老明々毋及居迋
也切～ 㪍弓 謹

윤관의 필적

일급 가문은 아니었던 것 같다.

　윤관은 문종 때 과거에 급제하여 숙종 때에 크게 승진했다. 어느 정도 집안 덕을 보기는 했겠지만, 그의 집안이 재상가는 아니었으므로 그의 승진에는 본인의 능력과 열정이 크게 작용했을 것이다.

　윤관의 인물됨을 보여주는 자료는 거의 없지만, 이런 과업을 수행하는 사람에게서 볼 수 있는 공통된 자질, 의지와 추진력, 통솔력과 판단력을 갖춘 인물이었다고는 말 할 수 있다. 특히 1104년의 패전 후 여진의 잠재력과 위협, 고려군의 현실을 정확히 진단하고, 대신의 자제들까지 징발하는 상당히 무리한 내용을 포함하고 있는 별무반의 편성을 추진, 완성한 것을 보면 그는 대세를 볼 줄 알고, 대의를 위해 지배층의 편협한 이기주의를 버릴 줄 아는 인물이었다.

　부원수인 오연총은 보다 입지전적인 인물이었다. 그도 과거급제 출신으로 본관은 해주인데, 집안은 미천하고 가난했다. 이런 사람이 출세하려면

2장 대원정

283

남보다 더욱 열심히 노력해야 하고, 재주와 기능은 가능한 한 많이 구비해야 하고, 의지와 집념을 가지고 자신을 연마하며 기다릴 줄 알아야 하고, 관료가 되어서는 어렵고 힘든 업무에는 자원하고, 편안한 자리에서는 더욱 성실하고 열심이어야 하고, 생각은 깊고 판단은 신중해야 하며, 비겁해서도 안 되지만, 자신의 주장을 개진은 하되 강하게 고집해서는 안 된다.

오연총은 이런 성품을 다 갖춘 인물이었다. 숙종은 일찍이 그를 재상감으로 점찍었다.[143] 그의 열전에서 풍기는 분위기로 보아서 그는 전형적인 외유내강형 인물이었던 것 같다. 난관을 극복해 나가는 지도자형으로는 조금 부족한 면이 있을 수 있으나 책임감과 의지로 그것을 극복해 나갔다. 개전을 결의할 때 그는 여진정벌의 성공에 대해 회의적이었으나 한 번도 철군을 주장하거나 임무를 회피하는 일 없이, 자기 임무를 다했다.

다른 지휘관 중 문관과 김한충에 대해서는 『고려사』에 열전이 있지만 자세하지는 않다. 김한충은 경주 김씨로 문과급제자지만 체격이 장대한 무골이었다. 재상까지 역임했지만, 장모가 문종의 여종이자 첩이었기 때문에 대간과 같은 정치적으로 주요한 자리에는 들어가지 못했다.[144] 1104년의 여진정벌 때도 병마사가 되어 윤관과 함께 종군한 경력이 있다.[145] 당시 이미 65세의 고령이었음에도 불구하고 여진정벌에 참전하였다.[146]

문관(文冠)도 과거급제자이나 무장을 역임했다. 하여간 고려시대에는 문무의 구분이 분명하지 않았다. 그는 급제한 후에 바로 정변진 부장으로 배치되어 여진족과 전투를 벌였고, 국경지방의 업무에도 정통했다. 문관도 여진정벌에 참전할 때는 벌써 66세였다. 여진정벌 후에도 서북면 병마사를 역임하는 등 변방을 다스리는 데 공을 세웠다.[147]

지휘부가 모두 문관으로 짜여져 있지만, 이것은 고려, 조선 시대의 전통이었다. 그래도 조선시대에는 최고 지휘관 정도만 문관이고 각군 병마사는 무관이 담당하였던 데 비해, 고려는 이런 자리까지도 문관이 임명되었다.

대신에 고려시대는 조선과는 분위기가 달라 문관이라도 문무를 겸한 인물이 많았다. 이력을 보아도 형식적으로 무관직을 맡는 것이 아니라 실전 지휘관을 역임하기도 했다. 거란전쟁 때 살펴본 강민첨도 서경전투 당시 관직이 진장(鎭將)이었고, 좌군병마사 문관도 정변진 부장을 역임한 경력이 있다.

김덕진은 열전은 없지만 1106년 국경위기 때 동북면 병마사로 파견된 것을 비롯하여 이전에 몇 번이고 동북면 병마사를 겸임했던 인물이다.

이 밖에 중견간부들로 최홍정, 박인량, 왕자지, 김준, 강증, 최홍재, 한충, 이자량 등의 인물이 있었다. 이들은 대부분 국왕의 측근인 내시(조선시대에 내시라고 하면 환관을 말하지만, 고려시대의 내시는 환관이 아니라 국왕의 비서관과 같은 측근신하를 말한다. 이들은 정책 결정에 영향력이 크고 정계의 엘리트면서 국정의 주요 부분 및 군사관계 업무를 많이 담당했다) 출신이라는 공통점이 있으나 출신과 경력은 각각이다. 최홍정은 전력이 분명치 않고, 김준과 박인량은 과거급제 출신이다. 좌우위녹사참군사로 참전한 이자량은 당대의 권력자였던 이자겸의 동생이었다.[148]

왕자지는 집안은 좋지만 서리에 무관 출신이고, 강증과 최홍재는 가문은 미천했지만 군인이 되어 성공한 인물이다. 강증은 외방에 근무하면서 여진족과 싸워 여러 번 공을 세우고, 숙종 때는 동북면 병마판관이 되어 능도에서 여진족 48명을 살해한 공을 세운 적이 있었다.

이처럼 이들의 출신과 경력은 제각각이었다. 이것은 인선이 철저한 능력위주로 시행되었음을 암시한다. 문관이라도 무재가 있고, 동북면과 여진족과의 전투에 경험과 전문성을 갖춘 인물, 무관이라면 실전을 통해 공을 세우고, 동북면에 종군한 경험이 있는 인물로 주로 채워져 있었다. 국력을 쏟아부은 원정답게 인선에도 공을 들인 흔적이 보인다.

그러나 이들에 관한 기록은 극히 소략하고, 더 아래로 내려가 전투현장에서 목숨을 걸고 싸운 장수와 부장에 대해서는 자료가 거의 없다시피하다. 다만 청년 장수 한 사람에 대해서만은 소개를 아끼지 않아야 할 것 같다.

그는 1104년 선덕관 전투에서 고려군을 구한 척준경이다. 척준경은 황해도 곡산 사람으로 부친은 곡산의 향리였다. 향리도 지역의 지도자로부터 향촌의 자질구레한 사무나 말단행정을 담당하는 자까지 여러 등급이 있는데, 집안이 가난했다고 하니 하급의 서리였던 것 같다.

높든 낮든 간에 향리직은 세습직이다. 그래도 향리직을 이어받으려면 문자도 알고, 사무와 행정능력도 익혀야 하는데, 척준경은 글보다는 무술 연마를 더 좋아했다. 무술을 연마하려면 실전훈련도 중요하다. 그런데 전시가 아닌 평시에 행하는 실전훈련은 노는 것과 경계가 모호하다는 문제가 있다. 말 타고 활 쏘고 사냥하고, 그러다 보면 술도 마셔야 하고, 논밭 위로 달리기도 해야 한다, 군사훈련을 혼자 할 수는 없으니 동네 건달들과 함께 다녀야 하고, 그들과 다니다 보면 패싸움도 하고, 물품과 군량을 조달하다 보면 서리, 강탈, 납치, 난봉으로 이어진다.

청소년 시절의 척준경도 이런 코스를 거쳤다. 덕분에 철이 들어서 서리직을 이어받아 보려고 했으나 실패했다. 결국 그는 떠돌이가 되었던 것 같은데, 흘러흘러 경주까지 갔다. 숙종이 왕이 되기 전에는 계림공이었다. 따라서 경주에는 숙종의 땅과 노비도 있었고, 숙종은 경주에 막부를 두고 있었다. 척준경은 숙종의 막부에 종자로 취업했으며, 이것이 인연이 되어 숙종이 왕이 되자 최말단이기는 하지만 군정을 논의하는 최고 관부인 추밀원의 별가(別駕)가 되었다. 그리고 이 인연으로 1104년의 여진원정에 종군했다가 선덕관에서 빛나는 활약을 하여 일약 영웅이 되었다.

척준경의 열전에 의하면 그는 이때의 공으로 천우위녹사참군사(千牛衛錄事參軍事)가 되었다. 척준경이 여진정벌에 다시 참전한 이유는 그가 뛰어난 전사이기도 했지만, 윤관과 특별한 인연이 있었기 때문이다. 1104년 임간의 원정 때 척준경은 장주에서 체포, 구금된 적이 있었다. 이유는 알려지지 않았는데, 선덕관 전투에서 공을 세운 후 흥분해서 사고를 쳤을 수도 있고, 큰 공을 세우고도 시기와 모함을 받거나 지휘관의 속좁은 처신으로 수감되었을 수도 있겠다.

그때 윤관이 그의 진가를 알아보고 구해주었으며, 이번 원정에는 병마녹사로 임명하여 정식으로 기병부대를 거느리게 하였다. 척준경은 이때 동생 척준신도 함께 데리고 갔는데, 자신을 알아주는 장군과 자신의 능력을 펼칠 수 있는 기회를 동시에 잡은 셈이었다.

2. 진격

1107년 12월 4일, 17만의 고려군은 장춘역에 집결했다. 장춘역의 위치는 정확하지 않으나 서경에서 원산을 지나 장주–정평 쪽으로 가는 도중이었다고 생각된다. 1104년의 패배로 당시에 장주와 정평은 여진족의 땅이 되어 있었다.

고려는 전쟁을 개시하기 전에 이 일대의 여진족을 다시 고려편으로 끌어들이려는 전략을 세웠다. 어느 지역을 정복해서 자신의 국토로 하려면 그 지역에 인구를 이식하든가, 그 지역의 주민을 자기편으로 끌어들이든가 해야 한다. 당시의 인구사정이나 형편상 이 지역에서 여진족을 축출하고 고려민을 이식하기란 쉽지 않았던 것 같다. 또 이민정책은 긴 시간을 필요로 하므로 이민정책을 고려한다고 해도 우선은 이들 지역의 여진족을 독립시키고, 이들과 함께 완안부의 세력 확대를 저지해야 했다.

그런데, 지난번 패전으로 친고려적이던 이 지역의 지도자들이 다 숙청되고 새로운 추장들이 자리를 차지하고 있었다. 그러므로 여진족의 협력을 얻으려면 먼저 이들 새로운 추장들을 제거할 필요가 있었다.

고려는 원정군이 출정하기 전에 우야소에게 그의 즉위를 축하하는 사절을 보냈다. 『금사』의 기록에 의하면 이 사신은 흑환방석이란 인물로 이름으로 보건대 고려인이 아니라 여진인인 듯하다.[149) 우야소가 수장이 된 때가 벌써 4년 전이었으므로 새삼스러운 축하지만, 그건 명목이고, 고려가 여진과 우호관계를 돈독히 하겠다는 제스처였다.

당시 여진족은 아직 국가를 이루기 전이어서 그런지 꽤 순진했다. 또 그들에겐 거란이란 거대한 적이 있었으므로 괜한 전쟁을 일으키기보다는 흩어진 여진부락들을 통합하는 데에 더 신경을 썼다. 우야소는 고려의 이 제안에 진심으로 기뻐했다. 그래서 진정으로 화친을 원한다면 예전에 고려로 망명한 자와 고려가 체포하고 있는 여진인을 돌려달라고 제의했다.

흑환은 기꺼이 돌려보내겠다. 그러나 고려가 그들을 완안부까지 데려올 수 없으니 국경에 사신을 보내 인수해 가라고 하였다. 듣고 보니 옳은 말이었다. 송환대상자들은 하나같이 갈라전의 옛 지도자들이고, 친고려파 인사들이었다. 여진사회는 씨족과 부족단위로 조직되어 있었으므로 마을마다 이들의 일족과 친척들이 남아 있었다. 그들을 그대로 갈라전에 풀어놓을 수도 없었고, 고려군이나 갈라전인을 통해 완안부로 호송해 오다가는 도중에 무슨 사단이 나도 날 것이 뻔했다.

고려로 망명해 있는 갈라전의 추장들을 완안부로 데려온다면 그들은 인질도 되고, 갈라전 사람들도 망명정부나 고려에 대한 일말의 기대감을 버릴 것이다. 기대감에 들뜬 우야소는 완안부의 아괄과 완안부의 주요한 협력자였던 오림합부의 승곤을 사신으로 파견하고, 자신이 직접 마기령을 척촌까지 와서 대기하였다. 이 곳의 위치는 알 수 없는데, 함경도 지역에 가까운 곳이거나 함경도 지역 내로 깊이 들어왔던 것 같다.

완안부의 사절이 출발했다는 보고를 받자 윤관은 병마판관 최홍정(崔弘正)과 황군상(黃君裳)을 정주와 장주의 여진부락에 파견하여 1102년에 고려

여진귀족의 무덤에 세운 무사상. 완안윤이묘

에서 억류한 반고려파의 지도자인 허정과 나불을 석방할 테니 와서 맞이하라고 제안했다.

이 기사는 내용이 좀 이상하다. 허정과 나불을 석방하는데, 모든 부락에서 왜 사절을 파견해야 하는 것일까? 여기에는 그럴 만한 사정이 있었다. 고려는 완안부에 사절을 보내 고려에 망명해 있는 친고려파 추장들을 완안부에 인도하고, 반고려파 추장을 석방하겠다고 제안하였다. 이것은 함경도 지역 여진족에 대해 고려가 완안부의 지배권과 현재의 반고려파

관문(關門). 고개나 협곡 같은 험로에 성을 쌓고 성문을 낸 곳을 관문이라고 한다. 사진은 황해도의 정방산성

추장들의 지위를 인정하겠다는 의미였다.

그런데 지금껏 대립, 갈등관계였던 고려와 이 지역 현임 추장들 간의 관계를 재정립하려면, 최소한 화해의 파티나 의식을 열 필요가 있었다. 최홍정과 황군상이 전한 메시지는 두 사람의 석방을 메인이벤트로 해서 새로운 외교관계 수립을 위한 의식과 파티를 열자는 것이었다고 생각된다.

고려가 갈라전의 여진족들에게만 이런 제안을 하였다면 그들은 고려의 진의를 의심했을 것이다. 그러나 우야소가 직접 갈라전 근처 내지는 영내까지 행차했고, 완안부의 고위귀족이 사신으로 오고 있었다. 그러니 이들로서는 거절하고 싶어도 거절하기가 곤란했다.

고려는 장주 부근 천리장성의 관문 안쪽을 회합장소로 정하고 잔치상을 마련했다.

약속한 날 여진족 지도자 400여 명이 회합장소에 모여들었다. 화합의 날이니 파티가 벌어졌고, 파티에는 술이 빠질 수가 없었다. 거나하게 취하였을 무렵, 고려군이 무기를 빼어들고 파티장을 덮쳤다. 여진의 지도자들은 일거에 살해되었고 우야소의 사신이던 아괄과 승곤도 살해당했다.

여진족 모두가 순진했던 것은 아니다. 한 50~60명의 사절들은 고려의 진의를 의심해서 끝까지 관문 안으로 들어오지 않았다. 관문 안에서 살육이 시작되자마자 이들은 달아났다. 그러나 이럴 줄 알고 고려군은 그들의 뒤에도 배치되어 있었다. 병마판관 김부필(金富弼 : 삼국사기의 저자 김부식의 형, 김부식은 4형제인데, 부필이 맏형이고 김부식은 셋째다)[150]과 녹사 척준경은 장성 바깥쪽 길에 매복해 있다가 이들의 도주로를 차단 했다.

다시 관문 안쪽에서 최홍정이 정예 기병을 끌고 출동하여 이들을 양쪽에서 협공하여 거의 다 살해했다. 비겁한 방법임을 부인할 수 없지만, 한순간에 이 일대의 반고려파 지도자들이 섬멸되었다.

놀란 우야소는 서둘러 완안부로 회군했다. 속았다는 생각에 분노야 치밀대로 치밀었겠지만 그가 갈라전 지역까지 몸소 내려오는 바람에 완안부에서는 전쟁 초기에 신속한 대응을 할 수 없었다. 그 결과 함경도 지역의 여진족들은 지도부를 잃고 뿔뿔이 분열한 채, 그들의 병력만으로 고려군을 상대해야 했다. 이것이 초기의 전황에 결정적 영향을 끼쳤음은 말할 필요도 없다.

우야소가 분노의 달리기를 하는 동안, 고려군은 신속하게 장주와 정평 탈환전을 개시했다. 고려군은 부대를 5군으로 나누어 장주와 정평의 성문과 주요 지점으로 일거에 쳐들어갔다. 군을 넓게 나누어서 지휘부를 잃고 우왕좌왕하는 여진족을 동시에 각개격파를 한다는 작전이었다.

지휘관	병 력	목표지점
윤관 · 오연총	5,3000	정주대화문
문관	33,900	정주 홍화문
김한충	36,700	안륙수
김덕진	43,900	선덕진
양유송 등	2,600	도린포

이때 선병별감(船兵別監) 이부 원외랑 양유송(梁惟悚)과 원흥(元興) 도부서사 정숭용(都部署使鄭崇用), 진명(鎭溟) 도부서 부사 견응도(甄應圖) 등은 해군 2천 6백 명을 인솔하고 도린포(道鱗浦)로 진출했다. 도린포는 곧 도련포로, 정평 동쪽 해안의 작은 만인 광포의 돌출 부분이다. 이 곳은 천리장성이 동해와 만나는 곳으로 광포로 탈출하거나 혹은 응원하러 들어오는 여진족을 차단하려는 목적도 있었겠지만, 선박을 이용한 보급로를 확보하는 것이 주목적이었을 것이다.

정평성 탈환은 싱거웠다. 고려군이 진군하는 동안 여진족은 눈에 띄지도 않았고, 들에는 그들이 버리고 간 가축이 널려 있었다.[151] 고려군은 너무 쉽게 3년 전에 상실한 정평을 탈환했으며, 천리장성 북쪽으로 진출하기 위한 첫 번째 기지를 확보했다.

하지만 이것은 시작에 불과했다. 고려군은 정평 탈환에 만족하지 않고 바로 북상했다. 정평을 지나 반나절을 행군하고서 비로소 전투가 시작되었

광포. 천리장성이 이곳에서 끝난다. 『함흥내외십경도』

다. 최초의 전투지는 문내니촌(文乃泥村)에 있는 보동음성(保冬音城)이었다.
아마 함흥 남쪽의 어느 지점이었을 것이다.

　고려군의 전술방침은 속전속결이었다. 여진족이 결집하기 전에 함남
일대를 확보해야 했다. 한 지역을 영구적으로 확보하려면 방어선을 형성할
수 있는 지형을 확보해야 한다. 고려군이 지목한 전략거점은 이위촌 북쪽에
있는 병목이라는 곳이었다.

이위(伊位)의 경계선 지점에 연달아 산줄기가 있는바 그것이 동해안으로부터 불끈 솟아서 고려 북부 국경까지 뻗쳤는데 지세가 험준하고 수림이 무성하여 인마(人馬)의 통행이 지극히 곤란하였다. 그 사이에 단 하나의 오솔길이 있었는데 이것을 '병목'(甁項)이라고 하는바 그것은 단 한 구멍으로 출입하는 까닭에 그렇게 부르는 것이다. 그런데 공명심이 강한 사람들이 가끔 건의하기를 "단 한 줄기의 오솔길을 폐쇄하면 오랑캐(여진)의 통로가 끊어질 테니 바라건대 군사를 파견하여 그것을 평정하시라"고 하였다.[152]

이위촌은 오늘날의 길주고, 동해안에서 솟아 고려 북부 국경까지 뻗친 산맥이라면 백두산에서 동해안으로 흘러내리며, 오늘날 함경남도와 함경북도의 경계를 이루는 마천령산맥이라고 생각된다. 이 마천령산맥과 함경산맥의 교차점에 있는 중요한 거점이 길주, 명천, 경원 등이다.

따라서 윤관은 길주-명천 일대를 정복하고 이 곳을 국경선 및 방어선으로 삼으려고 했다. 특히 남북을 오가는 유일한 통로라는 병목이라는 지점에 큰 기대를 걸었다. 길주-명천 지역에는 유명한 길주-명천 지구대라는 단층 계곡이 있고, 그 덕분에 좌우로 단애가 형성된 골짜기가 길이 발달했다. 병목이란 곳도 이런 지형 덕분에 생긴 것이라고 생각되는데, 조선시대 사람들은 이 곳을 명천과 경성 경계에 있는 귀문관(鬼門關)이라고 보았다.[153] 그래서 조선시대에도 경성에서는 이 곳을 병항판(餠項坂)이라고 불렀다.[154] 고려군의 일차적 목표는 이 곳을 점령, 차단함으로써 함남 일대를 확실하게 확보하는 것이었다.

길주-명천 선을 확보하기 위해서는 무엇보다도 시간이 중요했다. 점령보다 어려운 것이 방어와 정착과정이다. 방어선을 확보한 다음에는 방어시설을 구축해야 하고, 그 다음엔 주민을 이주시켜야 한다. 완안부의 여진족들은 결코 가만히 있지 않을 것이다. 일전을 각오해야 하겠지만, 승리를

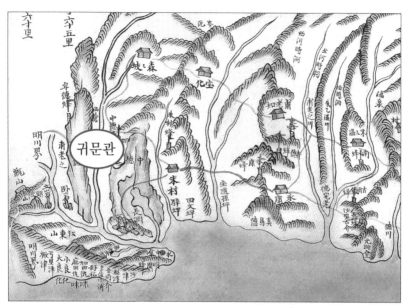

귀문관. 병목으로 추정되고 있다. 『해동지도』 명천부

거두려면 그들이 공격해 오기 전에 완전한 방어태세를 갖추어야 한다. 고려의 방어력이 확고하면 확고할수록 적의 포기도 빨라질 것이다.

보동음성에서 적이 농성하자 윤관은 병마 영할(兵馬鈴轄) 임언(林彦)과 최홍정을 시켜 정예부대를 거느리고 신속하게 성을 점령하라고 명령했다. 그 동안의 조련이 빛을 발했다. 고려군 정예는 돌격하여 단숨에 성을 점령했다.

다음 날에는 석성(石城)에서 보다 강력한 여진 부대와 마주쳤다. 여기서 문관이 이끄는 좌군도 합세했다. 석성은 지명이 아니라 일반명사인 듯하다. 보동음성에서 하루를 보내고, 다음 날 오후쯤에 도달한 지역이므로 함흥 부근의 산성이나 요새였을 것이다.

윤관은 통역관을 보내 투항을 권유했으나 여진군은 "우리는 한 번 싸워서

공성전

승부를 내겠다"라는 대답을 보내왔다. 고려군은 성을 포위하고, 공격했으나 여진군의 저항은 완강했다.

공성전은 그 승패를 떠나 시간이 걸린다는 것이 문제였다. 성이 약하고, 수비군이 화살도 부족하고 오합지졸이어서 한 번의 공세에 무너져 버린다면야 괜찮지만, 그렇지 않다면 정공법으로 나가야 하는데, 공성구를 준비하고, 성벽에 대응하는 호나 방벽을 구축하자면 시간이 걸린다. 석성에서 여진부대가 호투하고 있다는 소문이 들리면 주변과 북쪽 지역의 여진족들이 호응하여 모여들 것이고, 이 기세에 고무되어 여기저기서 방어전을 준비하기 시작하면 속전은 더욱 어려워진다.

윤관은 승부를 걸기로 작정하고 가장 믿음직한 장수를 불렀다. 척준경이었다. "날이 저물면 사태가 위급해진다. 그대가 장군 이관진(李冠珍)과 합력하여 공격하라." 이 한 마디는 초기 작전 동안 윤관이 속도를 얼마나 중시하고 있었는가를 보여준다. 당시 여진의 전력으로 볼 때, 날이 저문다고 고려군이 당장 위급해질 것은 없었다. 윤관이 말한 위급한 사태란 전략적 차질이었다. 단 하루라도 헛되이 소모할 수 없었던 것이다.

이런 모습을 보면 윤관은 확실히 최고 지휘관의 자질을 갖춘 인물이었다. 사람이 계획은 잘 세워도 계획을 일정대로, 단계별로 확고하게 추진하기란 쉽지 않다. 더욱이 전쟁터라는 곳은 수만 가지의 돌발상황이 발생한다. 이런 저런 변수에 휘둘리다 보면 느슨해지거나 뒤죽박죽이 되기 십상이다. 그렇다고 상황변화를 무시하고 무조건 계획서와 일정표에 집착하다간 맹목적이 된다. 이런 상황에서 중심을 유지하는 방법의 하나는 애초에 세웠던 전략의 목적을 잊지 않는 것이다. 그렇게 해야만 원칙과 변수를 일관성 있게 응용하고 통제할 수 있다.

뻔한 얘기 같지만 이것은 의외로 중요하다. 역사에 이름을 남긴 명전략가와 장수들과 성공한 경영자들의 책을 읽어 보면 그들이 전략, 전술의 목적, 경영의 목적을 얼마나 강조하고 있는가를 알 수 있을 것이다.

간혹 어떤 사람들은 목적과 목표를 혼동한다. 누구는 방법에 자존심을 걸고, 누구는 원칙은 불변이라고 말한다. 다들 그러다가 파멸을 맞는다. 독일이 스탈린그라드를 노린 이유는 러시아의 유전지대를 장악하기 위해서였다. 그러나 중간에 스탈린그라드의 점령 자체가 목적이 되어 버렸고, 그 결과는 50만의 희생과 대소전선의 파멸이었다.

목표와 방법과 원칙은 목적에 종속한다. 계획을 세울 때는 목적이 분명해야 하고, 매사에 목적에 대한 긴장감을 잃지 않아야 한다.

윤관이 단 하루를 아까워한 이유는 조급하거나 가슴이 좁아서가 아니라 작전계획의 목적을 잊지 않고 있었기 때문이다. 분명 그의 옆에서는 계획보나 진격이 빨라서 2~3일 정도 벌은 시간이 있다는 둥 괜히 병사들의 희생을 초래할 필요가 없다는 둥의 의견을 개진하는 참모들이 있었을 것이다. 그러나 윤관은 확고했다. 이 전역은 시간과의 싸움이었다. 비겁하고, 여진족에게 신뢰를 잃는 행위였지만 계략을 써서 추장들을 모아놓고 살해한 것도 속전속결을 위해서였다.

정면 공격으로 희생이 많이 난다고 해도, 빠른 시간 내에 이 지역을 평정하고, 강력한 요새선을 구축해야 했다. 고려군의 축성술과 수성능력은 수양제와 당태종도 인정하였던 능력이 아닌가. 적이 반격을 해 오기 전에 확고한 요새선을 구축하고, 주민을 이식해서 여진이 반격할 엄두를 내지 못하게 해야 했다. 당장의 전격전은 병사들의 희생을 요구하지만, 전체적으로 보면 그것이 희생도 줄이는 일이었다.

척준경은 윤관의 기대를 저버리지 않았다. 그는 바로 이 순간이 자기 한 몸을 바쳐 장주에서 윤관이 자신을 살려준 은혜를 보답하는 날이라는 대답을 남기고 성을 향하여 돌격했다. 전쟁사를 보면 이렇게 비장한 말을 남기고 돌격한 용사는 대개 전사하는데, 척준경은 정말 대단했다.

> 척준경은 석성 아래로 가서 갑옷을 입고 방패를 들고 적진으로 뛰어들어 추장 몇 명을 쳐죽였다. 이때를 타서 윤관의 휘하 대군과 좌군이 합세하여 죽음을 무릅쓰고 격전하여 적을 크게 무찔렀다. 이때 적들은 혹 스스로 바위에서 떨어져 죽은 자도 있었으며 남녀 노소가 섬멸되었다.[155]

척준경은 성을 함락시켰을 뿐 아니라, 살아남았고, 이 날의 전공으로 비단 30필을 포상으로 받았다.

함흥을 확보한 고려군은 여진부락을 소탕하면서 파죽지세로 길주까지 밀고 올라갔다. 최후의 대전투는 지금의 길주에 있는 이위동에서 벌어졌다. 정예부대를 이끌고 늘 좋은 활약을 보여주었던 최홍정과 김부필, 녹사 이준양이 이위동 작전을 맡았다. 이 전투는 꽤 치열했다. 양군은 상당히

오랫동안 싸웠지만 끝내 고려군이 승리했다. 확인한 적의 전사자만 1,200명 이었다.

　이위동 전투를 끝으로 여진군의 조직적 저항은 분쇄되었다. 이 곳까지 오는 동안 각군이 올린 전과는 다음 표와 같았다.

부 대	격파한 촌락	살해	생포
본군	대내파지촌 등 37개촌	2,120	500
중군	고사한 등 25개촌	380	230
좌군	심곤 등 31개 촌	950	
우군	광탄 등 32개촌	290	300

　이렇게 해서 전격전은 대성공으로 끝났다. 고려군은 공세를 시작한 지 한 달이 안 되는 기간 동안 최종 목표인 길주와 그 주변 고을을 장악했다. 윤관은 개경에 작전의 성공을 알리는 한편, 2단계 작전으로서　이 지역의

함흥 구성루. 함흥성의 장대. 고려시대에 수축한 성에 새로 지은 것이다.

경성의 남문과 성벽. 고려시대의 성에 덧대어 쌓은 것으로 윤관이 쌓은 성이라고 전한다.

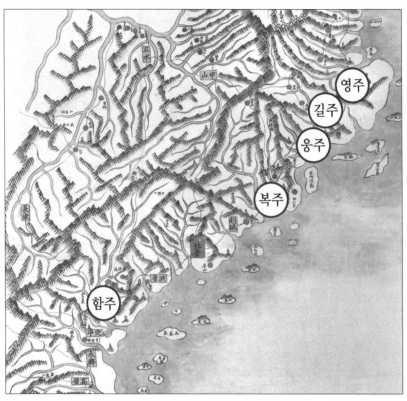

최초의 9성(추정). 공험진, 통태진, 평융진은 위치미상이다. 의주는 원산 부근 덕원으로 보는데 너무 남쪽이라 의심스럽다.

방어와 주민이주를 위한 축성작업에 들어갔다.

이때 쌓은 성이 유명한 윤관의 9성인데, 처음에 쌓은 성은 함주(함흥), 길주, 영주(명천), 웅주(길주 남쪽 웅평?), 복주(단천)의 5성과 공험진이었다. 여기에 다음 해에 완공한 의주(덕원?), 통태진, 평융진을 합해 9성이라고 한다.156)

성을 수축한 후 윤관은 고인이 된 숙종이 부처님께 한 약속을 지켜 영주성 안에 호국인왕사(護國仁王寺)와 진동보제사(鎭東普濟寺)의 두 절을 세웠다.

9성의 위치에 대한 고찰

윤관이 설치한 9성의 위치에 대한 논쟁은 수백년 간 지속되고 있다. 9성의 위치와 축성 과정을 알려주는 거의 유일한 사료는 윤관이 임언을 시켜 영주 관아의 벽에 쓰게 했다는 「영주벽상기」다. 이 전문은 『고려사』윤관전에 전한다. 그런데 이 기사와 여진전쟁 기사에 나타나는 지명이 여진어로 된 곳이 많은데다가 고려 후기에야 이 지역을 완전히 우리 영토로 회복하였기 때문에 지역에 내려오는 전승이나 지명도 단절되어서 그 위치가 분명하지 않다. 그런데 이 9성의 위치가 함경도 및 두만강, 만주 지역에 대한 국경 및 영유권 문제와 연결되면서 복잡한 논쟁을 야기하게 된다.

1) 두만강 유역설

최초의 위치비정은 세종 때에 행해졌다. 4군6진을 개척하고, 압록강, 두만강을 우리 국경으로 획정하는 과정에서 중국 및 여진과 국경분쟁이 발생했다. 세종은 이 지역이 이전부터 우리 땅이었다는 사실을 증명하기 위해 9성의 위치를 비정하는 데에 몸소 나서서 노력을 했다. 그러나 당시 이미 옛 지명은 잊혀지고, 증거도 불충분하여 위치 비정이 쉽지 않았다.

특히 중요했던 곳이 고려와 여진의 국경을 표시하는 비를 세운 선춘령이 있다는 공험진의 위치였다. 결국 세종대에는 공험진을 두만강가의 도시 경흥이었다고 비정하였다. 세종실록지리지에서는 경흥에 성을 쌓다가 광주(匡州) 방어사의 인(印)이라고 새겨진 도장을 얻었다. 공험진이 곧 공주(孔州)이므로 광주가 공주에서 유래한 말이라고 보고, 이것을 가지고 경흥이 공험진인 증거라고 하였다.

세종대에 편찬한 또 다른 책인『고려사』지리지에서는 공험진은 광주라고도

하고, 선춘령 동남 백두산 동북에 있다고도 하고 일설에는 소하강변(蘇下江邊)에 있다고도 한다고 적었다. 어느 곳이든 공험진을 두만강 유역의 요지라고 본 데서는 공통점이 있다.

2) 길주 부근설

백과사전적인 탐구심을 자랑했던 조선후기의 실학자들도 9성 지역에 관심을 가졌다. 한백겸, 유성원, 신경준, 한진서, 정약용 등 쟁쟁한 인물들이 모두 이 주제에 관심을 가졌다. 이들의 입론과 위치비정은 조금씩 차이가 있고, 오류도 있다. 예를 들어 한백겸은 마운령에 있는 오래된 석비를 윤관비라고 추정했는데 이 비는 진흥왕순수비였다.

그러나 실학자들은 대체적으로 임언의 기록을 인정하여 길주, 영주, 웅주를 현재의 길주 부근으로 보고, 공험진도 길주에서 멀지 않은 곳에 있었다고 보았다. 왜냐하면 군사적 관점에서 볼 때 공험진만 100km 이상 떨어진 지역에 설치할 수 없으며, 길주를 구원하러 가던 오연총군이 공험진에서 패했다는 기사로 보아 공험진은 함주와 길주 사이에 위치해야 하는 것이 정상이기 때문이다.

3) 함흥평야설

일제시기에 일본학자들은 9성이 함흥평야 주변에 위치한다고 주장하였다(津田 左右吉, 地內宏, 稻葉岩吉). 그 중 대표적인 소론이 이케우치(地內宏)의 설이다. 그는 총독부 촉탁으로 함흥지역을 답사하면서 『고려사』의 기록을 들어 이전의 설들을 비판하고, 일일이 9성의 위치를 찾아 비정하기까지 하였다.

이 주장은 매우 논리적인 형태를 취하고 있으나 사실은 억지투성이다. 『고려사』의 내용에 비추어 그 기록에 합당한 지역은 이 곳밖에 없다는 식의 논리는 얼핏 그럴 듯하고 사실적으로 보이지만, 『고려사』뿐 아니라 고중세의 문헌사료를 읽어본 사람이라면 특별한 경우를 제외하고는 전쟁장면을 묘사한 기술을 가지고 지명을 비정하는 게 얼마나 엉터리 같은 짓인지 알 수 있다. 예를 들어 여진정벌 때 그 유명한 병목골짜기는 어디일까? 전국의 지형을 다 뒤져도 그런 곳은 없다고 할 수도 있고, 수십 군데를 만들어 낼 수도 있다.

그러나 불행하게도 이케우치의 설은 오랫동안 영향력을 끼쳤다. 어느 때인지는 정확히 기억할 수 없으나 중고등학교 시절 필자가 배웠던 교과서에도 윤관의 9성이 함흥평야 주변으로 표시되어 있었다.

4) 두만강 유역, 이북설

이 설에서는 주로 공험진과 선춘령의 위치가 논란이 되는데, 1960년대 이후 민족주의 사학의 입장에서 일인학자들의 소론을 비판하면서 조선 초기의 두만강 설을 지지하거나 그 범위를 더욱 넓혀 두만강 너머에 설치했다고 보았다. 이 설들은 대개 민족의 정기와 기상을 거론하고, 일제에 의해 왜곡되고, 좁아진 우리의 심성을 비판하였다. 그러나 여러 시도에도 불구하고 아직 결정적 증거는 아직 제시하지 못하고 있다.

필자 개인적으로는 실학자들이 지적했던 것과 같은 이유로 공험진은 길주 주변에 있어야 한다고 본다. 전술적 원리상 공험진 홀로 수백킬로를 전진해서 설치한다는 것은 불가능하다. 물론 이러한 견해에 대해 또 여러 가지 이견이 있지만, 9성의 위치에 대해서는 윤관전의 기록과 군사적, 전술적 견해에서 접근하는 것이 가장 합리적이라고 생각된다.

3. 1월 공세

여진정벌의 1라운드는 고려군의 완벽한 승리였다. 작전계획이 이렇게 맞아떨어지기도 쉽지 않다.

완안부로 돌아온 우야소의 심정은 참담했을 것이다. 완안부의 위치가 북위 45.8도 부근이므로 거리상으로 치면 백두산에서 강원도 양양까지 정도 되겠다. 그 곳까지 가려면 최소 5~7일은 걸렸을 것이다. 그가 완안부에 도착하고 회의를 소집하고 할 무렵, 고려군은 이미 파죽지세로 함남지역을 석권하고 있었다.

우야소는 대책회의를 소집했는데, 모든 추장들이 출병에 반대하였다. 단기전이나 공격해 오는 고려군을 맞받아치는 것이라면 모를까 이미 거점을 확보한 고려군을 공격하는 것은 일단 부담이 컸다. 거란도 실패한 고려공격이었다. 행여나 완안부의 주력이 대패라도 한다면 여진 통일이라는 완안부의 꿈은 사라지고 만다. 그들은 함남을 상실하더라도 고려와 화해를 하고, 주적인 거란을 대비하며 힘을 비축하자고 주장했을 것이다.

회의가 이렇게 종결될 뻔했는데, 우야소의 동생 아골타가 반대를 했다. 이 사태를 방치하면 완안부의 패권과 통합작업에 불만을 가진 모든 지역의 여진부락들이 반기를 들 것이니, 우리는 갈라전을 잃는 데 그치지 않고 여러 부족들을 다 잃을 것이다. 아골타의 이 같은 강경 발언에 회의의 결론이 전쟁으로 돌아섰다.[157] 우야소는 이복동생인 알색(斡塞 : 오싸이)[158]을 공격군 사령관으로 임명했다.

여진의 반격은 1108년 1월에 시작되었다. 고려는 완안군이 남하한다는 정보를 입수했던 것 같다. 1월 14일, 윤관은 애초의 계획대로 병목에서 여진군을 차단하기로 하고 오연총과 함께 정예병 8천 명을 이끌고 병목으로 진군했다.

윤관이 이 곳 소로를 지날 때에 매복했던 여진군이 튀어나와 고려군의 본대를 덮쳤다. 이 기습공격은 매우 치밀했던 모양으로 여진군은 먼저 고려군의 앞과 중간으로 끼어들어 윤관의 앞뒤를 차단하고, 허리가 잘린 고려군을 뒤로 밀어내고 강력한 방어진형을 구축하여 윤관을 철저히 고립시켰다. 그리고 그 진형 안쪽에서는 윤관과 오연총을 포위 공격하였다.

윤관과 오연총은 꼼짝할 수 없는 상황이 되었다. 후미의 군대는 잘리고 흩어졌다. 여진군의 차단선을 뚫고 들어가 윤관을 구하려면 이들을 정돈하고 수합해야 하는데, 길은 좁고, 고려군은 혼란에 빠져 있었다. 이미 윤관과 오연총 주변에 남아 있는 병사는 10여 명밖에 되지 않았다. 그들은 결사적으로 도원수와 부원수를 엄호해서 당장 윤관이 사로잡히는 것은 막았다. 그러나 중과부적이었다. 오연총은 화살에 맞았고, 이들은 무너지기 일보직전이었다.

당장 무슨 행동을 취해야 한다고 판단한 척준경이 용사 10여 명을 뽑아 결사대를 조직했다. 낭장으로 형을 따라 참전했던 동생 척준신이 이 무모한 공격을 말렸다. "적진이 견고하여 돌파할 수 있을 것 같지 않습니다. 이런 공격은 자살행위니 무슨 이득을 보겠습니까?" 척준경은 버럭 화를 내며 소리쳤다. "너는 돌아가서 늙은 아버님을 봉양하라, 나는 한 몸을 국가에 바쳤으니 의리상 가만히 있을 수 없다." 척준경은 이 말을 남기고 함성을 지르며 적진으로 돌격했다.

척준경은 10여 명을 쳐 죽이며 적진을 돌파했다. 이들의 분전으로 윤관은 절대절명의 순간에 구원을 받았다. 그리고 척준경과 결사대원들이 가세하여 윤관을 엄호하는 동안 최홍정과 이관진이 산골짜기로부터 구원병을 이끌고 왔다. 여진족은 도주하였고, 고려군을 그들을 쫓아가 36명을 죽였다.

윤관은 눈물을 흘리며 척준경의 손을 붙잡고 이제부터 너를 아들로 생각할 테니 너도 나를 아버지로 생각하라고 말했다. 윤관의 이 말은 일시적 흥분에서 한 말이 아니어서, 전쟁이 끝난 후 곡산의 하급 서리의 아들은 일약 정가의 최고 실력자를 의부로 둔 고려 정계의 기린아로 떠오르게 된다. 그러나 그것은 나중의 일이고 척준경은 이 날 공으로 윤관의 추천을 받아 정7품 합문지후로 승진했다.

윤관은 위기를 모면했지만, 고려군은 전진을 보류하고, 영주성(명천)으로 되돌아왔다. 이 날 윤관을 공격한 여진족은 완안부의 주력군은 아니었던 것 같다. 왜냐하면 본격적인 전투는 열흘 후인 1월 26일에 시작되기 때문이다. 이들은 완안부의 선발대거나 완안군의 출동에 고무된 주변의 여진족 부대였을 가능성도 있다.

그런데 사실 병목전투는 고려군에게는 큰 충격이었다. 고려가 여진정벌을 시도하면서 9성을 점령목표로 선정한 결정적 이유는 병목 골짜기 때문이었다. 이 곳이 함북에서 함남지역으로 내려오는 유일한 출구라고 알려졌기 때문이다. 윤관이 이 곳을 막으러 가다가 어이없이 매복에 걸린 것도 이 정보를 믿었기 때문이다. 그러나 이 정보는 잘못된 것이 었다.

> 이전에 의논하는 자들이 모두 말하기를, "여진의 궁한리(弓漢里 : 길주) 밖은 산이 잇달아 벽처럼 서 있는데, 오직 작은 길 하나가 겨우 통하니, 만약 관성(關城)을 설치하여 작은 길을 막는다면 여진에 대한 근심이 영구히 끊어질 것이다."고 하였더니, 그것을 빼앗아 놓고 본즉 수륙 도로가 가는 곳마다 통하지 않음이 없어 앞서 들던 바와 아주 판이하였다.[159]

1월 26일부터 전황은 복잡하고 격렬해졌다. 고려군이 6성을 점령하고 영주할 의사를 밝히자 여진족의 일부는 고려군에 붙고, 일부는 반군이 되었다. 물론 이 지역에는 여진인인지 고려인인지가 불명확한 사람들도

명천성. 마을 뒤쪽을 언덕처럼 두르고 있는 것이 성이다. 토성으로 윤관이 쌓은 성이라고 전한다.(사진으로 보는 근대한국 하)

있었을 것이다. 고려군은 협력하는 인물들을 포섭하여 관직을 주고 방어에 참여시켰다.

그러나 완안부의 반격이 너무 빨랐다. 게다가 병목 차단작전이 소용이 없었기 때문에 고려군은 각 성으로 분열된 상태에서 여진군을 맞아야 했다.

고려군의 병력은 17만이었다. 이를 6성으로 나누면 평균 2만 8천 명 정도가 된다. 그러나 주둔할 곳은 6성만이 아니었다. 출발지점인 정평과 장주, 천리장성 안쪽, 기타 중간지점, 보급부대 등까지 감안하면 더 많은 수로 분열된다. 결국 한 곳에 1만 명 정도 주둔시키기도 부족하였다.

성이 단단하게 축조되어 있다면 몇 배의 병력이 몰려와도 충분히 지킬 수 있다. 그러나 고려가 이 일대를 점령한 지 한 달도 못 되었다. 성을 축조했다고 하지만 한 달도 안 된 기간에 쌓은 성이 온전할 리가 없었다. 아마도 대부분의 성은 토성이었을 것이다.

만사가 뜻대로 되는 법은 없다. 더욱이 상대가 바보가 아닐 때는. 1월 26일 이런 상황에서 여진군 2만이 영주성으로 밀어닥쳤다.

지금까지 싸웠던 부족군대가 아니라 완안부의 지휘를 받는 여진의 주력 부대였다. 자신감이 충만했던 여진군은 정면공격을 택하여 영주성 남문 앞에 포진했다.

병목으로 출동할 때 고려군의 병력이 8천이었으니 이때 영주성의 고려군 은 1만 명 내외였을 것이다. 적의 수에 압도당한 지휘부는 농성전을 하기로 했다. 그러나 척준경이 반대했다.

> 만약 나가 싸우지 않으면, 적병은 날로 늘어날 것이다. 성 안의 군량이 떨어지고, 밖으로부터는 구원병이 이르지 않으면 장차 이를 어찌 할 것인 가. 지난날의 승첩을 여러 공들은 보지 않았는가. 내가 오늘도 나가 죽기를 무릅쓰고 힘껏 싸울 테니 공들은 성에 올라가 이를 보라. (『고려사』 권16, 열전9 윤관)

척준경은 결사대를 끌고 성 밖으로 출동하여 적진으로 돌격했다. 결사대 는 신기군과 항마군 등 별무반의 용사들로 구성된 중장기병대였을 것이다. 단기승부라면 전체병력 수보다도 접전지역에서의 우세가 중요하다. 척준 경 부대는 적진을 강타하며 거칠 것 없이 뚫고 나갔다. 기록에는 적 19명을 살해했다고 했다. 큰 전투 치고는 너무 적다는 느낌이 들지만, 척준경 개인의 전과인지 부대 전체의 전과인지가 불확실하다. 그리고 그 19구가 여진군이 믿던 철기병대나 최고 정예부대와 싸워올린 전과라면, 그리고 적어도 이들이 빗발치는 화살을 뚫고 물고기 떼를 헤치듯, 포진한 보병들을 몰아내고, 여진의 진지를 분쇄한 것이라면 의미는 더욱 달라진다.

중장기병대의 돌진 모습. 중장기병대가 밀집대형을 이루어 전진하고 있다. 창을 위로 든 이유는 화살을 막기 위해서다. 보통 전열은 창을 앞으로 내고, 후위는 위로 들어 화살을 막는다. 우측에 대형을 벗어나 칼을 뽑아든 사람은 교위나 대장과 같은 지휘관, 그 뒤에 창을 든 사람은 기수이거나 같은 지휘관급 용사일 것이다.

무술을 아는 사람이라면 상대가 달리는 모습이나 한두 번 싸우는 모습만 봐도 적장의 능력을 안다. 이 날 누대 위에서 이 전투를 관람한 장군들은 지난 2년간 별무반을 양성해 온 보람을 온 몸으로 느꼈을 것이다.

진이 돌파당하자 여진군은 급격히 허물어졌고, 전위부대가 물러서자 주변의 부대들도 뒤따라 달아났다. 결사대는 북과 피리를 울리며 의기양양 하게 성 안으로 개선했고, 감동한 윤관과 오연총 등 지휘관들은 누대에서 내려와 손을 잡고 용사들과 맞절을 하며 경의를 표하였다.

첫 번 전투에서 승리하기는 했지만 적이 입은 손실은 별로 많지 않았다. 고려군은 여기저기에 분산되어 있다는 약점이 노출되었다. 윤관은 영주성 을 버리고, 중성(中城)도독부로 이동했고, 다른 부대에게도 연락하여 포기할 지역은 포기하고, 각 진의 병사들에게 이 곳으로 집결하게 했다. 중성도독부 는 웅주성이 아닌가 싶다.

여진은 고려군의 작전을 예상하고 최전선 기지인 공험진에서 돌아오는 고려군을 기습했다. 고려군은 크게 패했고, 지휘관인 권지승선 왕자지는 자신의 말까지 빼앗겼으나 구사일생으로 목숨을 건졌다.

이 소식을 들은 척준경은 정예부대를 끌고 왕자지를 구하기 위해 달려갔다. 이번에도 그는 무용을 발휘하여 적진을 헤집고, 적을 패퇴시켰다. 여진족이 도망하자 척준경은 추격하여 어진의 중삽마를 빼앗아 돌아왔다.[160) 아마도 왕자지에게 잃은 말 대신 이것을 타라고 선물했을 것이다. 이 인연 때문인지 그 후로 척준경과 왕자지는 단짝이 되어 수많은 전투를 함께 치른다.

2월 11일, 완안부의 여진군이 다시 수만의 병력을 동원하여 웅주성을 포위했다. 근소한 차이기는 하지만 고려군이 최초에 쌓은 6성 중에서는 웅주성이 제일 컸다.[161) 현재의 길주지역에는 웅주동이란 곳이 있다.[162)

병거

이 곳이 웅주지역 같은데, 성의 위치는 아직 알 수 없지만 동남쪽은 바닷가고 서쪽은 크게 돌출한 산지다. 길주와 영주보다는 여진의 접경에서 약간 떨어져 있고, 해안 쪽으로 붙어 있어 해안을 통한 보급이나 교통에도 편리했다.

고려군이 웅주성으로 집결하자 여진족도 만반의 준비를 해서 병거 수백량과 공성구를 갖추고 성을 포위했다.

병거는 꼭 모양과 형태가 정해져 있는 것은 아니었다. 수레에 방패나

성의 방어시설. 수원성의 돈대와 공심돈대. 돈대는 성벽 방어에 필수시설로 성벽에 돌출시켜서 성벽에 근접한 적을 측면과 후미에서 공격하는 기능을 한다.

보호대를 설치하기도 하고, 검차처럼 창검을 꽂기도 하였는데 진격할 때는 장갑차 역할도 하고 이동식 바리케이트 역할도 하였다. 수비 때는 기병의 돌격이나 화살공격을 막는 데 효과적이었다. 공성전은 토산을 쌓고 호를 파는 등 많은 공사를 필요로 한다. 대형 공성구는 대개 기동성이 떨어지므로 적의 기습적인 공격이나 화살 공격에서 이들을 보호하기 위해 병거로 바리케이트를 쳐서 보호막 역할을 하게 했다.

성 주변을 감싸는 여진군을 보면서 고려군 장수들도 위기감을 느꼈다. 웅주성도 급조한 성이긴 마찬가지여서, 해자도 제대로 만들지 못했을 것이고 성벽 방어에 필수적인 돈대나 보루도 부족했을 것이다. 빠른 시간에 축성한 것을 보면 석성도 아닌 목재와 흙을 섞어서 쌓은 토성이었을 가능성도 크다. 성곽은 약하고 취약지대가 많았다. 이런 성에 대해 충분한 공성구를 갖춘 적의 공격은 위협적일 수밖에 없다.

사태의 심각성을 직감한 최홍정은 병사들을 모았다. 그는 현재의 위기상황을 설명하고, 자신의 계획을 말해주었다. 이젠 실전도 겪을 만큼 겪어 베테랑이 되어 있던 별무반 용사들은 최홍정의 제안에 기꺼이 동의했다.

잠시 후 웅주성의 4대문이 동시에 열리더니 고려군이 쏟아져 나왔다. 최홍정의 계획은 과감하고 기습적인 정면공격으로 적의 공성구를 파괴한다는 것이었다. 작전에 성공한다면 결정적 타격은 입히지 못해도 시간은 벌 수 있었다.

이 날 공격에서 별무반은 다시 한 번 진가를 발휘했다. 바로 이런 공격을 대비해서 여진족은 공성구 주변으로 병거를 수백 량이나 설치해 놓았지만, 별무반의 용사들은 바리케이트를 돌파하고 여진족을 쳤다. 여진군은 공성구와 병거를 두고 도망쳤다. 적의 전사자는 80여 명이었지만, 무려 50량의 병거와 중간 수레 200여 량, 군마 40필, 수없이 많은 무기를 노획했다. 운제나 공성탑 같은 대형공성구에 관한 기록은 없는데, 아마도 이들 공성구는 끌고 들어올 수 없으므로 파괴했을 것이다. 대형공성구일수록 파괴하기는 더 쉬운데, 줄을 걸어 넘어뜨리면 된다.

과감한 공격이 성공했지만 이는 한 번의 성공이었다. 여진족은 물러가지 않았고, 구원병도 오지 않았다. 무모한 공격이었던 만큼 고려군도 상당한 피해를 입었을 가능성도 있다. 시간이 걸리지만, 공성구와 수레는 다시 제작하면 된다. 이런 기습공격은 한 번 써먹고 나면 또 써먹기도 쉽지 않다. 무엇보다도 고려군은 식량이 부족했다. 아직 정착촌을 건설하지 못했으므로 고려군은 현지조달과 후방 보급에 의존해야 했다. 또 공험진 등을 포기하고 웅주로 결집하는 과정에서 한가하게 식량까지 운송해 오지는 못했을 것이다. 웅주에 갑자기 많은 병력이 집결했으니 식량은 더욱 부족할 수밖에 없었다.

여기서 잠깐 윤관의 9성이 지닌 방어상의 문제점에 대해 생각해 보자. 『고려사』에서는 9성이 서로 너무 떨어져 있고, 여진족의 매복과 기습이 빈번해서 지키기가 어려웠다고 했다. 이 말 때문에 고려의 문신들은 후대에 혹독한 비난을 받았다. 비겁하고 이기적인 지배층이 민중의 피와 땀을 배신한 행위라고도 하고, 나약하고 진취성이 결여되어 있다, 윤관의 성공을 시기한 것이라는 등등 온갖 비난이 쏟아졌다.

그러나 9성의 방어망에 문제가 있었던 것은 사실이다. 거란의 침입을 효과적으로 막아냈던 강동6주와 윤관의 9성을 비교해 보자. 강동6주와 후방의 군현들은 거란의 침공로에 대해 이열종대로 배치되어 있었다. 즉 방어 종심이 깊고 1선, 2선, 3선으로 밀려나더라도 지속적인 후방 지원과 측면지원이 가능하였다.

고려군이 여진 땅으로 출발할 때도 이 같은 방어망을 구상했었다. '병목'이 중요한 것은 이 때문이다. 처음 예상대로 여진의 접근로가 병목으로

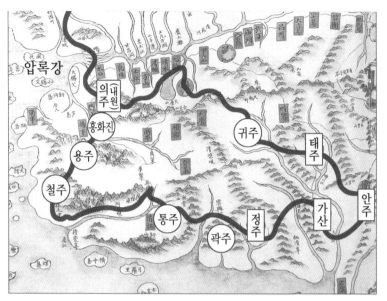

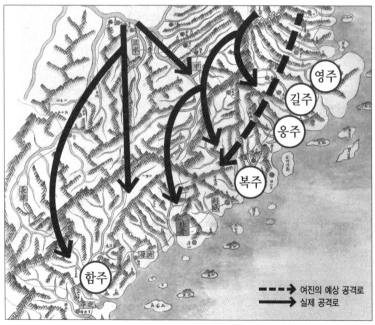

강동6주와 윤관의 9성

제한된다면 윤관의 9성은 여진에 대해 종심이 깊은 방어선을 형성하게 된다.

그러나 안타깝게도 이 정보는 잘못된 것이었다. 함경산맥은 험하기는 하지만 군대의 이동이 불가능한 곳은 아니다. 여진족은 개마고원을 지나 함경남도의 전 지역으로 내려올 수 있었다. 그 결과 9성은 적에게 측면이 완전히 노출된 한일자형 방어선이 되고 말았다. 9성 간의 거리가 너무 멀다는 말도 변명이 아니다. 강동 6주와 달리 9성은 한 줄의 도로로 연결되며 이 도로는 적의 기습에 완전히 노출되어 있었다. 지도상의 거리는 멀지 않아도 현실적 거리는 멀 수밖에 없다. 게다가 각 성의 뒤는 바로 바다이므로 9성의 배후로 이어지는 제2의 보급로도 없었다. 해상보급이 가능하지만 이 시대의 연안항해는 위험하고 제약도 많았다.

이 같은 상황에서는 강동6주와 같은 협력방어, 삼각방어, 후방지원 모든 것이 불가능하다. 한 마디로 9성은 종잇장처럼 얇고 중간이 이어지지 않으며 후방보급로로 없는 방어선이었다. 이런 방어선을 지켜낼 수 있는 군대는 세계 어디에도 없다.

이런 불리한 상황에서 고려의 장수와 병사들은 그들이 확보한 땅을 지켜내기 위해 사투를 벌였다. 이것이 여진전쟁의 제2라운드였다.

그 날 밤 웅주성 성벽에서 병사 한 사람이 밧줄을 타고 몰래 내려와 어둠 속으로 사라졌다. 병사로 변장한 척준경이었다(실제 척준경 혼자서 탈출하지는 않았을 것이라고 생각되지만 기록이 분명치 않다).

척준경은 근 100km가 넘는 적진을 횡단하여 정평으로 귀환했고, 여기서 바로 구원부대를 편성하여 다시 웅주성을 향해 출발했다. 척준경 부대는 통태진과 야등포를 경유하여 가로막는 적을 격파하면서 웅주성까지 전진 했다.

바로 웅주성으로 입성할 수도 있었지만, 언제나 용감하고 과감했던

성진진. 함흥에서 길주 사이 해안에 있는 요새의 하나. 척준경의 구원부대는 이런 요새들을 뚫고 전진해 갔다. 「함흥내외십경도」.

그는 여기에 만족하지 않고, 구원부대를 이끌고 그대로 길주에 주둔한 여진군 본대를 공격하여 격파한 후에 웅주로 개선했다. 척준경의 전기를 보면 그는 정말 사자 같은 장수라는 표현이 딱 어울리는 인물이다. 당시 웅주성은 거의 한계에 달해 있었던 모양으로 척준경 부대가 입성하자 군과 민이 감격하여 함께 울었다.

완안부의 주력까지 물리침으로써 고려군의 승리는 확실해졌다. 여세를 몰아 고려는 여진정벌의 3단계 사업에 착수했다.

선춘령에 비를 세우는 고려군. 작자미상, 「척경입비도」, 조선후기

먼저 고려군은 길주 방어선의 약점을 보완하기 위해 의주(宜州 : 함남 덕원)・통태・평융(平戎)에 3개의 성을 더 쌓았다. 여기에 기존의 함주・영주 ・웅주・길주・복주・공험진을 더해 9성이라고 부른다.[163]

고려는 지방관을 파견하고, 남부의 백성들을 이 지역으로 이주시키기 시작했으며, 공험진의 선춘령에 비를 세워 경계로 삼았다. 혹시나 이 비가

발견된다면 윤관의 9성에 관한 500년에 걸친 의문을 종식시키는 역사적인 발견이 될 것이다. 아직은 추정으로 이 위치를 더듬을 수밖에 없는데, 통태진이 정평에서 웅주성으로 오는 동해안길에 위치한 곳이므로 나머지 진도 이 도로상의 요지였을 가능성이 높다.

이로써 윤관은 여진정벌 3단계 계획을 모두 수행하였다. 예종은 대업의 성공을 축하하여 윤관을 추충좌리평융척지진국공신, 문하시중판상서이부사지군국중사(推忠佐理平戎拓地鎭國功臣門下侍中判尙書吏部事知軍國重事)로 삼고, 오연총은 협모동덕치원공신 및 상서좌복야 겸참지정사(協謀同德致遠功臣尙書左僕射參知政事)로 임명했다.

4. 고갯길

1108년 3월 고려는 9성을 확정하고, 남부의 주민을 이주시키기 시작했다. 주민 이주는 결코 쉽지 않은 대역사다. 또 남부의 주민이라고 하지만 중남부 주민을 이 곳까지 이주시키기란 쉽지 않고, 많은 시간을 소모한다. 조선시대에 4군6진을 개척할 때 사민정책은 수십 년간 지속되었다. 그러므로 당시는 급한 대로 함남, 강원북부에 사는 주민을 옮겨 채우고, 여기저기 여진부락 사이에 흩어져 사는 주민들을 모았을 것이다.

그런데 아직 방어시설이 온전하지 않은 상태에서 주민 이주작업까지 시작하자 당장 지역의 경비와 방어에 어려움이 발생했다.

윤관 등이 각 군대들에게 군령을 내려 내성(內城)의 재목과 기와를 거두어 9성을 쌓게 하고 남녘의 주민들을 그 곳에 이주시켜 변경을 굳건히 하자고 하였다. 김한충이 이 방안이 불가하다는 의견을 고집하고 말하기를 "만일 외성의 축조가 완성되기 전에 갑자기 무슨 사변이라도 생길 경우 내성이 없으면 백성들을 어떻게 보위하겠는가? 아무리 원수의 명령이라 할지라도 나는 감히 복종할 수 없다"고 주장하였는데 후일에 과연 그의 말대로 되었다.164)

윤관은 주민 이주사업을 위해 내성을 헐어 외성을 쌓았다는 것이다. 외성은 서울의 도성이나 개경의 나성과 같이 주거지를 넓게 두르는 성벽이다. 고려군이 점령한 9성 지역은 아직 민간인이 많이 거주하지 않아 부대가 주둔할 수 있는 요새는 있어도 부락과 마을을 보호할 수 있는 외성은 없었던 것이다. 여진정벌의 3단계는 고려인을 이주시켜 이 곳을 완전한 고려의 영토로 정착시키는 것이었다. 윤관은 이를 서둘렀다. 정착촌을 건설하려면 먼저 외성을 둘러 주민을 보호할 수 있는 시설을 갖추어야 했다.

그러나 외성은 넓고 약하고, 방어력이 떨어진다는 약점이 있다. 성은 인공방어물이다. 지세가 험하고 높은 곳에 쌓았다고 훌륭한 성이 되는 것은 아니다. 건축술과 설계에 따라 평지에 쌓은 성도 얼마든지 훌륭한 요새가 될 수 있다. 그것이 기술의 힘이다.

하지만 외성은 자연경계를 따라 넓게 두르기 때문에 축성에 시간도 많이 걸리고, 이런 인공과 기술을 반영하기가 쉽지 않다. 그래서 김한충은 내성을 헐어 외성을 쌓는 작업이 위험하다고 보았다. 외성의 축조도 중요하지만, 전시상황에서 최소한 군사적으로 확실한 요새는 보유하고 있어야 한다는 것이었다.

그의 말대로 우선 내성의 방어력을 보완하는 쪽이 어땠을까라는 생각도 든다. 그러나 윤관은 윤관대로 고충이 있었을 것이다. 고려는 17만이란 원정군을 장기적으로 주둔시킬 능력이 없었다. 군량을 보급에 의존한다면 보급선을 유지하는 데만 해도 막대한 병력과 비용이 소모될 것이다. 이

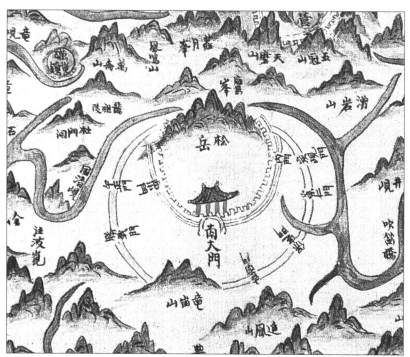

송도의 내성과 외성. 성벽 모양의 그림이 내성, 바깥쪽 원이 외성을 표시한다. 내성의 면적은 외성의 1/3 정도였다.

지역에 방어선을 구축하고 수비군을 주둔시키기 위해서도 정착촌의 건설은 필수적이었고, 농사철이 오기 전에 마을을 이루어야 했다.

어찌 되었든 9성 축조와 주민이주 등 계획했던 모든 작업이 불안하기는 해도 구색을 갖추는 데 성공했다. 이 해 윤관과 오연총은 4월 9일에 개경으로 귀환하였다. 개경에서는 성대한 개선행사가 벌어졌다. 그러나 잔치가 끝나기도 전에 동북면에서 여진족이 다시 웅주성을 포위했다는 급보가 날아왔다.

웅주성이 포위된 날은 윤관과 오연총의 개선행사가 벌어지기 전 날인 4월 8일이었다. 급보를 받은 예종은 윤관을 쉬게 하고 오연총을 사령관으로 임명하여 다시 동북면으로 파견했다.

웅주성의 방어책임자는 도지병마영할사(都知兵馬鈴轄使) 임언(林彦)과 최홍정(崔弘正)이었다. 최홍정은 그간의 공적으로 병마판관에서 도순검사로 승진해 있었다. 임언은 숙종의 내시(內侍) 출신으로 숙종 때부터 여진정벌을 주장하여 여진정벌을 성사시킨 사실상의 주인공이었다. 패배로 끝났던 숙종 때에 임간과 윤관의 출병을 성사시킨 사람도 임언이었다.[165]

웅주성이 다시 포위되자, 고려군은 지난번 전투와 마찬가지로 성 밖으로 출전하여 여진족과 대결했다. 그러나 이번에는 역으로 큰 피해를 입었다.[166] 초전의 패배는 타격이 컸고, 성의 방어력도 온전치 못해서 웅주성 방어전을 힘겨운 전투로 몰아갔다.

> 그때 웅주가 포위당한 지 27일이 되었는데 도지 병마 영할사 임언과 도순검사 최홍정 등이 여러 장령들을 거느리고 부대를 나누어 고수하면서 오랫동안 교전하였으므로 사람과 말이 모두 피곤하여 더는 견뎌 나갈 수 없을 지경에 이르렀다. (『고려사』 권96, 열전9 오연총)

오연총은 정예병 1만을 거느리고 출발했다. 그는 부대를 넷으로 나누어 자신과 문관, 김준, 왕자지가 한 부대씩을 인솔하여 4길로 나누어 진군했다. 보통 3군으로 나누어 진군하는 것이 정상인데, 4군이 된 이유는 한 부대는 수로로 진군했기 때문이다.

웅주성에 대한 첫 번째 포위전이 실패한 후 여진군은 많은 반성과 대비를 했다. 고려군의 기습적인 출격을 대비해서 출동한 고려군에게 타격을 입혔고, 남쪽에서 올라올 구원부대를 예상하고 보다 강력한 차단작전을 준비했다.

여진군이 선택한 차단지점은 오음지(烏音志), 사오(沙烏)라는 두 고개였다.

여진군은 고개마루에 방책까지 설치하고 고려군을 기다렸다.

오음지와 사오의 위치는 불명이다. 그러나 함흥에서 길주 사이를 마천령산맥이 남북으로 종단하고 있다. 오늘날도 이 곳을 경계로 해서 함경북도와 남도를 나눈다. 이 산맥을 넘어서면 바로 웅주-길주다. 여진군도 본대와 멀리 떨어지지 않은 곳에 방어선을 쳤을 것이므로, 여진족이 고려군을 차단했다면 이 산맥의 어느 고지일 확률이 높다.

여진군의 의도는 분명했다. 웅주성을 함락할 시간을 버는 것이었다. 고개에 도착한 고려의 장군들도 군관들도 병사들도 이 순간의 의미를 알았다. 이미 웅주성은 함락 직전이었다.

군복 없는 군대가 존재할 수 있을까? 세계의 모든 군대는 유니폼을 착용하고, 군기와 배지와 전설까지 동원하여 병사들에게 소속감과 일체감을 주기 위해 노력한다. 제대로 된 군대를 만들려면 훈련은 강인해야 하고, 장교와 하사관은 충분히 악질적(?)이어야 한다. 가끔 군사훈련이 군사기술의 습득보다는 쓸데없이 고통만 주는 내용이 많다고 비판하는 분이 있다. 기능훈련을 소홀히 해서는 안 되지만 쓸데없어 보이는 훈련을 완전히 배제할 수는 없다. 쓸데없어 보이는 훈련도 중요한 용도가 있다. 훈련의 목적은 체력단련과 전투기술의 습득에만 있는 것이 아니다. 고된 훈련은 병사들에게 동료애와 일체감을 선사 한다.

그러나 진정한 전우애는 전투라는 불의 과정을 겪어야만 완성된다. 미군은 우리의 군체제와 달라서 해군과 해병대가 각기 전투항공대를 보유하고 있다. 태평양전쟁 당시 해병항공대의 근접지원은 가히 헌신적이었다. 같은 해병대라고는 해도 조종사와 보병은 전혀 다른 병종이고, 서로 얼굴도 보지 못하는 존재임에도 불구하고, 해병 조종사들은 진흙 속을 기고 있는 전우들을 위해 목숨을 건 근접지원을 아끼지 않았다. 해병대 특유의 과장법이 들어간 이야기일 가능성이 높지만, 그 광경을 본 육군 장교들이 우리에게도 전투항공대가 필요하다고 보고했다는 이야기도 있다.

진정한 엘리트 부대는 주어진 순간에 자신들에게 주어진 의무를 회피하지 않는 부대다. 전투란 생명을 내놓은 행위다. 이성적으로 생각하면 이 세상에 생명과 바꿀 수 있는 것은 없다. 그러나 이런 부대의 병사들은 고귀한 가치도 불멸의 명예도 아닌 동료에 대한 의무를 위하여 운명의 요구를 받아들인다. 그것이 용사들의 이야기가 우리에게 감동을 주는 이유다.

1108년 2월 웅주로 가는 길목에서 여진군의 진지과 마주한 고려의 병사들은 진정한 영웅들이었다. 그들은 지난 2년간 고된 훈련을 받아 왔다. 전쟁이 시작된 지는 겨우 3개월이 지났지만, 그 사이에 그들은 북방의 험지와 추위 속에서 수백km를 행군했고, 함께 성을 쌓고, 서너 번 이상의 대전투를 치르며 여기까지 왔다.

『고려사』는 이 날 병사들이 서로 앞을 다투며 고지로 돌격하였다고 기록하였다. 거센 고려군의 공세에 여진족은 사망 191명이란 피해를 입었다 (여러 번 얘기했지만 옛날 전투에서 사망자 수가 의외로 적은 이유는 전장에서 즉사한 병사의 수치만 잡히기 때문이다. 통상적으로 부상자의 수는 이 수치의 몇 배가 넘는다. 그런데 옛날에는 의학이 발달하지 않아 작은 상처에도 불구가 되거나 상처가 덧나 사망하는 경우가 많았다. 그러므로 후방에서 사망한 자와 전투불능이 된 병사의 수까지 추정하면 실제 여진군의 전력손실은 10배 이상이 될 것이다).

고려군의 거센 공세에 당황한 여진군은 일단 후퇴한 뒤 재집결하여 반격하려고 하였다. 그러나 고려군은 공격의 고삐를 늦추지 않고 재차 여진족을 공격하였다. 당연한 이야기 같지만, 백병전은 체력 소모가 커서 한 번 전투가 끝나면 병력을 교대해야 한다. 그 사이에 어느 정도 설틈이 생긴다. 여진족도 그것을 바란 모양인데, 고려군은 쉬지 않고 적을 공격하였다. 기록에는 "병사들이 승세를 타서 힘껏 싸워 적을 크게 격파했다"고 되어 있다. 이런 전투는 지휘관이 몰아붙인다고 해서 되는 것이 아니다. 병사 하나하나의 각오와 의지가 분명해야 하고, 전투 경험이 풍부해야 한다. 여러 차례의 격전을 치르면서 병사들은 어느덧 베테랑 전사가 되어 있었다.

두 번째 공격에서 여진군은 291명이 즉사했다. 여진군은 더 이상 견디지 못하고 방책을 불사르고 도주했다. 이들이 고려군을 저지하는 데 실패하자 웅주성을 포위하고 있던 여진군도 바로 후퇴했다. 웅주성은 포위 27일 만에 다시 구원되었다.[167]

오연총은 이 공으로 양구 진국 공신(攘寇鎭國功臣) 칭호를 받았으며, 수사도 겸 연영전(延英殿) 태학사로 승진했다.

고려군은 다시 극적으로 승리했다. 그러나 이 전투는 고려군이 9성을 쌓고 정착촌까지 건설했음에도 불구하고 전쟁이 종료되지 않았다는 사실을 알려주는 것이었다. 이 해 7월 예종은 오연총을 귀환시키고 다시 윤관을 동북면으로 파견했다.

3장 죽음을 기다리는 밤

무너진 성벽 사이로 달빛이 스며들었다. 하루 종일 계속된 싸움에 지친 병사들은 검은 그림자가 되어 편한 대로 기대고 누워 있었다. 주민들이 그들에게 다가가 음식을 나눠주고, 부상자를 치료하거나 중상자를 안으로 옮기고 있었다.

길주성 병마판관 허재(許載)는 그 가운데에 서 있었다. 하늘이 인간에게 하루의 생명을 선물로 준다면 무엇을 할 수 있을까? 맹세코 단언컨대, 그것은 선물이 아니라 잔혹한 신의 유희가 될 것이다.

오늘 여진군의 공세는 전에 없이 강하고 격렬했다. 그들이 행군해 올 때부터 지금까지 본 부대와는 다르다고 주의를 주었지만, 이 정도일 줄은 몰랐다. 그는 성벽이 허물어지고, 저지선에서 고려군이 밀려나는 광경을 보면서도 믿지 않았다. 지금까지 자기 부대가 패배한다고는 생각해 본 적이 없었다.

그는 다시 한 번 쓰러져 있는 병사들을 둘러보았다. 무엇이 잘못되었을까? 아니다. 병사들은 우수했고, 전투경험이 풍부한 베테랑들이었다. 그들은 최선을 다했고, 격렬하게 저항했다. 여진군도 엄청난 희생을 치렀다. 최후의 순간에 날이 저물어 여진군이 후퇴하고 말았던 것도 병사들의 분전 때문이었다.

그러나 그게 무슨 의미가 있을까? 최선을 다한 결과로 그들은 겨우 하루 아니 정확히는 하룻밤의 생명을 연장 받았다. 최선을 다한 결과라……. 그래 어디 오늘

하루뿐인가. 처음 소집되어 훈련을 시작할 때부터 전쟁터로 행군할 때까지 지난 5년간 그들은 최선을 다해 왔다. 성을 쌓고, 주민들을 호송하고, 이 얼어붙은 땅에서 세 번이나 겨울을 나고, 남북을 오가며 수십 번의 전투를 치렀다.

허재는 전역의 첫 해를 생각했다. 그땐 너무 쉬웠다. 다들 그렇게 말했었다. 그리곤 격렬한 전투가 시작되었다. 그때도 어느 녀석이 이렇게 말했다. "그래 이 정도는 되야 전쟁이라고 할 수 있지." 웅주성전투 때까지만 해도 병사들에겐 의욕과 자부심이 있었다. 2년간 동고동락한 훈련기간과 전투가 그들을 형제로 만들었다.

그들은 서로를 위해 싸웠다. 전투를 회피하는 법이 없었고, 동료들이 위기에 처하면 최선을 다해 달려갔다. 그는 선봉에 서는 것을 피하지 않았던 용사들, 고립된 아군을 구출하기 위해 고지로 골짜기로 경쟁하듯 달려가던 병사들을 몇 번이고 보았다.

그들은 최고의 부대였고, 진정으로 명예와 존경을 받아 마땅한 영웅들이었다. 그러나 언제부터인가 무언가가 뒤틀리기 시작했다. 함께 참전했던 병사들의 반 이상이 이미 떠나갔다. 그리고 살아남은 병사 중 반이 이번 전투에서 죽었다.

그는 병사들에게 줄 수 있는 최고의 보상은 1년에 한 번쯤 도착하는 은조각이나 저격병의 표적이나 되는 은도금을 한 야전밥통이 아니라, 생존이라고 생각했다. 그들은 이 나라의 그 누구보다도 오래, 행복하게 살 자격이 있었다. 고향으로 살아 돌아가 결혼하고 아이들을 낳고, 손자와 동네 아이들에게 할아버지의 무용담과 전우들의 이야기를 하면서 여생을 보낼 권리가 있는 젊은이들이었다.

그러나 그들 중 반이 오늘 이 곳에서 목숨을 잃었다. 손자는커녕 결혼할 기회도 가져보지 못하고, 이웃과 친구들에게 무용담을 자랑할 기회도 가져보지 못한 채, 그들의 헌신과 용기와 자부심에 대해 단 하나의 보상도 설명도 듣지 못한 채 이 곳에서 생을 마쳐야 했다.

갑자기 화가 치밀었다. 그들은 진실로 최선을 다했다. 처음 여진군이 몰려왔을 때, 그들은 길어야 한 달 정도려니 했었다. 그러나 한 달, 두 달을 지나 석 달이 넘도록 사투를 벌였지만, 구원병은 도착하지 않고 있다. 있을 수 없는 일이다. 지난 3년간 자신들은 그러지 않았다. 그 모든 헌신과 봉사의 결과에 대한 보답이 이것인가? 조금 전에 만난 한 고참병은 이렇게 말했다. "죽는 것은 두렵지 않다. 그러나 버림받았다는 것과 지난 3년간의 수고가 패배로 끝난다는 것은 견딜 수가 없다."

갈라진 성벽 사이로 여진군 진영의 불빛이 보였다. 횃불은 엄청나게 많고, 귀를 찢는 음악소리와 함성이 밤 깊도록 이어지고 있었다. 아마 저들은 밤새도록 먹고 마실 것이다. 흥분되어 잠이 안 오겠지. 그리고 아침이면 저 포식자들은 우리들의 피와 살을 씹기 위해 저리로 밀려 들어올 것이다. 그들을 막기는 불가능했다. 무너진 성벽을 막아볼까도 생각해 보았지만, 저 곳을 막은들 성벽에 배치할 병력도 없었다. 이제 자신들이 막기에 성은 너무 커졌다.

허재는 시선을 돌려 아침이면 자신들의 무덤이 될 성을 둘러보았다. 너무 넓었다. 싸울 수 있는 병력을 모두 모아도 기껏해야 저기서 저 정도 공간밖에 감당할 수 없을 것이다.

그 순간 무언가가 그의 머리 속을 관통하더니 어둠속으로 튀어나가 죽 이어졌다. "이거야!" 허재는 몸을 돌려 중앙 광장을 향해 뛰었다. "전원 기상! 집합!, 집합!" 달려가던 그의 발 밑에 누워 있는 병사 하나가 채였다. 그는 전신을 타고 흐르는 전율을 느끼며, 그 병사를 냅다 걷어찼다. "일어나라 여름 밤은 짧다."

1. 가중되는 위기

옛날의 역사책들은 자신에게 유리한 기록만 남기려는 경향이 있다. 전쟁이나 전투에 관한 기사는 특히 심해서 여러 전투 중에서도 승리한 전투만 기록하거나 성공한 작전만을 기록하는 경우가 많다.

『금사』도 예외가 아니어서, 여진군 지휘관 알색의 열전에는 그의 승전보만 기록되어 있다. 그 첫 번 기술은 이렇다.

> 알색이 부대를 10대로 나누어 번갈아 가며 빠르게 들어가고 나오면서 싸워 드디어 승리했다.[168]

한 마디로 게릴라전을 폈다는 이야기다. 그러나 이 전술로 나오기 전에 알색은 정공법으로 고려군을 공격했었다. 그러나 두 번에 걸친 웅주성 포위전에서 알색은 참담한 실패를 맛보았다. 고려인이 지키는 성을 공략하기란 쉬운 일이 아니었다. 전쟁에 이기려면 철저하게 상대의 약점을 공략해야 한다. 알색이 찾아낸 새로운 전술은 게릴라전이었다.

> 성이 험하고 튼튼하여 쉽게 함락 당하지는 않았으나, 싸우고 지키느라 우리 군사의 손실 역시 많았다. 더구나 개척한 땅이 너무 넓어서, 9성이 서로의 거리가 요원하고, 골짜기와 동네가 깊고 멀어 적이 복병을 매복하여 왕래하는 사람을 노략질함이 잦았다.[169]

고려는 정평에서 길주를 잇는 라인에 9성과 요새를 구축하고, 민간인을 이주시켰다. 성과 방어선은 강화했지만, 단순히 군사주둔지만 있던 상황과 정착촌을 건설한 상황은 다르다. 민간인을 이주시키고 행정구역을 만들었으면, 당연히 민간의 교류가 있고 물자도 더 많이 지속적으로 이동해야 했다. 무엇보다도 급조한 정착촌이니 만큼 제대로 된 읍을 건설하려면 주민을 지속적으로 이주시켜야 했다.

이러한 상황은 군사적으로 여러 가지 불리한 조건을 형성한다. 군은 이제 순찰, 경계, 호송 등 여러 업무를 맡아야 한다. 방어구역도 내성에서 외성으로 다시 교통로까지로 넓어진다.

아직 완전한 국경선도 그어지지 않았고, 국경 안에는 여진부락도 무수히 존재하고 있다. 양 국민이 혼재하고, 우리 국민이 많지 않은 상황. 게릴라전을 펴기에는 더할 나위 없이 좋은 조건이다.

1108년 7월 이후 전쟁 양상이 바뀌었다. 이때부터 전후방을 가리지 않고 여기저기서 소규모 전투가 벌어졌다. 다음은 『고려사절요』의 기록들이다.

> 행영병마판관어사 신현(申顯) 등이 수군을 거느리고 적선(賊船)을 쳐 20급을 베었다.
>
> 행영병마판관 왕자지 · 척준경이 여진과 함주 · 영주 두 주에서 싸워 33급을 베었다.
>
> 윤관이 적의 머리 31개를 바쳤다.
>
> 병마판관 유익(庾翼) · 장군 송충 · 신기군 박회절(朴懷節) 등이 여진과 길주에서 싸우다 전사하니 유익에게는 병부시랑지어사대사, 송충에게는 상장군병부상서를 증직하였다.
>
> 왕자지 · 척준경이 또 여진을 사지령(沙至嶺)에서 쳐 27급을 베고, 3명을 사로잡았다.

이 기록을 보면 해상과 육지로, 최북방의 길주와 남방의 함주에서 동시에

길주 칠보산의 산길. 9성 지역은 좁은 해안평야를 따라 뻗어 있고, 북쪽은 이런 산길과 골짜기가 이어진다. 한시각, 「북관수창록」

전투가 진행되고 있음을 알 수 있다. 고려는 왕자지와 척준경부대를 일종의 기동부대로 편성해서 9성지역을 순회하게 했던 모양이다. 왕자지와 척준경은 잘 싸워 공적을 세웠지만, 이런 식의 전투는 피로를 누적시킨다.

고려군의 피로도가 높아지고, 전투가 잦아지면서 희생도 점차 늘어갔다. 정월에는 동계행영병마녹사 왕사근(王思謹)과 하경택(河景澤) 등이 여진과 함주에서 싸우다 전사했고, 더 후방에 있는 선덕관이 어이없이 약탈당하기도 했다.

특별한 소득과 목표 없이 전쟁이 장기전으로 가면 병사들의 사기는 급속히 떨어진다. 초기의 사명감과 의욕은 사라지고, 자신들이 누군가에 의해 수렁에 내던져지고 버림받고 있다는 생각이 들기 마련이다. 점령 목표가 분명한 전쟁과 그저 버티고 지켜야 하는 전쟁은 확실히 다르다.

전쟁이 시작된 지도 벌써 3년이나 되었다. 보급도 숙박도 좋지 않은 상황에서 병사들은 끝없는 전투와 행군에 지쳐 갔다. 옛날 전쟁에서 전투보다 무서운 것이 병이다. 겨울이면 체감온도가 영하 40도 이하로 떨어지는 지역에서 그들은 3년째 겨울을 보냈다. 감기, 폐렴, 동상, 소화불량 등에 시달려 보지 않은 병사가 없다시피 했을 것이다. 체력저하는 곧 전투력의 저하로 이어진다.

이렇게 해서 교체되는 병사가 많아지면, 전투 경험자가 줄어들고, 이들의 전력을 받쳐주던 부대원의 유대감도 전설로 변해 간다.

게다가 교대병력도 마땅치 않았다. 이들의 소외감을 달래주려면 주기적인 로테이션이 필요하지만 그것도 힘들었다. 잠시나마 동북면에서 돌아온 병사들은 며칠 지나지 않아 다시 소집되었다. 고려는 추가로 전국에서 장사들을 선발했지만 뛰어난 용사라고 좋은 군인이 되는 것은 아니다. 좋은 군인을 만들려면 훈련이 필수고, 시간이 필요하다. 바로 그 시간이 부족했다. 이들은 훈련이 부족했고, 긴 전쟁에 백성들의 불평도 높아 갔다.

여진군이 게릴라전으로 전환한 후 얼마 되지 않아 알색이 모친의 병환으로 귀환하고 그가 다시 돌아올 때까지 몇 달 동안 부지휘관이던 알노(斡魯)가 지휘권을 대신하게 되었다.[170] 알노는 세조의 형인 핵(劾)의 3자로 촌수상으로는 알색의 숙부였다.[171]

알노는 기존의 게릴라전에 또 하나의 전술적 개량을 더했다. 1108년에 행한 영주와 웅주성 공격에서 여진군은 거의 성공 직전까지 갔었지만, 그때마다 고려군의 선전과 구원부대의 강습돌파작전에 밀려 패배했다. 이 당시 고려군의 전투력 수준은 아주 높아서 공격진과 정면대결에서 놀라운 위력을 발휘하였다.

특히 2차에 걸친 웅주성 전투에서 고려의 구원군에게 본대가 유린당했다. 성을 포위하고 있는 야전 상황에서 구원부대가 도달했기 때문이다.

이 패배에서 교훈을 얻은 알노는 고려가 축성한 9성에 대항하여 자신들도 9성을 쌓고, 이 곳을 거점으로 출몰하면서 고려군을 괴롭혔다.[172] 고려의 성을 쉽게 함락할 수는 없으니, 자신들의 주둔지를 강화하여 강습작전에 대비하면서 지구전으로 가자는 의도였다.

이렇게 함으로써 여진군은 본대를 보호하는 동시에 후방의 여진부락들로부터 지속적으로 보급과 병력을 충원할 수 있다. 장기전에서는 확실히 여진족이 장점이 있었다. 그들은 군민일체의 사회체제를 가지고 있었으므로 군의 동원이 쉬웠고 사회적 비용도 적게 들었다. 주요 부족도 30개나 되었다. 실제 30개 부족을 다 동원하지는 않았겠지만, 그들을 로테이션시키며 길주 공격에 투입하면 한 달에 1개 부족만 투입해도 3년 동안 쉴 새 없이 9성을 두드리는 공격이 가능했다.

부대로 귀환한 알색은 새로운 전술의 효과를 인정하고, 이 작전을 계속 밀고 나갔다. 그리고 얼마 후 고려군이 지쳤다고 판단한 알색은 다시 대규모 공격을 준비했다. 게릴라전은 효과적이긴 하지만, 궁극적인 승리,

적이 전쟁을 포기할 수밖에 없게 하는 결정적 타격을 입히기는 힘들다는 단점이 있다.

결정적 승리를 위해 알색은 군대를 모았다. 공격목표는 고려군 방어선의 최북방인 길주였다. 여진군은 길주성 주변에 다시 목책 6개를 쌓고, 길주를 향해 대대적인 공세를 시작했다.

길주를 지키는 고려군 사령관은 병마부사 이관진과 병마판관 허재였다.[173] 이관진은 최홍정과 함께 개전 초기부터 종군했던 장수다. 윤관이 석성 전투에서 척준경과 이관진에게 돌격을 맡겼고, 병목에서 윤관이 위기에 처했을 때 윤관을 구한 부대도 최홍정과 이관진의 부대였다. 두 사람의 열전이 전하지 않는 것이 안타깝지만, 두 장군 다 여진 정벌 내내 척준경 못지않은 공을 세운 고려군 최고의 장수였다.

허재는 공신가문의 후예였다. 증조부는 경종대에 공신이 되었고, 부친 허정은 대창승(大倉丞)을 지냈다. 그의 본관은 공암(孔巖)인데, 고려 후기에 왕족과 결혼이 가능한 재상지종의 하나로 선정되었을 만큼 명문가였다.

그러나 허재는 부친이 요절하여 홀어머니를 모시고 가난하고 어렵게 살았다. 과거도 보지 못해 외가에 의탁해서 문음으로 벼슬을 받았다. 숙종 때 철주(평북 철산) 방어판관이 되어 공을 세우고, 능력을 인정받아 국왕의 내시로 발탁되었다. 처음 병마녹사로 종군했으나 이때는 병마판관으로 승진해 있었다.

마침내 전투가 시작되었다. 여진전쟁을 시작한 이래 가장 강력하고 집요한 공세의 시작이었다.

당시 오연총은 개경에 돌아와 있었는데, 길주가 포위되었다는 소식을 듣자 출전을 자원했다. 그 지역 실정을 잘 아는 인물을 보내야 했으므로 그나 윤관이 아니면 갈 사람도 없었겠지만, 전투부대의 구성원들만이 공유할 수 있는 특별한 감정은 최고 지휘관도 비켜가지 않았던 모양이다.

2차 웅주성 전투를 지휘했던 임언도 이때 귀환하여 승선(승지 : 왕의 비서관)이 되어 있었다. 1109년 2월 연등회 날, 중광전에서 큰 잔치가 벌어졌다. 술이 돌고 흥이 돋아 춤이 시작되자 더 이상 견딜 수 없었던 임언은 취했다고 거짓말을 하고 파티장을 빠져나와 버렸고,[174] 다음 달 왕자지, 척준경 등과 함께 다시 동북면으로 떠났다.[175]

다시 5월로 돌아오자. 네 번째로 동북면에 온 오연총은 구원부대를 이끌고 길주를 향해 출발했다. 구원부대가 길주 근처에 있는 공험진에 도달했을 무렵, 여진군에게 불의의 기습을 당했다. 영화나 드라마에는 기습이 쉽게 묘사되지만, 부대의 군기와 훈련이 잘 되어 있고, 지휘관이 정찰병을 충분하게 운영하고, 신중하게 행군하면 좀처럼 기습을 당하지는 않는다. 대신 행군속도가 뚝 떨어진다.

고려군은 아무래도 행군을 서두르다가 실수를 했던 것 같다. 실수의 대가는 컸다. 고려군은 대패하였다. 사상자와 포로된 자가 셀 수 없었고, 장병들은 무기를 버리고 여러 성으로 뿔뿔이 흩어졌다. 장병들이 제각기 뿔뿔이 흩어졌다는 등의 기사로 보아 서두른 것만이 패인은 아니고, 구원부대의 질에도 문제가 있었던 것 같다. 여진전쟁 초기부터 고려군은 여러 번 기습에 걸렸지만 이런 패배를 당하지는 않았다. 오랜 전쟁으로 고참병들과 정예병력이 소진되었다. 새로 용사를 선발했지만, 별무반은 1년, 2년을 단련한 군대였다. 무술실력이 뛰어난 용사를 모을 수는 있으나 군인으로 훈련시킬 시간이 부족하였다. 병사들의 질이 떨어지고, 신병 비율이 많아진 것이 원인은 아니었을까?

이 패전은 여진정벌을 시작한 이래 최대의 패배였다. 오연총은 비통한 심정으로 자신의 처벌을 요구하는 장계를 올렸다. 예종은 오연총을 처벌하는 대신 윤관을 동북면으로 파견했다.

길주성. 조선시대 때의 모습. 윤관이 쌓은 성은 이보다 작고 토성이었을 가능성이 있다. 성문 앞 해자에
걸린 다리는 성안에서 감아서 상판을 들어올릴 수 있게 만들었다.

고려군으로서는 최후의 구원투수가 나선 셈이다. 윤관과 오연총은 정평
에서 군대를 정비하고, 다시 길주로 가는 길을 뚫어보려 했으나 이번에도
실패했다. 기록에는 여진 사절이 와서 강화를 청했기 때문에 진군을 멈추었
다고 했으나, 그건 반쪽의 진실인 듯하다. 사신이 오기는 했으나 당시에도
길주성에 대한 여진의 공격은 계속되고 있었다. 윤관과 오연총은 여러
차례 길주를 향한 길을 뚫으려고 했으나 실패했다.

아마도 이 무렵쯤으로 보이는 전투 장면 하나가 여진쪽 기록에 남아
있다.

사묘아리(斜卯阿里)는 부친이 혼탄(渾坦)이다.…… 고려가 갈라전에 성을 쌓
으니 혼탄이 이를 공격하였는데, 목리문전에서 적(고려군)을 만나 오랫동안
교전했다. 아리가 창을 뽑아들고, 말을 달려 고려의 장수를 진중에서
찌르니 적이 마침내 궤주하였다. 혼탄과 석전탄이 도문수에서 군사를
합쳤다.

아리가 먼저 적병을 패주시키고 2성을 취하였다. 고려가 처들어왔으나
우리 군사가 요해지에 머물러 지켰기 때문에 나아갈 수 없어 마침내
철수했다. 아리가 그들을 추격하여 살라수에 이르렀다. 고려인들이 다투
어 물 위로 달아나자 아리가 기회를 놓치지 않고 공격하여 거의 다
살해하였다.

다시 석전탄군과 합세해서 가다가 길에서 고려군을 5만을 만나 쳐서

패주시켰다. 다시 석전탄과 함께 적(고려군) 7만과 조우했는데, 아리가 먼저 올라 적을 치자 고려군이 대패하였다. 석전탄이 말하기를 그대가 하루에 세 번이나 많은 적을 깨뜨리고 공략했으니 어찌 잊을 수 있으리오 하고는 마침내 후히 상을 내렸다.[176]

전에 없던 현상이 연이어 벌어지고 있었다. 모든 징조가 불길했다.
이때부터 고려 조정에서는 화친 논의가 본격적으로 벌어지고 9성을 포기하고 강화하자는 강화파의 주장이 설득력을 발휘하기 시작하였다. 그러나 어쨌든 현재 전쟁은 계속되고 있고 길주의 군민이 위기에 처해 있으니 그들을 구출할 부대는 파견해야 했다.
왕은 장군 양선을 통해 구원병을 보내는 한편,[177] 중서시랑평장사
임의를 임시 동북면 병마사로, 우간의대부 김연(金緣)을 병마 부사 삼고 새로운 구원부대를 편성할 것을 명령했다.
그러나 새 부대의 편성이 자꾸 늦어졌다.[178] 모종의 음모가 개입한 것인지, 정말로 사정이 어려웠는지는 알 수 없으나, 전쟁에 대한 의지든 군사력이든 예전 같지 않은 것은 사실이었다.
여진군의 맹공을 받고 있던 길주성의 병사들은 개전 이래 최대의 불안감 과 배신감에 빠져들었다. 3년 동안 수많은 전투를 겪으며 생존해 온 병사들 이 하나둘 쓰러져 갔다. 지금까지 가장 오래 끈 전투는 2차 웅주성 전투 때의 27일이었다. 길주성은 그 기록을 훌쩍 뛰어넘어 무려 100일 이상을 버텼으나 구원병은 감감무소식이었다. 그들 중에는 구원병으로 웅주성 전투에 참전했던 병사들도 있었을 것이다. 자신들은 해 냈었다. 그런데 왜 지금은 오지 않는가?
오연총의 구원부대를 궤멸시키고, 윤관의 부대도 저지했다는 보고는 여진의 수뇌부를 고무시켰다. 마침내 기나긴 전쟁을 끝낼 수 있는 기회가

신봉문터. 현재는 좁은 길이 나 있으나 원래 신봉문 앞에는 구정(毬庭)이라는 넓은 마당이 있어 이곳에서 격구도 하고 사열도 했다. 예종도 이 곳에서 병사들을 사열하고 전송했다.

신봉문 복원모형

온 것 같았다. 우야소는 공형(公兄) 요불과 사현을 강화사절로 파견하는 한편 정예병력을 동원한 최후의 공세를 준비했다. 강화를 성립시키려면 적이 강화할 수밖에 없는 조건을 만들어야 한다. 바둑에 비유하면 대마를 잡고, 불계승을 유도하는 것과 같다. 대마는 길주성 함락이었다.

그 날의 전투에 동원한 병력이 어느 부족이었는지는 모르겠다. 다만 고려측 기록에는 고려의 구원작전이 실패로 돌아가자 여진이 날랜 병사를 동원하여 성을 공격해 왔다고 서술되어 있다.[179)]

최정예군을 동원한 이 날의 공격을 고려군은 막아내지 못했다. 방어선이 뚫리면서 성은 함락 직전까지 갔다. 다행히 마지막 순간에 날이 저무는 바람에 여진군은 공격을 중단하고 철수했다. 성은 함락을 면했으나 다만 하루의 생명을 연장 받았을 뿐이었다. 영화와 같은 극적인 구출도 기대할 수 없었다. 고려의 구원부대는 그때까지도 정평에서 꼼짝하지 못하고 있었기 때문이다.

죽음을 기다리던 밤. 병마판관 허재는 병사와 주민들을 총동원하여 하룻밤 사이에 성 안에 새로운 성벽을 쌓았다. 아무리 성 안에 쌓은 중성이라고 해도 하룻만에 성을 쌓기는 불가능하다. 지세를 잘 이용하고, 성문이나 뚫린 부분을 집중적으로 감제할 수 있는 옹성 같은 것을 쌓은 것이 아닌가 싶다.

다음 날 의기양양하게 쳐들어온 여진군은 고려군이 하룻만에 쌓아 놓은 이중벽을 보고 턱이 떨어졌다. 전날의 접전으로 그들도 전투력이 거의 한계에 달했던 모양이라, 여진군은 공격해 볼 엄두도 내지 못하고 철수했다.

이 실패로 여진도 더 이상 그런 강렬한 공격은 감행하지 못했다. 이렇게 해서 길주성은 외부의 구원이 전혀 없는 상태에서 고려와 여진의 강화가 성립되는 날까지 130일을 버텨냈다. 결과적으로 고려가 9성에서 철수하기는 하지만 길주성의 분전은 자칫 대참사로 끝났을 지도 모를 전쟁의 끝을

허재의 석관과 석관벽에 새긴 묘지명. 여기에 길주 전투의 극적인 이야기가 기록되어 있다.

평화조약으로 마무리짓게 했다.

　허재는 돌아와 벼슬이 개부의동삼사 검교내보 호부상서(開府儀同三司 檢校大保 戶部尙書)까지 올랐으며, 서북면의 군사책임자인 서북면 병마사를 역임하고, 83세까지 살다가 1144년(인종 22)에 사망했다.

　1109년 7월, 예종은 재상들과 문무관 3품 이상 관원을 모두 선정전에

함흥에 있는 성벽의 파편. 윤관이 쌓은 9성의 잔재라고 한다.

불러들여 어전회의를 열었다. 안건은 9성의 환원. 모든 관원이 성을 돌려주고 강화를 맺자고 주장했다. 길주성 등은 포위되어 있고, 윤관과 오연총은 정평에서 나가지 못하고 있었다. 새로운 구원군을 준비중이었지만, 이들의 전력이 확연히 처진다는 것은 누구나 아는 상황이었다.

예종은 사신으로 온 요불 등을 불러 환원 결정을 통보했다. 이렇게 해서 4년에 걸친 전쟁은 종식되었다. 최홍정의 지휘로 고려군은 차례로 성을 헐고, 9성에서 철수했다. 여러 가지로 좋지 않은 상황이었기 때문에 민간인 중 일부는 그대로 놔두어야 했다. 기록에는 여진인들이 감동하여 군대가 버리고 간 민간인과 노약자를 그들의 수레에 태워 호송하고, 한 사람에게도 상해를 입히지 않았다고 했다.

그 말을 다 믿을 수는 없지만 아주 거짓말은 아니었을 것이다. 여진족도 많은 피해를 입었고, 특히 함경도의 여진족들은 고려와 완안부 사이에 끼여 큰 피해를 입었다. 그들로서는 더더욱 불필요하게 고려군을 자극하고 싶지는 않았을 것이다.

윤관과 오연총도 돌아오는 발걸음이 편치는 않았다. 예종은 개선행사를 생략하고 승지를 보내 중도에서 윤관과 오연총의 부월을 거두었다. 즉 지휘관직에서 해임한 것이다. 두 사람은 궁으로 들어와 왕에게 보고하지 못하고 바로 집으로 돌아갔다.[180)

그래도 병사들은 차례로 개경으로 귀환해서 개선행사를 했다. 용명을 날린 신기군은 8월에 개경에 입성했다. 예종은 중광전 서쪽 누각에서 그들을 사열하고, 패전은 장수들의 잘못이다, 그대들의 수고야 내가 어찌 잊겠느냐고 하면서 그들을 위로했다.[181) 귀환자 중에는 부친의 원수를 갚기 위해 신기군에 입대한 민영도 있었다. 후일 그의 묘지명에는 이렇게 기록되었다.

> 마침 예종이 동쪽 오랑캐를 정벌할 기회를 만나자, 간청하여 신기군이 되었다. 갑신년(숙종 9, 1104), 정해년(예종 2, 1107), 무자년(예종 3, 1108), 기축년(예종 4, 1109)의 4년 동안 출전하였는데, 매번 선봉이 되어 말을 타고 돌격하여 적을 사로잡고 물리친 것이 한두 번이 아니었다.[182)

그렇게 싸웠던 병사가 민영뿐이었을까? 병사들은 어려운 전쟁에서 최선을 다해 싸웠다. 우리는 문자와 기록의 나라라고 자부하지만, 이런 중대한 원정의 종군기 하나 제대로 남아 있지 않는 게 아쉬울 뿐이다.

2. 여진정벌의 역사적 의의와 뒷이야기

여진정벌이 궁극적으로는 실패로 돌아갔다고 아쉬워하고, 때로는 충분히 확보할 수 있는 땅을 소극적이고, 이기적인 고려의 문관들이 포기했다고 비난하는 분들도 있다. 그러나 이런 생각은 근시안적이고 결과론적인 견해다.

거란, 여진, 몽골 족은 일단 결합하기 시작하면 무서운 저력을 발휘한다. 금나라가 성립한 이후인 1187년에 조사한 인구조사에 따르면 여진족의 인구는 650만이었다.[183] 15세기 초반 조선시대의 인구를 대략 800만으로 추산하니까 여진의 인구수는 고려에 비해 크게 모자라지 않았다. 총인구수에서는 약간 뒤진다고 해도, 이들은 삶 자체가 군사훈련을 겸하기 때문에, 징병 가능 병력의 비율이 월등히 높다. 게다가 초원의 기병대는 양적으로나 질적으로나 화약무기가 나오기 전에는 당할 방법이 없을 정도로 세계 최강의 군대였다.

고려가 여진을 공격할 때 여진의 전력은 거의 정점에 달하고 있을 때였다. 1109년 고려군이 철수한 지 4년 후인 1113년 우야소가 죽고

동생 아골타가 여진의 수장이 되었다. 야심가이며, 뛰어난 장군이고, 무사이기도 했던 그는 1114년 거란공격을 결심하고 봉기하였다.

아골타는 바로 숙여진의 중심지인 황룡부(黃龍府)를 함락했고, 거란의 70만 대군을 혼동강에서 격파했다. 1115년 아골타는 황제를 칭하고, 나라 이름을 금이라고 정했다. 이가 곧 금의 태조다. 나라 이름을 금(金)이라고 한 이유는 아골타의 선조가 경주 김씨였기 때문이라는 설도 있고, 그들의 근거지인 아십하가 여진어로 '황금의 강'이란 뜻이기 때문이라고도 한다. 물론 둘다일 수도 있다.

1122년에 금은 연경을 함락하여 거란을 사실상 멸망시켰다. 이 공격은

아골타가 거란에 봉기한 지역에 세운 기념비

명목상으로는 금과 송나라가 동맹을 맺고 남북에서 거란을 합공한 것으로 되어 있고, 『수호지』에서도 양산박 영웅들이 맹활약을 하지만, 그건 한족의 바램에 불과하다. 허약한 송군은 막다른 골목에 몰린 거란군에게도 여지없이 패했다. 모든 승리는 금군이 이루어 냈다. 금군이 바로 송까지 공격하지 못한 이유는 그들 자신도 놀랄 정도로 너무 급속하게 진군하는 바람에 체제를 정비할 시간이 필요했기 때문이다.

그리고 4년 후인 1127년 3월 아골타의 아들 태종(아골타는 1123년 8월에 사망했다)은 북송의 수도 개봉을 함락시키고, 송 황제 휘종을 잡아갔다. 고려의 9성 철수 후 여기까지 오는 데 딱 18년이 걸렸다.

알색, 알노, 사묘아리 등 고려와의 전쟁에 종군했던 장수와 병사들 중 상당수는 대거란전과 대송전에도 참전해서 혁혁한 공을 세웠다. 이것은

거란 지리지도. 상경과 황룡부, 혼동강의 지명이 보인다.

고려군이 대적한 여진군이 결코 예전의 부족군이 아닌 최강의 군대였음을
말해준다.

　고려는 이 강력한 민족을 공격하여 전쟁터에서는 결코 밀리지 않고
일진일퇴를 거듭하며 싸웠다. 장기전에서 밀리고, 9성 지역을 영토로 확보
하는 데는 실패했지만, 그것은 우리가 농경사회라는 전쟁과 식민에서는
불리한 사회적 여건을 지니고 있었기 때문이다.

　오히려 이런 불리한 여건 속에서 17만이란 대군을 동원하여 4년이란
긴 시간 동안 혈전을 벌인 정부와 장수와 병사들의 노고를 인정해 주어야
한다. 우리 역사에서 이처럼 오래, 대규모로 원정군을 편성하고, 전 국력을
털어 지원했던 사례가 또 어디에 있는가?

　9성의 환원을 주장했던 관료들도 속으로야 무슨 생각을 했든 4년간의

태조(아골타)의 능

원정을 지탱하기 위해 수고했던 사람들이다. 1109년의 어전회의에서의 결정 하나로 그들을 비진취적이고 이기적인 겁쟁이로 몰아가서는 안 된다.

그리고 장기적으로 보면 여진정벌이 실패로 끝난 것도 아니다. 여진은 요동을 석권하고, 만리장성을 넘어 중원으로 진출하는 과정에서 고려를 자극한다거나 병탄하려는 시도를 하지 않았다. 과거 역사를 들먹이며 평안도 지역을 할양하라는 요구도 하지 않았다. 외교적으로야 기분 나쁜 의식을 요구했다고 해도, 따지고 보면 그것도 강자의 권리다. 우리도 여진이 약할 때 형제국으로 대해 주지는 않았는가?

전력을 다해 고려를 먼저 굴복시키려고 했던 거란의 전례를 상기해 보면, 아골타의 대고려정책은 특별하다고 할 수 있다. 거란의 실패를 거울삼아, 고려를 건드리지 않는다는 내부방침을 세웠던 것이 분명하다. 고려를 그만큼 우습게 본 것이 아니겠냐고 생각할 수도 있으나 국제정치에서 그런 낭만적이고 무책임한 태도를 기대하기는 곤란하다.

평화도 힘을 통해서 획득하는 것이고, 강력한 군대는 전쟁을 방지하기 위해 존재한다. 거란과의 30년 전쟁, 함북 지역에서 보여준 고려 병사들의 투혼과 무훈이 고려의 전성기라는 12세기의 평화와 번영을 일구어 낸 것이다.

또한 이때의 전역은 300년 후 4군6진을 개척하고 우리의 국경을 압록강—두만강 라인으로 확장하는 데에 큰 도움이 되었다. 세종은 직접 윤관의 9성의 위치를 비정하고, 동북면 관리들에게 자료수집과 조사를 명령할 정도로 이 전역에 다대한 관심을 보였다. 과연 이러한 작업이 명나라나 여진과의 영토분쟁에서 유리한 명분을 획득하기 위해서, 아니면 왕성한 지적 호기심과 탐구욕, 지적 결벽성 때문이었을까?

아니다. 세종은 이때의 전역을 분석하여 필요한 전술과 교훈을 찾아냈다. 만약 세종이 오늘날의 우리처럼 선입견과 민족적 자존심에 휩싸여 9성 간의 거리가 멀고 방어가 어렵다는 고려 관원들의 분석을 변명으로 치부해 버렸다면 15세기에 행한 여진정벌 또한 실패로 끝났을 것이다.

세종은 고려 관리들의 분석을 경청하고, 이 짧은 기록을 통해 실패의 원인과 문제를 정확히 짚어 냈다. 세종은 이 전역을 검토하여 함경도 지역을 확보하기 위해서는 두만강까지 밀고 올라가 완전한 방어선을 확보해야 한다는 결론을 내렸고, 군사적 점령보다는 조직적이고 체계적인 주민 이주정책이 성패를 좌우하는 열쇠라는 점을 확고하게 인식하고 있었다.

사실 세종이 4군6진을 개척할 때는 윤관이 정벌을 행할 때와는 상황이 많이 달라져 있었다. 이미 고려인들이 이 지역에 상당수 진출하고, 원제국 시절에는 쌍성총관부와 동녕부라는 행정기구를 설치하여 여진족과 반반으로 이 지역을 통치하기까지 했었다.

웬만하면 이런 상황에 안심할 수도 있었지만 세종은 단호했다. 전국적인 행정망을 동원하여 가혹하고 철저하게 주민을 징발해서 이 지역으로 강제 이주시켰다. 세종은 엄격하고 철저하기는 했지만, 모질고 가혹한 임금은

전쟁 원인에 대한 음모론적 해석

세계의 모든 전쟁에는 음모론적 해석이 존재한다. 무슨 전쟁은 석유상이 조종했다거나 현대전의 배후에는 무기상인이 있다는 식이다. 임진왜란에 대해서도 전국시대의 종식으로 조총시장을 잃어버린 포르투갈 무기상의 작품이라는 설이 있다. 음모론이라고까지야 할 수 없겠지만 숙종과 예종 때에 감행한 여진정벌에 대해서도 왕권을 강화하고 친위세력을 육성하기 위한 것이었다는 해석이 있다. 그 주요 근거로 정벌군의 사령관인 윤관과 오연총을 위시하여 대부분의 장수들이 전통귀족이나 대귀족 가문 출신이 아니며, 그 중에서도 중견지휘관인 임언, 최홍정, 허재, 강승 등이 모두 국왕의 측근인 내시 출신들이라는 사실을 든다. 그러나 반대로 생각해 보자. 당장 전쟁이 가능한 군대를 누구에게 맡기겠는가? 외척에게? 개경의 몇 안 되는 명문 귀족의 수장에게? 만약 외척이나 명문 귀족 출신들에게 맡긴다면 귀족들도 반대할 것이다. 당장 귀족세력 간의 힘의 균형을 뒤흔들 것이고, 그것은 귀족사회의 안정을 위협할 것이기 때문이다. 따라서 전쟁을 피할 수 없다면 그래도 국왕이 신임할 수 있는 능력자들에게 맡기는 것이 체제적으로 제일 안전한 방법이다. 게다가 대명문가 출신과 중견 명문가 출신이라는 것이 정치적 성향을 바꿀 정도로 다른 존재일까? 대귀족은 귀족정을 지지하고, 중소귀족은 전제정치를 지지한다는 해석도 문제가 있다. 서로 간에 권력을 놓고 다툼을 벌이는 것과 지지하는 체제가 다른 경우는 구분해야 한다. 중견 지휘관들도 내시 출신이라고는 하지만 그들도 한편으로는 관료집안 출신이고 최정예인 신기군의 장교와 병사들 가운데에는 명문가 자제들이 많았다. 두 번째로 이 전쟁은 거의 4년을 끌었고 막대한 재정과 인명의 손실을 가져왔다. 고려의 국력을 기울인 총력전이었고, 고려는 9성 지역을 영구적으로 확보하기 위해 주민이주까지 포함한 모든 노력을 다하였다. 과연 4년간 계엄상태를 유지하기 위해, 국왕이 신임하는 관료들을 전쟁영웅으로 키우고 승진시키기 위해, 이렇게 대규모 전쟁을 벌이면서 자신의 친위세력을 동북면에 4년씩이나 보내 놓았을까? 정말로 정치적 이유가 주목적이었다면 오히려 국왕이나 윤관 측에서는 전쟁은 적당히 하고 빨리 강화를 맺고 귀환하거나 대치상태를 유지하면서 군대와 긴장관계를 유지하려고 했어야 정상이다.

물론 전쟁이란 사안 자체가 정치, 경제, 사회에 총체적 영향을 끼치는 사건이므로 어떤 전쟁이든 정치 경제, 사회적 현실과 떨어져서 진행되지 않는다. 국왕을 위시하여 당시의 모든 정치가들은 이 문제를 두고 고민하며 나름대로 계산을 했을 것이다. 국왕의 측근들이 무장한 10만 군대를 장악하고 있다는 사실은 확실히 위협적이다. 전쟁이 끝나자마자 윤관과 오연총에 대한 탄핵이 올라오고, 정벌군에 참전한 지휘관들 중 상당수가 중앙정계로 진출하지 못하고 전문 군인처럼 되어 동·서북면의 군지휘관으로 나돌았던 것 등은 이런 정치적 역학관계의 결과다. 그러나 이것은 분명 부수적인 요인으로 설정해야 한다.

여진정벌의 근본 원인은 거란의 전례에서 보듯이 여진족의 통합과 제국 건설에 대한 우려였다고 보아야 한다. 고려는 갈라전의 여진족을 지원함으로써 여진의 통합을 방해하고, 고려와 여진의 완충지대라고 할 수 있는 이 지역의 여진족에 대해 지배권을 유지할 필요가 있었다. 이런 전략은 새삼스러운 것도 아니다. 중국의 통일왕조들도 주변 부족들에 대해 늘 이 같은 주의를 기울이고, 이런 방식으로 대응하였다.

이런 위험과 인식이 없었다면 전통 귀족세력들은 자칫 국왕의 절대권을 강화시키고 관료군 내에 새로운 정치세력이 성장할 위험까지 감수하면서까지 여진정벌을 용인하려 들지는 않았을 것이다. 위기를 과장해서 조정의 관료들을 속이고 정벌군을 편성한다는 것은 불가능하다. 여진족의 위험에 대한 공감대가 형성되지 않았다면, 귀족들은 결사적으로 반대했을 것이고, 그랬다면 정벌군은 출발조차 할 수 없었을 것이다. 역사의 모든 사건은 여러 가지 복합적 요인을 가진다. 그 중 단 한 가지만을 선택하려는 노력도 애처럽고 위험한 것이지만, 복합적으로 본다고 해서 주원인과 부수적 현상을 구분하지 못하는 것도 역사의 교훈을 사장시키거나 엉뚱할 길로 인도할 위험이 크다.

결코 아니었다. 그러나 역사적으로는 사민정책이라고 불리는 이 이주정책은 세종의 치세중에 행해진 유일하게 혹독하고 지독한 정책이었다.

백성의 입장에서 이주 통보서는 날벼락이었고, 정책 수행 과정에서 부조리와 불합리, 주민 희생도 엄청났다. 강제로 북방으로 이주된 주민들은 반 이상이 첫 해 겨울을 넘기지 못하고 죽었다.

세종의 명성 때문에 이 이주정책이 별다른 비난을 받지 않고 있지만, 다른 왕이 이런 강압적이고 가혹한 정책을 폈거나 만에 하나 이주정책이 실패로 돌아갔다면 수백년 동안 엄청난 비난을 받았을 사업이다.

무엇이 세종을 이렇게 독하게 몰고 갔을까? 세종은 12세기의 전역을 분석하여 분명한 역사적 교훈을 얻어냈던 것이다. 그리고 끝내 성공해서 오늘날까지 이어지는 이 땅의 국경선을 만들었다.

역사를 통해 헛된 논쟁이 아닌 진정한 방법을 찾아낸 세종의 지혜도 높게 평가해 주어야 하지만 피와 땀으로 그 역사의 교훈을 이루어 낸 장수와 병사들, 후방에서 이를 지원한 관료와 백성들 그리고 전몰자들의 공적을 인정하고 마땅한 경의를 바쳐야 할 것이다.

마지막으로 이 전쟁에 참여했던 인물들의 그 후의 삶에 대해 알아보겠다.

윤관은 여진정벌에서 돌아온 뒤 어려운 시간을 보내야 했다. 여진정벌 실패의 책임을 물어 조정관료들이 지속적으로 윤관과 오연총 등을 탄핵했기 때문이다. 재상 최홍사(崔弘嗣), 김경용(金景庸) 등이 주동이 된 이 탄핵은 끈질겼다. 다음 해인 예종 5년 5월의 탄핵 때는 최홍사 등이 중광전 동자문(東紫門)에 와서 해질 무렵까지 서서 간청했고, 왕이 거부하자 대간들이 스트라이크를 벌여 온 궁이 텅 빌 정도였다.

가혹하기도 하지만 이들 입장에서 보면 윤관의 복귀가 정치적으로 상당한 부담이었을 것이다. 쉽게 얘기하면 카이사르가 갈리아 원정에서 돌아올

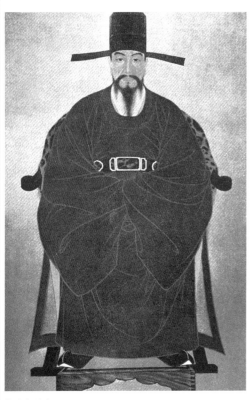
윤관의 영정

때 그는 수년간 전쟁터에서 생사고락을 같이한 15개 군단을 이끌고 있었다. 그들 중에는 정적의 아들도 있고 로마 귀족의 자제도 있었지만, 전투연대에서 맺은 우정이란 각별하고 특별한 것이다.

윤관도 4년간 동북면에서 전투를 치렀다. 윤관이 정계의 실권을 장악하면 당연히 그들을 등용할 것이다. 그래서 정치가들은 여진 정벌이 패전이라는 점을 강조하면서 윤관의 등용을 저지하려고 했던 것이다.

예종은 윤관과 오연총을 중도에 해임하기는 했지만, 그것은 정치적 제스처였고, 윤관에 대한 신뢰를 저버리지는 않았다. 그래서 추가로 요구하는 처벌은 끝까지 거부하고, 이 해 12월에 윤관을 수태보 문하시중 판병부사라는 최고 실권자로 복권시켰다. 윤관과 함께 고생한 김한충(金漢忠)은 판공부사로, 오연총(吳延寵)은 중서시랑 평장사 판삼사사로 임명했다.[184]

그러나 마음 고생 때문이었는지 아니면 4년간의 피로 때문이었는지 윤관은 자신의 정치적 삶의 정점을 영위하지 못하고 다음 해인 1111년 5월에 사망하였다.[185] 윤관은 출생연도가 알려지지 않아 이때의 정확한 나이는 알 수 없다. 안타까운 죽음이었지만, 사후에 그는 충분한 보상을 받았다. 윤관 덕분에 파평 윤씨 가는 명문세가의 반열에 올라섰으며, 조선조 500년 동안에도 최고 명문가의 지위를 유지하여 최장기간동안 존속한 명가로 기록되었다.

오연총도 윤관과 함께 해임되고, 그간 받은 공신호와 관직도 삭탈당했다. 그러나 윤관과 함께 곧 복위되었고, 좀 후에 수사도 수태위 감수 국사로 임명되었으며 상주국 훈위를 받고 판 이부, 예부, 병부사를 역임했다.

오연총이 동북면에 참전할 때는 50대였다. 그도 전쟁에서 무리한 때문인지 종전 후에 병을 얻었고, 징치적 견세도 심하고 해서 여러 번 은퇴를 청했지만 왕이 허락하지 않았다. 하지만 그도 오래 살지는 못하여 1116년(예종 11)에 62세로 사망했다. 불행하게도 그는 아들이 없어 그의 집안의 정치적 영화도 그의 죽음과 함께 끝났다.

문관은 윤관이 죽던 예종 6년(1111)에 재상직인 수사공 참지정사가 되었다. 그러나 그도 연로하여 바로 은퇴하고 다음 해에 사망했다. 시호를 장경(章敬)이라 하였다.[186]

여진정벌에 종군했던 중견간부들의 생애는 각양각색이다. 중요한 전투마다 좋은 활약을 보여주었고, 끝까지 동북면에 남아 9성의 철수를 주관했던 최홍정은 열전도 없고, 전후의 종적도 묘연하다.

최홍정과 함께 병마판관으로 출전해 척준경과 함께 싸웠던 왕자지는 서리 출신으로 애초부터 무반의 길을 걸었던 인물이긴 하지만, 선조인 왕유가 궁예를 섬기다가 태조에게 귀순한 인물이어서 상대적으로 집안은 좋은 편이었다. 종전 후에 언관인 좌산기상시를 거쳐 이부, 병부의 상서, 추밀원사를 역임하고, 예종 17년에 참지정사로 있다가 향년 57세로 사망했다. 장순(章順)이라는 시호를 받고 예종 묘정에 배향되는 영예를 안았다. 그는 판관급으로 참전했던 인사 중에서는 최고로 출세한 인물이 되었다. 그러나 후일 배향공신으로 삼기에는 부적절하다고 해서 배향은 철회되었

다.187)

그런데 왕자지의 출세를 꼭 가문 덕을 본 것이라고 생각할 필요는 없을 것 같다. 왕자지와 달리 집안이 미천했던 강증도 좌산기상시, 어사대부, 형부와 호부상서를 거쳐 재상직인 참지정사에 중서시랑평장사로까지 승진했기 때문이다. 그는 예종 15년(1120)에 72세로 사망했다.188)

역시 미천한 가문 출신인 최홍재는 서북면병마사가 되었다. 거란이 망한 후 보주를 접수하여 의주성을 쌓았고, 문하시랑평장사까지 되었으나 이자겸의 난으로 유배와 복권을 반복하는 우여곡절을 겪었다.189)

참전자들의 종전 후의 삶을 보면 중요 인물의 상당수가 그리 오래 살지 못했다. 보다 젊었던 중견간부 중 몇 명은 출세가도를 달려 재상까지 역임하지만, 이 기록만으로 그들이 좋은 대접을 받았다고는 말할 수 없다. 기록 자체가 고위관직자 위주로 남아 있기 때문이다. 최홍정과 이관진의 종적이 묘연한 데서 알 수 있듯이 일부는 제대로 된 대접을 받지 못했고, 여진정벌군 출신들이 정계를 좌우할 만큼 큰 세력을 형성하지는 못했던 것 같다.

그 이하의 장교나 유공자로 내려오면 잘해야 궁궐의 수비장교인 합문지후나 하급 수령을 역임하였고, 그보다 못한 보상을 받았던 인물들도 많았던 것 같다.

한편 이들과 달리 아주 특별한 삶을 살았던 인물이 있다. 등장부터 특별했던 청년 장수 척준경이다.

예종이 사망하고 인종이 어린 나이로 즉위한 후 고려 조정을 장악한 인물은 이자겸이었다. 자신의 둘째 딸을 예종과 결혼시켜 외척이 된 그는 셋째와 넷째 딸을 모두 인종의 비로 넣었다. 교만해진 그는 스스로 지군국사(知軍國事)를 자처했다. 나라의 정사와 군사를 모두 감당한다는 있지도 않은 지위였다.

아무리 높은 관직을 차지하고 정치적 인맥이 튼튼해도, 참된 권력을 유지하려면 군부를 장악해야 한다. 야심가 이자겸이 선택한 군부의 동맹자는 척준경이었다.

황해도 곡산의 미천한 서리가문 출신이어서 전통 명문가와는 거리가 있고, 윤관의 후원을 받고, 여진정벌에 참전한 군관과 병사들의 신망을 얻고 있는 척준경은 국왕이나 이자겸이나 마음에 드는 존재였다. 그래서 척준경은 이미 예종 때부터 크게 출세하여 위위경 직문하성(衛衛卿直門下省)이 되었고, 인종이 즉위한 후에는 이부상서를 거쳐 최고위직인 개부 의동삼사 검교 사도 수사공 중서시랑 평장사(開府儀同三司檢校司徒守司空中書侍郎平章事)까지 역임했다. 또한 이자겸의 아들 이지원과 자신의 딸을 결혼시켜 사돈이 되었고, 동생 척준신도 병부상서가 되었다.

척준경은 야심가라기보다는 군인이 어울리는 사람이었고, 정치판의 복잡한 구도에 잘 적응하지도 못했다. 그러나 그렇다고 해서 권력의 유혹이란 것이 그렇게 쉽게 떨쳐질 수 있는 것도 아니었다. 인종 초반, 국왕과 이자겸 양쪽의 총애와 견제를 동시에 받는 복잡한 현실에 염증을 느낀 그는 홀연히 관직을 버리고 낙향해 버렸다.

놀란 국왕은 사신을 보내 그를 쫓아가 데려오게 하고 문하시랑평장사로 임명했다. 척준경은 무언가 자신의 운명이 감당할 수 없는 소용돌이 속으로 빠져 들어간다는 느낌을 받았던 것 같은데, 이때 낙향을 포기하고 되돌아온 것이 그에게는 천추의 한이 되었다.

인종 4년 2월 이자겸은 국왕에게 정식으로 자신을 지군국사로 책봉해 달라고 요구하였다. 더 이상 참을 수 없었던 인종은 거사를 결심하고, 동지추밀원사 지녹연(智祿延), 상장군 최탁(崔卓), 오탁(吳卓)과 대장군 권수(權秀), 장군 고석(高碩) 등을 불러 이자겸을 제거하게 하였다. 지녹연은 거란전쟁에서 활약한 지채문의 증손이다.

이때 최탁 등은 척준경도 제거대상에 올려야 한다고 요구했다. 병부상서 자리를 후배인 척준신이 차지했기 때문에 최탁 등은 화가 나 있었다. 인종은 척준경까지 적으로 삼고 싶지는 않았던 것 같은데, 최탁 등의 입장에서 보면 인사에 대한 불만이 척준경과 척준신, 이자겸 정권에 대한 불만으로 이어지고, 이것이 친위쿠데타에 참여한 직접적인 원인이 되었던 터라 왕도 거절할 수가 없었다.

최탁 등은 초저녁에 병력을 인솔하고 궁으로 들어가 척준신과 척준경의 아들로 내시로 근무하던 척순을 살해하고 궁을 점령했다.

고려시대의 권세가들은 어느 정도 사병을 거느리고 있었고, 정규군이라고 해도 인맥으로 연결된 사람들이 많았다. 하물며 척준경은 여진정벌 때부터 맺어온 탄탄한 인맥과 부하들이 있었다. 전쟁 때부터 과감하고 용감했던 척준경은 대책회의를 사절하고 바로 부하들을 이끌고 궁으로 달려갔다.

고려의 궁은 궁 주변을 둘러싼 황성과 그 안쪽 궁성으로 구분되어 있다. 척준경은 황성의 남쪽 주작문을 부수고 신봉문 앞에 집결했다. 아침이 되자 그는 군기고를 부수고 무기를 탈취하여 병력을 무장시켜 궁성의 남문인 승평문을 완전히 점령했다. 이어 이자겸의 막내 아들로 출가해 승려가 되었던 의장이 현화사의 승병 300명을 거느리고 합세 했다.

인종은 몸소 신봉문에 나와 병사를 회유해 보려고 했으나 동생과 자식의 시신을 목도한 척준경의 분노를 가라앉힐 수 없었다. 분노도 분노지만, 자신을 불러들인 인종이 자신을 제거하려 했다는 배신감 또한 작지 않았을 것이다.

척준경은 왕의 사자를 쫓아내고, 흔들리는 병사들을 독려하여 신봉문을 공격했다. 신봉문에 서 있던 인종에게까지 화실이 날라와 경호원들이

고려 궁전의 복원모형. 맨 앞이 신봉문, 그 뒤가 창합문, 그 뒤가 본전인 회경전이다. 모형에는 벽이 없는데 실제로는
옆으로 성벽이 둘러져 있었다. 이 신봉문에서 국왕 측과 척준경 군이 전투를 벌였다.

방패로 인종을 보호해야 했다.

신봉문을 둘러싸고 치열한 전투가 벌어졌다. 승병들이 문을 부수기
위해 동원되었으나 신봉문은 쉽게 돌파 당하지 않았다.

신봉문은 이층으로 된 크고 웅장한 문이었다. 북한에서 발굴조사하고
복원한 고려 궁전의 모형에 따르면 그 앞에 해자까지 놓여 있다. 급조한
병력이고 공성구도 없는 상황에서 신봉문을 정면 돌파하기란 쉽지 않았을
것이다. 승병들이 신봉문 아래로 접근하여 도끼로 문을 부숴보기도 했으나

수비 측의 화살에 맞아 희생자가 속출했다.

정변이란 빠른 시간 내에 끝내야 한다. 명분이 딸리는 쪽일수록 시간을 끌거나 약점을 보이면 불리해진다. 시간이 없다고 판단한 척준경은 문에 불을 질렀다. 각오한 일이었지만 화재는 걷잡을 수 없이 번져 궁 전체를 태워버렸다.

인종은 굴복하여 이자겸과 화의를 맺고 남궁으로 이어했는데, 도중에 척준경이 이 행렬을 습격하여 최탁 등과 호위군사를 모조리 죽여 동생과 아들의 복수를 했다.

이렇게 해서 인종은 거의 허수아비 왕이 되었고, 이자겸은 국왕까지도 바라볼 수 있는 지위에 올랐다. 그러나 실권을 차지하는 것과 왕이 되는 것은 별개의 문제. 국왕에 즉위하려면 아무래도 명분이 필요하고, 저질러 놓은 살해극을 수습하고, 한 맺힌 희생자의 유족들을 달랠 필요도 있었다.

이 시점에서 이자겸은 척준경을 희생양으로 삼으려고 했다. 실제로 이자겸이 이 계획을 실행하지 못한 걸로 봐서 본인은 그럴 의도까지는 없었던 것 같기도 하다. 그러나 주변 인물이나 참모들에 의해 이런 의견이 언급된 것은 분명한 것 같고, 그 이야기가 척준경의 귀에까지 들어갔다.

정치가가 되기에는 순박했던 척준경은 이 이야기를 듣고, 한달음에 이자겸의 집으로 달려갔다.

> 척준경이 이 말을 듣고 대로하여 이자겸의 집으로 달려가서 의관을 벗어버리면서 말하기를 "내 죄가 크지! 법관에 들어가서 자수해야지"라고 하고는 꼿꼿이 나가면서 뒷사람이 말려도 돌아보지도 않고 자기 집으로 돌아가 누웠다. 그래서 이자겸은 아들 이지미, 이공의를 보내 화해를 청하였으나 척준경은 욕질 하면서 말하기를 "전일의 난은 모두 너희들이 한 일인데 어째서 내 죄만이 죽을 죄라고 하느냐!"라고 하고 종내 만나보지도 않고

뒤이어 언명하기를 "은퇴하여 내 고향으로 돌아가고 싶다"라고 하였다.190)

척준경의 심적 동요와 이자겸과의 갈등을 눈치챈 내의 최사전은 인종을 설득하여 척준경을 회유하게 하였다. 그의 아들과 동생까지 살해한 상황이라 인종은 망설였지만, 척준경은 이자겸의 제거에 동의하였다.

이 해 5월, 척준경은 소수의 병력을 이끌고 인종이 연금되어 있는 곳으로 쳐들어가 왕을 구하고 이자겸 일파를 제거했다. 그 공으로 나라를 받치는 기둥이라는 뜻인 상주국(上柱國)이란 훈위를 받고 추충정국협모동딕위사공신(推忠靖國協謀同德衛社功臣)에 삼중대광개부의동삼사검교태사수태보 문하시랑동중서문하평장사판호부사겸서경류수사(三重大匡開府儀同三司檢校太師守太保門下侍郎同中書門下平章事判戶部事兼西京留守使)라는 대여섯 개의 관직을 합친 많고도 긴 관직을 받았다.

그러나 결국은 토사구팽의 운명을 피할 수 없었다. 다음 해인 1127년(인종 5) 그는 숙청되어 목포 앞바다에 있는 암태도(현재의 전남 신안군)로 유배되었다. 그러나 곧 고향인 곡산으로 이배되었고, 왕년의 공이 인정되어 1130년에는 아들의 직전(관리에게 주는 토지)을 복구해 주었다. 척준경은 이후 14년간 고향에서 살다가 1144년(인종 22)에 등창으로 사망했다. 그가 사망하기 수십 일 전 인종은 그의 명예를 회복하여 조봉대부검교호부상서(朝奉大夫檢校戶部尚書)직을 하사했다.

그러나 척준경의 불명예는 완전히 신원되지 않았다. 조선시대의 학자들은 그의 무용담과 파란만장한 삶을 기록으로 남겼지만 그의 열전은 반역전에 넣었다.

1 한국역사연구회 편, 『고려의 황도 개성』, 창작과 비평사, 2002, 153쪽.

2 『송도지』권3, 橋梁(『여지도서』 보유편, 송도), 橋頭立記蹟碑 韓濩筆.

3 공산성 전투에 대해서는 임용한, 『전쟁과 역사-삼국편』, 혜안, 2001, 343~349쪽.

4 "秋七月 渤海國世子大光顯 率衆數萬來投 賜姓名王繼 附之宗籍 特授元甫 守白州以奉其祀. 賜傺佐爵 軍士田宅有差"(『고려사』권2, 세가2, 태조 17년 7월).

5 태조대에는 지방군현의 명칭을 바꾸는 정도의 개혁을 수행했다. 이것은 그 지역 군현 간의 격이나 상하관계, 지방세력의 위상을 조정하는 효과가 있었다. 그러나 외관을 파견하지는 못했다(李義權, 「高麗의 郡縣制度와 地方統治政策」, 『高麗史의 諸問題』, 三英社, 1986).

6 河炫綱, 「高麗西京考」, 『歷史學譜』 35 · 36합, 1967.

7 임용한, 『전쟁과 역사-삼국편』, 64~85쪽.

8 이기훈, 『전쟁으로 보는 한국역사』, 지성사, 1997, 154쪽.

9 『고려사』권3, 세가3, 성종 3년.

10 임용한, 『전쟁과 역사-삼국편』, 제5장 참조.

11 『고려사』권88, 열전1, 장화왕후 오씨.

12 『고려사』권88, 열전1, 소서원부인 김씨.

13 崔淑, 「고려 혼인법의 개정과 그 의미」, 『고려시대의 형성과 형정』(한국사론 33), 국사편찬위원회, 2002. 4.

14 『고려사』권2, 세가2, 혜종 2년.

15 『고려사』권77, 지31 제사도감각색 ; 권81, 지35, 병1, 五軍.

16 『요사』권34, 지4, 병위지상, 병제.

17 『한민족전쟁통사2』, 국방군사 연구소, 1993, 19~20쪽.

18 『요사』권34, 지4, 병위지상, 병제.

19 『고려사절요』권2, 성종 원년 6월 최승로의 상소.

20 이기백, 「고려경군고」, 『고려병제사연구』, 일조각, 1968, 61~63쪽 ; 홍승기, 「고려초기 중앙군의 조직과 역할」, 『고려군제사』, 육군본부, 1983, 32~34쪽.

21 이기백, 「고려경군고」, 『고려병제사연구』, 68쪽.

22 이기백, 『고려병제사연구』, 72쪽.

23 이기백, 『고려병제사연구』, 254쪽.

24 『고려사』권77, 백관2, 서반, 금오위.

25 이기백, 「고려경군고」, 『고려병제사연구』, 70쪽.

26 한국역사연구회,『고려의 황도 개경』, 37쪽.

27 이기백,「고려경군고」,『고려병제사연구』, 70쪽.

28 이하 장군과 장교들의 복장에 대해서는 서긍의『고려도경』권11·12 仗衛편을 참조하였다.

29 서긍,『고려도경』권13, 병기.

30 이기백,「고려 주현군연구」및「고려주진군연구」,『고려병제사연구』.

31 『고려사』권2, 세가2, 태조 19년 9월 갑오.

32 서긍,『고려도경』권12, 장위2, 千牛左右仗衛軍.

33 서긍,『고려도경』권11, 장위1.

34 서긍,『고려도경』권11, 장위1.

35 임용한,『전쟁과 역사-삼국편』, 204~207쪽.

36 『고려사』권81, 지35, 병1, 병제, 군제, 別號諸班.

37 안주섭,『고려거란전쟁』, 경인문화사, 2003, 101~102쪽.

38 『고려사』권94, 열전7, 서희.

39 『고려사』권94, 열전7, 서희.

40 김정호,『대동지지』안주목.

41 『고려사』권94, 열전7, 서희, 안융진 전투의 지휘관이 중랑장과 낭장이라는 것은 이 부대가 주현군으로 구성된 원래의 수비대였음을 말해 준다.

42 『발해국지장편』

43 앙리 조미니 저, 이내주 옮김,『전쟁술』, 책세상, 1999, 93쪽.

44 안주섭,『고려거란전쟁』, 111쪽.

45 『단종실록』권3, 즉위년 9월 임자.

46 『신증동국여지승람』권8, 경기3, 이천도호부.

47 『요사』권88, 열전18, 소배압.

48 『고려사절요』권3, 현종 원년 11월.

49 강호선,「개경의 축제, 연등회와 팔관회」,『고려의 황도 개경』, 창작과 비평사, 2002.

50 내성에 32개, 외성에 3개의 우물이 있었다(『여지도서』평안도 의주 城池).

51 『인조실록』권30, 인조 12년 9월 무인, 34책 572쪽.

52 『고려사』권94, 열전7, 최사위전.

53 『고려사』권127, 열전40, 반역1, 강조.

54 『요사』에는 야율적록(耶律的琭)으로 표기되어 있다(『요사』권88, 열전18, 야율적록).

55 『고려사』권94, 열전7, 양규.

56 완항령은 통주에서 곽주 사이에 있던 고개임은 분명한데, 구체적인 위치는 확실하지 않다.

57 『고려사』권5, 세가5, 덕종 원년 2월.

58 『고려사』권5, 세가5, 덕종 원년 2월.

59 『고려사』권94, 열전7, 지채문.

60 『고려사』에는 이런 기록이 없다. 그러나 탁사정 등이 도주한 후에도 이들이 등장하지 않는 것을 보면 이들은 처단되거나 감금되었던 것 같다.

61 『요사』권88, 열전18, 高正傳.

62 『여지도서』평양, 650쪽. 『여요전쟁사』에서는 마탄면을 임원역 북방 10리 보통강가에 있는 마식리로 추정했으나 마탄이라는 지명이 존재하는 이상 이곳으로 보는 것이 옳다.

63 『고려사절요』권3, 현종 원년 12월. 『고려사』에는 그냥 동문이라고 되어 있으나 『고려사절요』에서는 대동문이라고 하였다.

64 『고려사』권94, 열전7, 지채문.

65 『고려사』권94, 열전7, 양규.

66 『고려사』권94, 열전7, 지채문. 기록에는 서남쪽 산지에서 적도가 길을 막았다고 하였다. 지세로 볼 때 서남쪽 산지는 단조역 아래 마현이거나 적성에서 양주로 가는 고갯길이 틀림없다고 생각된다.

67 『고려사절요』권3, 현종 원년 5월.

68 『고려사』권94, 열전7, 지채문.

69 『고려사』권94, 열전7, 지채문.

70 브라이언 타이어니, 시드니 페인터 저, 이연규 역, 『서양중세사』집문당, 1986.

71 『고려사』권94 열전7, 양규.

72 『고려사』권94 열전7, 양규.

73 『고려사』권94, 열전7, 하공진.

74 『고려사』권94, 열전7, 지채문.

75 『고려사』권93, 열전6, 채충순.

76 『고려사절요』권3, 현종 2년 8월

77 『고려사』권4, 세가4, 현종 5년 10월 기미.

78 『고려사』권4, 세가4, 현종 6년 7월 경신.

79 『고려사』권4, 세가4, 현종 6년 9월 계해.

80 『고려사』권4, 세가4, 현종 6년 9월 정묘.

81 『고려사』권4, 세가4, 현종 7년 1월 경술.

82 『고려사』권94 열전7, 황보유의.

83 『고려사』권94, 열전7, 왕가도.

84 『고려사』권94, 열전7, 강민첨.

85 『고려사』권4, 현종 4년 5월 임오.

86 『고려사』권94, 열전7, 강감찬.

87 『고려사』권4, 세가 4, 현종 10년.

88 서긍,『고려도경』권11, 丈衛1.

89 서긍,『고려도경』권17, 崧山廟.

90 『요사』권80, 열전10, 야율팔가전.

91 『고려사』권94, 열전7, 강감찬.

92 『요사』권16, 본기16, 성종7.

93 『고려사』권94, 열전7, 강민첨.

94 『고려사절요』권3, 현종 10년 2월 기축.

95 『고려사』권94, 열전7, 강감찬.

96 『고려사』권71, 악지, 금강성.

97 『고려사』권5, 세가5, 현종2, 현종 22년 5월.

98 『고려사』권5, 세가5, 현종2, 현종 22년 5월.

99 『고려사』권14, 세가14, 예종3, 예종10년 정월 경인.

100 『수서』권81, 동이, 말갈.

101 『삼국지위지동이전』숙신.

102 『고려사』권14, 세가14, 예종3, 예종 10년 10월.

103 『금사』권1, 본기1, 세기 경조.

104 『금사』권135, 열전73, 외국(하), 고려.

105 『고려사』권11, 세가11, 숙종 8년 7월.

106 『고려사』권96, 열전9, 윤관.

107 『고려사』권6, 세가6, 정종 9년 4월 ; 권7, 세가7, 문종1, 문종 4년 7월.

108 『금사』 권135, 열전73, 외국(하), 고려, 2883쪽.

109 『고려사』 권12, 세가12, 숙종 2, 숙종 9년.

110 『고려사』에는 부내로 혹은 분나로라고 기재되어 있다. 이들은 동일한 부족으로 보인다.

111 김정호, 『동여도』 9책 1열.

112 『고려사』 권96, 열전9, 윤관.

113 『금사』 권135, 열전73, 외국(하), 고려.

114 『고려사』 권96, 열전9, 윤관.

115 『고려사절요』 권7, 숙종 9년 2월.

116 『고려사』 권96, 열전9, 윤관.

117 『여지도서』 함경도 정평부, 古蹟條 및 方里 長谷社.

118 『고려사』 권96, 열전9, 윤관.

119 『금사』 권135, 열전73, 외국(하), 고려.

120 『고려사』 권12, 세가12, 예종1, 예종 원년 3월.

121 『고려사』 권96, 열전9, 윤관.

122 맹안모극제도가 정식으로 정비된 때는 금이 건국된 12세기 이후다. 그러나 이 제도는 여진의 전통적인 사회군사체제에 기초한 방식이므로 이런 제도의 원형은 이미 여진사회에 존재하고 있었다고 보아야 한다.

123 學研歷史群像編輯部, 『戰略戰術兵器事典 - 中國中世·近代編』, 51쪽.

124 『고려사』 권96, 열전9, 윤관.

125 金塘澤, 「별무반의 설치와 군제의 변화」, 『고려군제사』, 249쪽.

126 『고려사』 권81, 지35, 병1, 병제, 병제사.

127 이 때문에 별무반이 귀족 자제를 위한 특수병종이었다고 보는 견해가 우세하다(金塘澤, 「별무반의 설치와 군제의 변화」, 『고려군제사』, 237~241쪽). 그러나 별무반 창설 기사를 보아도 별무반은 기존의 병종과 신분을 가리지 않고 편성한 부대라는 점이 강조되어 있다.

128 葛城末治, 「閔瑛墓誌」, 『朝鮮金石攷』, 1935.

129 『고려사』 권96, 열전9, 윤관.

130 『고려사』 권96, 열전9, 오연총.

131 『고려사』 열전 오연총전에 의하면, 예종 즉위 초에 오연총이 동북면 행영 병마사로 파견되었는데, 그때 각처에서 징발되어 온 신기군 가운데 70세 이상 노부모가 있는 외아들과 3, 4명이 함께 징발된 자들은 그 중 1명을 귀환시키자고

건의하였다고 한다. 이 기사로 미루어 보건대, 이미 동북면에는 별무반이 배치되어 있었음이 분명하다(『고려사』 권96, 열전9, 오연총).

132 『고려사』 권12, 세가12, 예종1, 예종 원년 3월.

133 『고려사』 권96, 열전9, 오연총.

134 『고려사』 권96, 열전9, 오연총.

135 『고려사』 권12, 세가12, 예종1, 예종 원년 정월.

136 『고려사』 권12, 세가12, 예종1, 예종 원년 3월.

137 『고려사』 권96, 열전9, 윤관.

138 『고려사』 권12, 세가12, 예종1, 예종 2년 윤10월.

139 윤관은 9성 개척에 성공한 후 임언을 시켜 영주의 관청벽에 이 원정의 사적을 기록하게 하였다. 이 글에서 임언은 오연총을 평하여 "천성이 신중하여 매사를 처결할 때에는 반드시 재삼 생각한 후에 실천하였으므로 그가 세운 국가대책은 성공 못한 일이 없었다."고 하였다(『고려사』 권96, 열전9, 윤관).

140 서긍, 『고려도경』 권27, 관사, 순천관.

141 『고려사』 권96, 열전9, 윤관.

142 『고려사』 권12, 세가12, 예종1, 예종 2년 윤10월, 11월.

143 『고려서절요』 권7, 숙종 9년 3월.

144 『고려사』 권95, 열전8, 김한충.

145 『고려사절요』 권8, 예종 15년 9월, 김한충 졸기.

146 김한충은 1120년(예종 15)에 78세로 사망했다(『고려사』 권14, 세가14, 예종3, 예종 15년 9월 癸亥).

147 『고려사』 권97, 열전10, 문관.

148 『고려사』 권95, 열전8, 이자연.

149 『금사』 권135, 열전73, 외국(하), 고려.

150 『고려사』 권97, 열전10, 김부일.

151 첫 날 윤관의 부대는 대내파지촌(大乃巴只村)을 무저항으로 통과했다(『고려사』 권96, 열전7, 윤관 및 『고려사절요』 권7, 예종 2년 12월). 대내파지촌을 함흥으로 보는 견해가 있는데(『한민족전쟁통사 2』, 『고려사절요』 번역본) 고려군의 첫 진격복표는 정평의 성문과 주변 해안이었다. 또 정평의 옛 이름이 파지촌이었으므로 대내파지촌은 정평읍였다고 보는 것이 정확하다. 고려군은 여기서 반나절을 행군하여 문내니촌의 동음성에서 최초로 교전을 벌였다. 정평을 통과한 고려군의 진격 방향은 당연히 함흥이므로 동음이촌은 함흥 경내의 어느 지점이었을 것이다.

152 『고려사』 권96, 열전7, 윤관.

153 김정호, 『청구도』, 6층 5판.

154 『여지도서』 함경도 경성, 關阨.

155 『고려사』 권96, 열전7, 윤관.

156 『고려사절요』 권3, 예종 3년 3월.

157 『금사』 권135, 열전73, 외국(하), 고려.

158 우야소는 핵리발(세조)의 첫째 부인인 익간황후(翼簡皇后)의 장자고, 알색은 둘째 부인 도단씨(徒單氏)의 장자다(『금사』 권65, 열전3, 始祖以下諸子).

159 『고려사절요』 권7, 예종 3년 5월.

160 『고려사절요』 권7, 예종 3년 1월 병진.

161 영주성은 950칸, 웅주성은 992칸, 복주성은 774칸, 길주성은 670칸이었다(『고려사』 권96, 열전9, 윤관).

162 조선총독부, 『朝鮮五万分之一地圖』, 1918.

163 『고려사절요』 권7, 예종 3년 3월.

164 『고려사』 권95, 열전8, 김한충.

165 『고려사』 권97, 열전10, 이영 ; 鄭修芽, 「尹瓘勢力의 形成」, 『震檀學報』 66, 1986, 11쪽.

166 대체로 중세의 모든 역사책은 자신들에게 유리한 이야기만 기록하는 경향이 있다. 그래서 이 전투에 대해서는 명확한 기술이 없다. 그러나 나중에 오연총이 웅주성에 입성하여 원병을 기다리지 않고 섣불리 교전하였다가 사상자를 많이 내고 병사들의 사기를 떨어뜨렸다고 하여 지휘부를 처벌했다는 기사를 통해 이러한 상황을 짐작해 볼 수 있다(『고려사』 권96, 열전9, 오연총).

167 『고려사』 권96, 열전9, 오연총.

168 『금사』 권65, 열전3, 始祖以下諸子, 斡塞.

169 『고려사절요』 권7, 예종 4년 5월.

170 『금사』, 권71, 열전9, 알노.

171 『금사』 권65, 열전3, 시조이하제자 ; 권71, 열전9, 알노.

172 『금사』, 권71, 열전9, 알노.

173 『고려사』에는 당시 그의 직함이 병마녹사, 중군녹사로 나오고, 허재의 묘지명에는 병마판관으로 되어 있다(『금석전문』 허재 묘지명). 그러나 묘지명의 기술이 정확하다고 보인다.

174 『고려사』 권13, 세가13, 예종2, 예종 4년 2월 경인.

175 『고려사』 권13, 세가13, 예종2, 예종 4년 3월 계축.

176 『금사』 권80, 열전18, 사모아리. 이 기사는 석전탄이 주장으로 나오는 것으로 보아 혹 이때의 전투가 아니라 1104년의 전투를 9성 지역의 전투로 착각했을 가능성도 있다.

177 『고려사절요』 권7, 예종 4년 5월.

178 『고려사』 권95, 열전8, 임의.

179 『금석전문』 허재 묘지명.

180 『고려사』 권96, 열전9, 오연총.

181 『고려사』 권13, 세가13, 예종2, 예종 4년 8월 갑술.

182 葛城末治, 「閔瑛墓誌」, 『朝鮮金石攷』, 1935.

183 룩콴텐, 『유목민족제국사』, 민음사, 1984, 169쪽.

184 『고려사』 권13, 세가13, 예종2, 예종 5년 12월 신축.

185 『고려사』 권13, 세가13, 예종2, 예종 6년 5월.

186 『고려사』 권97, 열전10, 문관.

187 『고려사』 권92, 열전5, 왕유.

188 『고려사』 권97, 열전10, 강증.

189 『고려사』 권125, 열전38, 간신1, 최홍재.

190 『고려사』 권127, 열전40, 반역1, 이자겸.

지은이 | **임 용 한**

서울 마포고등학교, 연세대학교 신과대학 신학과와 문과대학 사학과를 졸업하고,
동 대학원 사학과 석사 취득 후 경희대학교 대학원 사학과에서 문학박사 학위를 받았다.
현재 충북대학교 중원문화연구소 전임연구원으로 재직중이며,
충북대, 경희대, 공군사관학교에서 강의하고, 경기도 문화재 전문위원으로 활동하고 있다.
저서로는 『전쟁과 역사-삼국편』을 비롯하여, 『조선국왕 이야기』 1·2, 『조선전기 수령제와 지방통치』
등이 있다.

전쟁과 역사 2
거란·여진과의 전쟁

임 용 한

초판 1쇄 발행   2004년 10월 15일
재판 1쇄 발행   2015년 4월 29일

발행처   도서출판 혜안
발행인   오일주

등록번호   제22-471호
등록일자   1993년 7월 30일

주 소   ⑨ 121-836 서울시 마포구 서교동 326-26번지 102호
전 화   02-3141-3711~12 | 팩시밀리 02-3141-3710
이메일   hyeanpub@hanmail.net

값 15,000 원

ISBN   89-8494-229-4   03910